浅海伸夫

高校生のための「歴史総合」入門 Ⅰ

【世界の中の日本・近代史】

日本に「近代」到来

藤原書店

刊行にあたって

二〇二〇年から新型コロナウイルスの感染が、瞬く間に国内外に広がり、世界的大流行となりました。それが収まらない二二年には、ロシア軍がウクライナに侵攻し、戦闘の模様が日本の茶の間に直接飛び込み、エネルギーや食料品価格が急騰しました。これらは日本人の身近なところで、「一体化した世界」を強く実感させました。

この「世界の一体化」は、むろん今に始まったことではなく、一五世紀末以降の「大航海の時代」に現われ、近代に入って一層、その歩みを早めました。ところが、我々自身の高校の歴史学習を振り返るとき、この「一体化した世界」の姿かたちをどこまで把握できたでしょうか。そこでは〈世界史〉と〈日本史〉はまったく別物であり、各教科書は、世界と日本の歴史を縦割りで記述し、ほとんど交わるところがありませんでした。つまり〈日本史〉の教科書には「世界」がなく、〈世界史〉の教科書には「日本」が存在しなかったのです。

戦後、いやむしろ戦前から、歴史の授業は、無味乾燥な史実の「暗記」に費やされてきました。この結果、歴史嫌いの若者たちを多数生み出しました。二一世紀に入ると、カタカナ暗記の負担の重さから「〈世界史〉の必修逃れ」が事件になり、「一国史観」に終始する選択科目の〈日本史〉は、履修せずに卒業する生徒が相次ぎました。

加えて以前から、「近現代史」の授業は、学年末になると、疎かにされるのが常でした。戦前の体験談を語れる祖父母世代の〝課外授業〟もなくなりました。これらによって親子ともども、「近現代史知らず」が増えています。

昨今、いくらグローバル化が叫ばれようと、これでは、歴史を振り返りつつ、「地球儀」を片手に「今」を考えるような思考は、なかなか育たないでしょう。

しかし、こうした宿弊を抱える歴史教育に対して、歴史・政治・教育学者や日本学術会議などから刷新を求める声が出始め、文部科学省は二〇二二年度から、新たな必修科目として〈歴史総合〉を導入しました。この新科目は、「近現代の歴史の変化に関わる諸事象について、世界とその中における日本を広く相互的な視野から捉え、資料を活用しながら歴史の学び方を習得し、現代的な諸課題の形成に関わる近現代の歴史を考察、構想する」(学習指導要領解説)科目です。これに基づき、生徒たちは、「近代化」「大衆化」「グローバル化」の観点から〈世界史〉と〈日本史〉を融合させた〈歴史総合〉の教科書で学び始めました。

本書は、これらの動きをにらみつつ、二〇一六年八月から「読売新聞オンライン」で連載中の「あたらしい『世界と日本』史」を基本に書籍化したものです。

本シリーズ(全三巻)は、日本が「近代」に目覚める江戸末期から、欧米の近代を手本に驚くべき跳躍を重ねた明治時代、国際的に「五大国」の一つと目され、大衆の政治参加の声が高まる大正時代までの約七〇年間を、日本と世界を交差させて描いた歴史物語です。

日本の明治・大正期は、一〇年ごとに対外戦争がありました。続く戦前昭和、日本の指導層は、世界の潮流を見誤り、独善的かつ無責任に日中戦争から日米戦争へと突入し、営々と築いてきた日本近代の遺産を失うことになりました。その深い反省の上に立って、戦後日本は非戦の歴史を歩んできました。

近代日本が最後に暗転して破滅したのはなぜか。ここに記した明治・大正期の世界の中の日本の歴史をたどる時、そこにヒントが見いだせるかもしれません。

この本は、日々の国内外のニュースを、グローバルな視野で捉えたいと考える一人のジャーナリストの問題意識から生まれました。高校生をはじめとして、一人でも多くの方々に楽しく読んでもらえるよう願っています。

浅海伸夫

二〇二二年盛夏

高校生のための「歴史総合」入門——世界の中の日本・近代史　Ⅰ　目次

第2章 攘夷の反攻、回天の維新 …………………… 77

第3章 万機公論と万国公法……169

第4章 いざ行かん、未知の国へ

高校生のための「歴史総合」入門

――世界の中の日本・近代史

I　日本に「近代」到来

凡例

一　各章冒頭の年表は以下の資料を参考に作成した。▽岩波書店編集部編『近代日本総合年表』（岩波書店）▽歴史学研究会編『日本史年表』（同）▽歴史学研究会編『世界史年表』（同）ほか

一　参考文献は巻ごとに巻末に掲載した。

一　重要語句・出来事については★を付し、ページ左側の囲み記事で解説を加えた。

一　年代・月日の表記は西洋紀年・陽暦を用いた。必要に応じて陰暦・和暦を添えた。

第Ⅰ巻まえがき

欧米では一八世紀後半のイギリス産業革命、アメリカ独立革命（一七七六年）、フランス革命（一七八九年）が、一般に「近代」の本格的な始まりとされます。これに対して、中国の場合はアヘン戦争（一八四〇—四二年）が出発点。日本の近代はペリーが率いる黒船の来航（一八五三年）から始動するというのが定説です。

しかし、これをアジアの遅れと見てはいけません。一八世紀初頭、中国やインドやイスラム世界では、豊かな文化と経済力をもつ王朝が栄えていました。ところが、次第に弱体化・分裂の傾向を示し、近代化によって軍事的にも経済的にも勢いを増した欧米の風下に立ちます。

「世界の一体化」が進むなか、オランダに替わるヘゲモニー（主導権）国家として登場したイギリスは、広大な植民地を従え、一九世紀中ごろには最強の帝国として、「パクス・ブリタニカ」（イギリスによる平和）の繁栄を謳歌します。イギリスは、清国にアヘン戦争を仕掛けて勝利し、香港割譲や上海などの開港を認めさせました。さらにフランス、アメリカ、ロシアとともに清国を餌食にします。

そのアジアにあって徳川日本は、「鎖国」という祖法（先祖伝来の法）を守って、独特の成熟社会・経済をつくり、「泰平の眠り」の中にありました。日本を覚醒させたのがペリーの砲艦外交でした。近代戦争の用意を欠いた幕府のサムライたちは、現実的に「避戦」を選択します。これまでモデル国家として畏敬していた清の敗北に驚愕《きょうがく》した彼らは、「前者の轍《てつ》を踏んではならぬ」と考えました。

老中首座・阿部正弘は、ペリーが持参した米大統領国書を、大胆にも世間に「公開」して世論工作にあたり、日米和親条約（一八五四年）を締結。さらに後継の堀田正睦《まさよし》は、通商の道を開くしかない、つまり、鎖国から開国へと一八〇度の方針転換をはかって天皇の許可を求めました。

国の外交が国内政治に跳ね返って激しい政争を招くのは、今日と変わりません。大老・井伊直弼が勅許を待たずに日米修好通商条約（五八年）の調印を断行すると、尊皇攘夷派が猛反発。井伊は尊攘派志士らを大弾圧し、その報復として桜田門外で殺害されました。京都では攘夷派の志士が跳梁《ちょうりょう》し、公武合体派や開国派も「天誅《てんちゅう》」の標的になり、新選組がこれに対抗して血の雨を降らせました。

ところが、攘夷を唱えていた長州、薩摩の両藩は、英仏米蘭の艦隊と戦火を交えて、彼我の力の差を知り、一転、開国路線に宗旨替えしました。その頃、日本と同じく国を閉ざしていた隣国の李氏朝鮮は、日本の尊皇攘夷に似た排外政策をとり、欧米列強の艦隊を駆逐していました。これは列強との国同士の戦争になりましたが、日本の場合は「雄藩対列国」の短期戦にとどまりました。これが日本と朝鮮両国の近代化への分岐点になったとの指摘があります。

日本への開国圧力は、北方のロシアからもかかります。プチャーチン艦隊の来日です。ペリー派遣が西へ西へと版図を拡大するアメリカの「マニフェスト・デスティニー」（明白な天命）の延長なら、プチャーチンの訪日は、「不凍港」を渇望するロシアの南下・東進政策の導くところでした。

プチャーチンには幕臣・川路聖謨《としあきら》が水際立った応接をし、プチャーチンを感服させました。幕府は、川路のほか、勝海舟ら外交感覚のある開明派を抱えていました。幕府は「咸臨丸」など大小の使節団に福沢諭吉ら優秀な人材を随行させる一方、西洋文化を摂取するため、多数の留学生を各国に派遣し、反幕雄藩もこれにならいました。彼らは帰国後、啓蒙思想の普及や殖産興業の担い手として活躍します。

近代化を急ぐ維新政府は、留学生らが一人前になるまで待てないとみると、多額の報酬を支払って、各分野で「お雇い外国人」の助力を仰ぎます。そして、一八七一年から政府の首脳陣がこぞって二年近く、米欧回覧の旅（岩倉使節団）に出ます。不平等条約を改正するための環境整備が狙いでしたが、欧米先進国の文明を肌で感じ、日本の近代化・資本主義化を促進させる契機になりました。

欧米においては、ロシアとオスマン帝国、英仏とのクリミア戦争（一八五三―五六年）、アメリカの南北戦争（六一―六五年）、普仏戦争（七〇―七一年）などが続いていました。プチャーチンは、日本に到着直後、クリミア戦争に加わった英仏の連合艦隊の追撃をかわすため、日本を離れたほどです。欧州周縁の戦争がアジアにも直接波及する時代になっていました。

対日外交では、南北戦争に忙殺されるアメリカに代わって、イギリスが主導権を握り、パークス英公使が薩摩藩に接近すれば、ロッシュ仏公使は幕府と提携しました。英仏の外交団は、それぞれの応援団として賭けに出て、激しい綱引きを演じました。

裏切りや陰謀に満ちた権力闘争の末、薩長両藩は、兵力を動員してクーデターを敢行、新政権を樹立し、ここに二六〇年余り続いた武家と公家による伝統的支配体制は崩壊しました。しかし旧幕府勢力は、明治新政府の前に立ち塞がり、戊辰戦争が勃発。この内戦は一年半も続いて、敗者の側に後年まで深刻なトラウマを残しました。

政府の成立宣言である「五箇条の御誓文」（六八年）は、冒頭、「広く会議を興し、万機公論に決すべし」と述べました。これは坂本龍馬の「船中八策」にもあり、近代的なデモクラシーの萌芽を感じさせる、明治維新のキーワードになります。さらに「智識を世界に求め、大いに皇基を振起すべし」ともうたいました。これは近代世界に範をとる「開国進取」によって、「天皇親政」を確固たるものにすることを誓ったものでした。

日本は、一連の対外交渉で、「万国公法」（国際法）の存在を初めて知り、これをあがめ、一般民衆にもその遵守を求めました。ただ、岩倉使節団は、七一年に成立したドイツ帝国を訪問中、宰相ビスマルクから、万国公法よりも肝心なのは「力」であると、国際政治のリアリズムを教えられました。

新政府の諸改革のスピードは、尋常ではありませんでした。まず、年号を明治と改め、東京遷都を実現。天皇は、行幸によってそれまでの「見えない天皇」から「見える天皇」へと変貌し、新しい天皇像がつくり出されます。中央集権国家をつくるため、諸藩が領地と領民を天皇に返還する「版籍奉還」（六九年）、そして藩を一挙に廃止して県を置く「廃藩置県」（七一年）は、一夜にして大名が消える「無血の革命」でした。

岩倉使節団の留守を預かったのが、西郷隆盛、大隈重信、板垣退助らでした。この留守政府は、外遊組を無視する形で、徴兵制や学制、地租改正などの諸改革を矢継ぎ早に進めました。

他方、外交関係は絶えざる緊張状態にありました。旧幕府の対外窓口になっていた琉球（沖縄）の日清両属関係の整理や、対馬藩が担当していた対朝鮮外交の新政府への移管、樺太（サハリン）の帰属をめぐるロシアとの対立……。そんな中、台湾で起きた琉球漂流民殺害事件が、日本国内に台湾出兵論を生み、国交が断絶し険悪化するばかりの朝鮮に対しては「征韓論」が噴き上げます。にわかにキナ臭さが漂い、「アジアの中の日本」が問われる事態になります。

外遊組と留守居組との間に深い溝が生まれていました。使節団一行の帰国とともに、朝鮮への「西郷特使」派遣をめぐり、双方は正面から衝突し、政府を真っ二つに割る政変が起きることになります。

第1章　黒船襲来、開国へ大転換

第1章関連年表

1538（天文7）	9月	オスマン朝、地中海の制海権を確立
1543（天文12）	8月	ポルトガル人、種子島に漂着。鉄砲伝来
1603（慶長8）	2月	徳川家康、征夷大将軍となり江戸に幕府を開く
1628（寛永5）	2月	シャー・ジャハーン、ムガル帝国の第5代皇帝に即位
1637（寛永14）	10月	「島原の乱」が起きる
1641（寛永18）	4月	オランダ商館を平戸から長崎出島に移し「鎖国」完成
1649（慶安2）	1月	英国王チャールズ1世処刑。清教徒革命
1683（天和3）	8月	康熙帝、台湾の鄭氏一族を滅ぼし台湾領有、中国全土平定
1689（元禄2）	2月	イギリスで権利宣言（名誉革命）
	＊	ロックが『統治二論』刊行
1715（正徳5）	11月	近松門左衛門『国性爺合戦』大坂竹本座で初演
1757（宝暦7）	6月	イギリスの東インド会社軍がベンガル太守と仏軍を撃破（プラッシーの戦い）
1762（宝暦12）	7月	ロシアのエカチェリーナ2世即位

1776（安永5）	7月	アメリカ独立宣言
1789（天明9・寛政元）	7月	群衆がバスティーユ牢獄襲撃、フランス革命始まる
1793（寛政5）	8月	英使節マカートニー、乾隆帝に接見
1800（寛政12）	4月	伊能忠敬が蝦夷地測量のため江戸を出発
1804（享和4・文化元）	3月	ナポレオン法典成立
	5月	ナポレオン、フランス皇帝に推戴される
	9月	ロシア使節レザノフが長崎に来航
1805（文化2）	10月	トラファルガーの海戦でイギリスがフランス・スペインの連合艦隊に勝利
1808（文化5）	4月	間宮林蔵、樺太が島であることを発見
1813（文化10）	9月	高田屋嘉兵衛とゴロウニンが交換される
1814（文化11）	6月	フランスでブルボン朝の王政復活
	9月	ウィーン会議が始まる
1815（文化12）	6月	ワーテルローの戦いでナポレオン敗北
1825（文政8）	2月	幕府、無二念打払令を発する

1828（文政11）	12月 第7代アメリカ大統領にジャクソン選出
1837（天保8）	2月 大坂町奉行所元与力・大塩平八郎の乱が起きる 6月 漂流民を乗せて浦賀に来た米船「モリソン」号を幕府が砲撃
1838（天保9）	11月 清朝、林則徐を欽差大臣に任命
1839（天保10）	12月 幕府、渡辺崋山を蟄居、高野長英を終身禁獄に（蛮社の獄）
1840（天保11）	5月 アヘン戦争が本格化 6月 中浜万次郎、太平洋を漂流中、米船に助けられる
1841（天保12）	5月 老中水野忠邦が天保の改革に着手
1842（天保13）	7月 幕府、無二念打払令を緩和、薪水・食料を供与
1844（天保15・弘化元）	3月 フランス船、琉球に来航し通商求める 7月 オランダ国王から開国を勧める書簡が届く
1846（弘化3）	5月 アメリカ、メキシコに宣戦布告 5月 アメリカ使節のビッドル、浦賀に来航
1848（弘化5・嘉永元）	1月 米カリフォルニアで金鉱発見 2月 仏、第2共和政成立、ヨーロッパ革命始まる マルクスとエンゲルスが『共産党宣言』発表
1851（嘉永4）	1月 洪秀全が太平天国樹立 5月 ロンドンで最初の万国博覧会開催 12月 ルイ・ナポレオン大統領がクーデター、第2帝政始まる
1853（嘉永6）	7月 ペリー、軍艦4隻を率いて浦賀に来航 8月 プチャーチン、軍艦4隻を率いて長崎に来航 10月 ロシアがオスマン帝国に宣戦布告、クリミア戦争勃発
1854（嘉永7・安政元）	3月 日米和親条約締結 12月 大地震・津波が下田を襲い、プチャーチンの軍艦が大破・沈没
1855（安政2）	2月 日露和親条約締結 11月 安政の大地震（江戸大地震）
1856（安政3）	10月 第2次アヘン戦争勃発（アロー号事件）
1857（安政4）	5月 北インドでインド人傭兵が蜂起、インド大反乱始まる
1860（安政7・万延元）	10月 英仏両軍、北京占領し「円明園」破壊。北京条約調印
1877（明治10）	1月 ヴィクトリア女王がインド皇帝即位宣言、インド帝国成立

＊1851年までは日本関連事項は陰暦の月で示した。

1　なぜペリーは日本に来たのか

「蒸気軍艦の父」ペリー

一八五三年七月八日（嘉永六年六月三日）、計四隻の巨大な船が、相模湾を横切って三浦半島に近づきます。霧の晴れ間から富士山が見え、六三門に及ぶ大砲は装弾を終え、臨戦態勢にありました。

浦賀沖に投錨《とうびょう》したのは午後五時ごろ。旗艦「サスケハナ」号（全長七八メートル、二四五〇トン）と、「ミシシッピ」号の二隻が蒸気船で、他の二隻は帆船です。その頃の日本の船は、大きいものでも一〇〇トン程度にすぎません。「水上を自由に動く城」とも形容された黒船に、江戸っ子たちがどれほど度肝を抜かれたかは、想像にあまりあります。

この黒船艦隊のトップが、よく知られるマシュー・ペリー★（一七九四―一八五八年）です。教科書などで堂々たる風貌の肖像を記憶している人は多いでしょう。五八歳で東インド艦隊司令長官に就任したペリーは、五二年一一月、日本に向けてアメリカ東部の軍港を出発します。当時はまだ、太平洋横断航路は開かれていません。ですから日本遠征は、地球の四分の三を回らなければなりませんでした。

ペリーは、大西洋を横断してアフリカの喜望峰（ケープタウン）を回って、セイロン島、シンガポール、香港、上海に寄港。出発から半年後の翌五三年五月二六日、琉球（沖縄）の那覇にたどりつきました。琉球は、薩摩の島津侯に服属する一方で、清朝にも朝貢を続ける両属の王国でした。ペリーは、その滞在中、首里城を訪問し、島内を奥地まで踏査し、産物や地形などを調べ上げました。その間、小笠原諸島にも足を伸ばしました。

●ペリーの日本遠征を伝える『絵入りロンドン・ニュース』紙　一八五三年五月七日（横浜開港資料館所蔵）

マニフェスト・デスティニー

では、ペリーはなぜ、日本にやってきたのでしょうか。

◉マシュー・ペリー

アメリカの海軍軍人。一七九四年、アメリカのロードアイランド州ニューポートの海軍一家に生まれた。アメリカの独立宣言（一七七六年）から一八年後のことだった。

兄と同じく草創期の海軍に入ったペリーは一八三七年、アメリカで初めて造られた蒸気軍艦「フルトン」号の艦長に就いた。アフリカ艦隊、メキシコ湾艦隊の各司令長官として手柄をあげ、郵船長官の要職を経て、五二年、東インド艦隊司令長官に就任。蒸気軍艦「ミシシッピ」号に乗り込み、日本遠征に出発した。

「蒸気軍艦の父」と呼ばれ、いわゆるマニフェスト・デスティニー（アメリカ膨張主義の思想）の体現者といえた。ペリーは、横浜で日米和親条約に調印して帰国後、報告書として『ペリー提督日本遠征記』を書き上げ、アメリカ議会上院に提出した。

それを語る前に、当時のアメリカについて見てみます。

北米の大西洋岸にイギリスが建設した一三の植民地が独立した後、アメリカ北部では産業革命が進み、南部では綿花の栽培が拡大します。一八二八年、初めて西部出身の大統領として、アンドリュー・ジャクソン★（一七六七―一八四五年）が当選しました。ジャクソンは西部（フロンティア）開拓を推し進め、三〇年には「インディアン」と呼ばれたアメリカの先住民を強制移住させる法律を公布しました。アメリカはメキシコ領だったテキサスの併合に乗り出し、これに反発するメキシコと戦火を交えます。この時、ペリーは、浦賀にもやってきた「ミシシッピ」号に乗艦して戦功を立てました。アメリカは対メキシコ戦争（一八四六―四八年）に勝利してカリフォルニアを獲得すると、四八年に金鉱が見つかって多数の人々が殺到しました。その「ゴールドラッシュ」は、四九年一年間だけで約一〇万人が押しかけたといわれる大規模なものでした。

アメリカは、一連の西部開拓にみられる膨張政策をこんな言葉で正当化します。

〈マニフェスト・デスティニー（Manifest Destiny＝明白な天命）〉

アメリカ史研究者・猿谷要の『物語アメリカの歴史』から引きますと、この言葉は、アメリカが「膨張を続け、デモクラシーを広めていくのは、神から与えられた天命」だとする考え方です。そして、「この選民思想による使命感は、やがて西部全域でインディアンが抵抗できなくなるまで虐殺し、さらに太平洋上の島に及び、アジアにも広がろうとする」のです★。

ペリーの日本遠征は、こうしたアメリカの「西へ、西へ」の版図拡大戦略の流れの中にありました。特に当時は、カリフォルニア併合により、対中貿易拡大を目指す太

●アンドリュー・ジャクソン

平洋航路の起点として、サンフランシスコが大いに注目されていました。

アメリカ捕鯨の最盛期

一八四〇年代は、太平洋を漁場にした捕鯨の最盛期でもありました。日本近海にはアメリカの捕鯨船がひしめきあい、灯火の燃料にするため盛んにクジラをとっていました。一八四五年には、アメリカの捕鯨船が日本人漂流民を引き渡そうと、浦賀にやってきました。四六年には、同じく米捕鯨船が台風で難破し、乗組員らが択捉島に漂着するという事件も起きました。それに先立つ四一年には、土佐（高知）の近海で暴風

◉アンドリュー・ジャクソン大統領

テネシー州で大農園経営に成功して、連邦上・下院議員や同州の最高裁判事を務めた。また、軍司令官として一八一二年からの第二次英米戦争で英軍に大勝し、国民的英雄に祭り上げられた。第七代の大統領として、選挙権の財産制限をなくしてすべての白人男性に選挙権を与えるとともに、公立学校の普及に尽くした。資本家の力を抑制して社会の平等化を図る政策を展開し、ジャクソニアン・デモクラシーと呼ばれている。

◉アメリカ人の銃所有

無法地帯だった西部の開拓民は、自分の身は自分で守るための自警団を組織し、武器が普及した。武器所有の権利を保障するアメリカ憲法修正第二条は、「銃火器の回収を連邦政府が事実上放棄したことを意味」した（鈴木透『性と暴力のアメリカ』）。現在、人口約三億二五〇〇万人のアメリカでは、国内にある銃は民間だけで約三億丁と推計される。銃を所持する権利は、建国の理念や憲法と結びついているだけに、その規制論議は国論を二分する。

を受けて漂流、鳥島に漂着した漁民の中浜万次郎★（ジョン万次郎とも。一八二七―九八年）が、アメリカの捕鯨船に救助されています。

こうした中、捕鯨船への薪水（たきぎと水）・食料の補給、船員たちの救出・保護などが、米政府にとって緊急の課題となります。ペリーが日本訪問に携行したフィルモア米大統領の「日本皇帝（将軍）宛ての国書（親書）」は、日米両国による「交易」の希望を述べたうえで、これらの人道支援の実施を強く求めていました。

琉球諸島へアプローチ

ペリーは、日本遠征に出発後、まもなく、海軍長官宛てに意見書（公式書簡）を出しています。

『ペリー提督日本遠征記』に収録された書簡を読むと、ペリー来航の目的がよく表れています。書簡は、捕鯨船や他の船舶の避難・補給港として、「ひとつないしそれ以上の港をただちに獲得しなければならない」と強調。もしも、日本政府が本土にこのような港を供与することに異議を唱え、武力に訴えることなくしてはそれが獲得できないなら、「日本の南の島々のうち、ひとつないし二つの島」にアプローチするとして、「琉球諸島」を事実上、名指ししています。

ペリーは、琉球の主要港を占拠することは、アメリカの軍艦やすべての商船の安全のうえから、道徳上、正当化されるばかりでなく、住民の生活の改善にもつながると考えていました。要するにペリーは、琉球を「東アジアでの戦略拠点」（西川武臣『ペリー

●中浜万次郎

来航』）と位置づけていました。

ペリーはまた、カリフォルニア―中国間の蒸気船航路の中継点として小笠原諸島の父島に着目し、琉球到着後、直ちに同諸島を踏査し、早くも石炭倉庫の土地を手に入れたと、『遠征記』にあります。

ペリーの行動は、計画的かつ戦略的でした。日本訪問にあたって、ペリーは、日本に関する書物を読みあさり、「最も若い国」の代表として「最も古い国」の扉を開こうと、日本遠征に赴いたのです。

いよいよ一八五三年七月二日、ペリーは日本本土に向けて那覇を出発、六日後、浦賀に錨《いかり》をおろしたのでした。

果たして徳川幕府は、彼をどう迎えるのでしょうか。

◉中浜万次郎

一八二七年一月、土佐の中浜（現在の高知県土佐清水市）の貧しい漁師の家に生まれた。四一年、仲間とともに漁に出て遭難、無人島の「鳥島」に漂着し、アメリカの捕鯨船に助けられた。船長ホイットフィールドの好意で米マサチューセッツ州に渡り、勉学の機会を得て、英語や数学、測量術などを修得した。捕鯨船やゴールドラッシュに沸くカリフォルニアでも働いた後、五一年、アメリカ船に便乗し、琉球を経て薩摩に到着、二年後に帰郷した。豊富な海外の知識・体験が珍重され、土佐藩校教授から幕府直参となり、語学力などを生かして通訳・翻訳にあたった。ペリー来航時はスパイ疑惑により、ペリーの通訳をはじめとする重要な通訳、翻訳の仕事から外された（ジョン万次郎資料館公式サイト）。だが、一八六〇年には、日米修好通商条約の批准書交換に向かう「咸臨丸」（艦長・勝海舟）の遣米使節に福沢諭吉らとともに随行し、その後も開成学校教授に就くなど活躍を続けた。

2　幕府は事前に知っていた

「I can speak Dutch」

アメリカ東インド艦隊司令長官ペリーが乗艦する旗艦「サスケハナ」号に、番船（防備船）で横付けした浦賀奉行所のオランダ語通訳・堀達之助が、こう語りかけました。

「I can speak Dutch」（私はオランダ語を話すことができる）

I talk Dutch と言ったという説もありますが、それは「まことにみごとな英語」でした。ただ、これで精いっぱい。あとはオランダ語でやりとりすることになりました★（『ペリー提督日本遠征記』）。

一八五三年七月八日のことです。同じ番船に乗っていた与力（現在で言えば警部クラス）の中島三郎助が、「浦賀の副奉行」と詐称してようやく乗艦を許されます。中島は、日本の対外的な窓口である長崎に回航するよう求めましたが、ペリーの副官は「無礼は許さない」と反発し、艦隊を取り巻く番船を即刻退去させない時は「武力に訴える」と脅しました。

翌九日は、与力の香山《かやま》栄左衛門が交渉に臨みました。アメリカ側は、フィルモア米

●「サスケハナ」号（「黒船来航画巻」横浜開港資料館所蔵）

大統領の国書（親書）を江戸（東京の旧名）で手渡しすることを要求し、「長崎へ」と促す日本側に対して「それならば江戸に乗り入れる」と強硬姿勢を示しました。一一日になると、ペリーは、軍艦「ミシシッピ」号の護衛の下、測量船団を無断で江戸湾内に乗り入れさせました。これは「日本の国法に反するとともに、文明国の慣行、近代国際法にもまったく違反するもの」（井上勝生『幕末・維新』）でした。

来航から六日後の七月一四日、幕府は久里浜にペリーの一行を上陸させました。アメリカ兵約三〇〇人全員が武装していました。日本側は彦根、川越両藩など約五〇〇〇人の警備兵が一帯を固めます。急造の会見所で、二人の浦賀奉行が、開国と通商を求める大統領国書を受け取りました。

ペリーは、「来春に再来日して回答を聞く」と告げて、一七日には琉球に向かいました。ペリーの早々の退去は、日本側から早期の返書が期待できないこと、艦隊の食料・燃料の備蓄が不十分だったためと言われています。

◉幕末日本の英語力

ペリー艦隊の中国語通訳ウィリアムスは、浦賀沖に錨をおろした時、堀達之助らとやりとりをした人で、翌年三月、ペリーが再来航の時も同行した。彼の『ペルリ艦隊日本遠征日誌』によると、「新しい優秀な通訳がやってきた。森山栄之助という。彼は、英語を立派に話すから、他の通訳は不必要なほど」だったという。森山は、幕末の通詞のうちで最も優秀だったと伝えられる人で、捕鯨船で北海道に上陸し長崎で送還を待っていたマクドナルドというアメリカ人から七か月間、英語教育を受けていた（高梨健吉『文明開化の英語』）。

泰平の眠りをさます〝じょうきせん〟

この間、浦賀の騒ぎは江戸の町全体に広がりました。幕府は再三、異国船見物禁止令を出しましたが、多くの人々がこれを聞かずに押しかけました。

平和の時代が続いてきた江戸城下では、あわてて刀や槍《やり》を買いあさる武士の姿があり、馬具・武具屋が繁盛しました。

〈泰平の眠りをさます上喜撰《じょうきせん》（蒸気船）たった四はいで夜も眠れず〉

上喜撰とは当時のお茶の銘柄です。日頃、威張っている武士たちの周章狼狽《しゅうしょうろうばい》ぶりをちゃかした狂歌★の傑作といえます。しかし実際は、庶民も含めて人心はかなり動揺していたのではないでしょうか。

島崎藤村の有名な長編小説に『夜明け前』（一九二九―三五年発表）があります。そのページを繰ると、黒船来航が山深い木曽路でも噂《うわさ》になっています。それはまるで雪だるまのようにふくれあがり、四隻の黒船が「八十六艘《そう》もの信じがたいような大きな話」となって伝わってきました。

「徳川祖法」の壁

大統領親書の受理を決断したのは、今日の首相にあたる老中首座・阿部正弘（一八一九―五七年）でした。親書の受理自体、「徳川の祖法（先祖伝来の法）」である鎖国方針

●阿部正弘

に抵触する恐れが十分にありました。

　そもそも「鎖国★」というのは、徳川幕府が二〇〇余年にわたって維持し続けてきた特異な政策です。

　ではなぜ、幕府は鎖国をしたのでしょうか。

◉狂歌

　当時、世界最大規模の約一三〇万人の人口を擁した江戸の町は、ペリーの来航で大騒ぎになった。海防の急務を唱えていた松代藩の佐久間象山（一八一一—六四年）は、ペリー来航の報を知ると、直ちに舟を雇って黒船に向かった。しかし、江戸湾岸の大多数の庶民たちは、「物見遊山」の感覚で、いわば「黒船参り」に押しかけた。江戸湾の警備に動員された川越、彦根、忍《おし》、会津各藩の藩士らは、ペリー艦隊と民衆の双方を警戒しなければならなかった。

　多くの狂歌が生まれ、「泰平の眠りをさます……」は、煎茶「上喜撰」を四杯も飲めば目がさめて眠れない、「蒸気船」（黒船）が四隻来ただけで夜も眠れなくなってしまったという歌。〈アメリカが来ても　日本はつつがなし〉という、筒（大砲）がないことと、つつがなし（無事）を掛けた歌もあった（加藤祐三『幕末外交と開国』）。

◉鎖国政策の起源

　徳川幕府は一六二四年、「切支丹」（キリシタン）国のスペイン船の来航を禁止し、三五年には日本人の海外渡航と在外日本人の帰国を禁じた。さらにキリスト教徒が多かった天草・島原半島で起こった百姓一揆「島原の乱」（一六三七—三八年）を鎮圧し、続いて三九年にはポルトガル船の来航も禁止した。一五四三年に種子島に漂着して鉄砲を伝えたポルトガル人らは、マカオを拠点に中国の産物を日本にもたらしたが、これにより、ポルトガル、スペインとの「南蛮貿易」にピリオドが打たれ、九州各地に寄港していた中国船は長崎に限定された。一六四一年、幕府は平戸のオランダ商館を長崎の「出島」に移し、入港できる船は、オランダと中国の船だけに限られた。いわゆる「鎖国」が完成し、この結果、国際的に孤立した状態がペリー来航まで二〇〇年以上続くことになる。

イエズス会宣教師のフランシスコ・ザビエルが一五四九年に来日して布教を始めてから、キリシタン大名による保護もあってキリスト教徒が増加しました。鎖国の狙いは、キリスト教を根こそぎ禁圧することでした。背景には、「カトリックに帰依した国民は国への忠誠心を失ってしまうのではないか、そしてヨーロッパ強国による日本侵略をうながしたりさえするのではないか、という危惧の念」(ドナルド・キーン『日本人の西洋発見』)がありました。

その一方で、徳川政権には、対外貿易の窓口を独占すれば、他の大名が貿易によって富強化するのを阻止できるという思惑もありました。逆に、プロテスタントのオランダは、日本の徹底した統制に屈従しながらも、営利上、対日貿易の寡占化をはかったといえます。しかし鎖国は、西洋事情一般にうとくなるだけでなく、キリスト教国の先進的な科学技術や医学などを学ぶ機会を失うことにもなりました。

ただ、オランダ、清以外にも、九州地方の対馬藩を通して朝鮮と、さらには薩摩藩—琉球王国、松前藩—アイヌ民族の各ルートで交流・交易が行われており、長崎、対馬、薩摩、松前の「四つの窓口」が海外に開かれていました。

対外戦争の用意なし

徳川幕府がペリー来航によって、「泰平の眠り」を覚まされたことは確かでした。しかし、これは決して寝込みを襲われたことを意味しません。

というのも、幕府は一年以上も前からペリーの来航を知っていたからです。来航前年の一八五二年夏、オランダ商館長から「米艦隊の来春来航」を知らせる「オランダ別段風説書《べつだんふうせつがき》」★を受け取っていました。老中首座の阿部は、これを限られた有力大名に回覧しましたが、有効な対策を打ち出せませんでした。

幕府は、日本近海に出没する異国船に対しては、一八二五年に遮二無二《しゃにむに》大砲を撃ち放つ「無二念打払令《むにねんうちはらい》」★（文政令）を発して対処していました。三七年にアメリカ船として初めて浦賀に来航した商船「モリソン」号に大砲を打って退去させた例が代表的です。ところが、四二年になると一転して、必要な物資は提供するというソフトな政策（天保の薪水《しんすい》給与令）へと再転換します。これを促したのは、イギリスと清国とのアヘン戦争でした。

●「モリソン」号

◉「オランダ別段風説書」

鎖国期間中、オランダ船が長崎に来航するたび、オランダ商館長が長崎奉行を通じて、幕府に提出していた海外情報のレポート。幕府側はこれにより「世界のニュース」をある程度把握することが出来た。オランダ商館長は、長崎にあったオランダ東インド会社の日本支店長にあたり、毎年一回、江戸に参府していた。「風説書」はオランダ通詞が翻訳し、非公開が原則だったが、幕末には諸藩の要望を受け、その書写が行われ、広く読まれるようになったという。

◉無二念打払令

英国軍艦「フェートン」号が強引に長崎に乱入した事件（一八〇八年）などを踏まえ、幕府は、異国船は「有無に及ばず、一図に打払え」と命じた。それまでの「寛政令」（一七九一年）、「文化令」（一八〇六年）では、食糧や水・薪などを与えて帰らせる穏健策をとっていた。しかし、無二念打払令の下、モリソン号事件が発生、このまま強硬策をとり続けるとアヘン戦争の清国の二の舞になりかねないとして、発砲禁止の天保薪水令に再び切り替えた。

アヘン戦争後の四四年（天保一五年七月）、オランダ国王から開国を勧める、将軍あての書簡が届きました。世界が一体化しつつあることを指摘して、鎖国政策の限界を説き、「異国人を厳禁する法をゆるめ」るよう促していました。同年（同三月）、フランスの船が琉球に来航して通商を求めていました。四六年（弘化三年閏五月）には、アメリカの東インド艦隊のビッドル提督が浦賀に来航し、開国を打診しました。

米欧勢力の足音は確実に高まっていました。幕府は「起きてほしくないことは起きない」という気持ちだったのかもしれません。しかし、ついに「来るべき時が来た」のです。それがペリー来航でした。

ところが、国内の治安と反乱防止を第一に考えてきた徳川政権には、対外戦争の用意はまったくありませんでした。沿岸防備もお粗末で、軍艦に対抗できる海軍力をいますぐ整えることも不可能です。幕府中枢での議論は容易に定まらず、阿部は「避戦」を最優先に親書の受理を決めます。

砲艦外交と白旗伝説

この交渉の過程で、アメリカ側が与力の香山らに「白旗」を渡したという話があります。

その白旗につけられていた添え書には、日本がこれまでヨーロッパ諸国による開国要求を認めなかったことは「天理に背《そむ》く」ことであり、われらが武力をもってその罪をただそうとして戦争になれば、われらが勝利する。その時、「和睦《わぼく》を乞《こ》い」たければ、

●ビッドル提督

このたび贈った「白旗」を押し立てるがよい——との趣旨が書かれていました（松本健一『日本の近代1　開国・維新』）。武力で威嚇して「通商を承知しなければ、戦端を開くぞ」という文字通りの「砲艦外交」を象徴するエピソードです。

これに対しては、そんな事実はなかったと強く否定する見方があります。ペリーは、日本遠征では決して武力に訴えないよう「発砲厳禁」の大統領命令を受けていました。実際、武力衝突もなく、ペリーと幕府側との外交交渉で「開国」に至ることは、大いに評価されます。しかし、アメリカ側が、黒船という、日本の太刀打ちできない、強力な軍事力で威嚇して交渉に臨んだことも、また否定できません。それが今日まで白旗伝説が伝えられているゆえんといえましょう。

●ビッドル提督に率いられて浦賀に入稿した「コロンバス」号と「ビンセンス」号

3 「おろしや国」のプチャーチン

アメリカとロシアが先陣争い

ロシアも、日本の開国を強く求めていました。一八五二年一〇月、ロシアのエフィム・プチャーチン★（一八〇三―八三年）が率いる艦隊が、ロシア西端のクロンシュタット軍港を出発しました。清国とのアヘン戦争に勝利したイギリスの勢力拡張や、ペリー艦隊派遣計画を知った皇帝ニコライ一世が急きょ、プチャーチンに対して日本遠征を命じたのです。

「パルラダ」号など大小四隻のロシア艦隊が大西洋・インド洋経由で長崎港に来航したのは、翌五三年八月二二日（嘉永六年七月一八日）。帆柱には、日本の文字で「おろしや国の船」と書かれた布片が翻っていました。プチャーチン提督の秘書官で、著名な作家のゴンチャローフは、到着にあたって、日本は「鍵をなくしたまま閉ざされた玉手箱」の国だと形容し、今こそ「辛苦の目的を果たすのだ」と記しています。

七月八日に浦賀に来航したペリーは、米大統領親書を渡すという所期の任務を果たし、日本を去っていました。プチャーチンはペリーよりも早く出発しながら、老朽艦

●プチャーチンの肖像画

の座礁などがたたって、アメリカとの先陣争い★に後れをとったのでした。

ロシアの南下・東進政策

ヨーロッパの周縁に位置していたアメリカとロシア――。一八三〇年代、この両国が「いつの日か地球の半分の運命を手中に収めることになる」と予言した政治学者がいました。

フランスのトクヴィル（一八〇五―五九年）です。

彼は、アメリカの民主政治を実証的に研究するため、アメリカ国内を旅行します。

◉エフィム・プチャーチン

首都サンクトペテルブルク生まれ。海軍士官学校に入学し、卒業後、世界周航に参加。露土戦争などに出征し武勲をたてた。一八四三年、中国と日本に使節を派遣するようニコライ一世に建言したが、財政危機を理由に実現しなかった。侍従武官長、海軍中将として遣日全権大使使節に任命され、五五年、日米和親条約と同様の条約を日露間で結ぶことに成功。五八年には再来日して日露修好通商条約を締結した。六八年に文相を命じられ、ペテルブルク帝国大学の学生運動を厳しく取り締まった。

◉米露の綱引き

プチャーチンは、ペリーより一か月半遅れて日本にやってきたが、先行研究によると、ロシア外務省は、アメリカは必要ならば武力に訴えてでも日本を開国させるとみられるので、ロシア艦隊はその後に行った方が、交渉がはかどると、プチャーチンに訓令していた。とすれば、プチャーチンがペリーの後塵を拝したのは「計算の上」ということになる。一方、プチャーチンはペリーに書簡を送り、日本開国という目的達成のための米露連携を呼びかけたが実らなかったという（麻田雅文『日露近代史』）。

帰国後、『アメリカのデモクラシー』と題する名著をあらわすのですが、その中で「異なる点から出発しながら同じゴールを目指している」米露両国が、世界の二大大国になると予測したのです。

当時のアメリカはジャクソン大統領、ロシアはニコライ一世の時代で、アメリカはデモクラシー、ロシアは専制政治と農奴制の国でした。

ここでロシアの歴史を簡単に振り返ってみます。

ロシアは、一六世紀にイヴァン四世（雷帝）が専制政治の基礎を固め、一七―一八世紀にはピョートル一世（大帝）が、ヨーロッパを模範に軍の近代化などを進めました。スウェーデンとの北方戦争に勝利してバルト海を掌握、ペテルブルクを首都にしました。南下政策をとる一方で、シベリアを征服して東に進み、太平洋岸に出ます。

一八世紀後半、女帝のエカチェリーナ二世★（一七二九―九六年）は、ピョートルの路線を引き継ぎ、「黒海」にも進出するかたわら、ポーランドを分割し、オホーツク海にも手を伸ばしました。このロシアの一連の南下・東進の膨張政策は、大陸から海への出口、それも氷結することのない「不凍港」を渇望してのことでした。

日本へのアプローチ

エカチェリーナ二世に謁見した日本人がいます。伊勢の船頭・大黒屋光太夫《だいこくやこうだゆう》★（一七五一―一八二八年）です。

光太夫は一七八二年、遠州灘で遭難し、アリューシャン列島の小島に漂着。シベリ

●エカチェリーナ二世

ア本土で漂流民として生活しました。帰国嘆願書を何度書いてもなかなか受け入れられません。ようやく博物学者のラクスマン（一七六六―一八〇六年）らの尽力によって、エカチェリーナ二世との面会がかない、帰国の許可がおりました。

ただ、送還の目的は「日本との通商をひらく」ことにあり、その使節にラクスマンが命じられました。ラクスマンは九二年、光太夫らを引き連れて北海道の根室に入港します。しかし徳川幕府は、光太夫らを引き取る一方で、通商要求は拒絶しました。

次いで、二番目の使節レザノフが一八〇四年に長崎に寄港しますが、幕府はこれも拒否します。ところが、レザノフの部下が樺太《からふと》（サハリン）と択捉《えとろふ》島の日本施設を襲

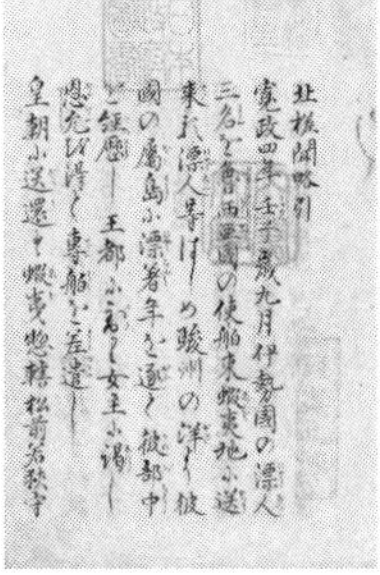

●大黒屋光太夫『北槎聞略』

◉エカチェリーナ二世

一七四五年、ピョートル三世と結婚し、一七六二年、宮廷クーデターで殺害された夫に代わって即位した。ロシアで四人目の女帝で、生粋のドイツ人。啓蒙専制君主として三四年間にわたり在位し、傑出した業績から「大帝」と呼ばれる。内政ではプガチョフの率いる農民反乱を鎮圧して農奴制を強化し、対外政策ではトルコと戦ってクリミア半島を含む黒海北岸を奪うなど領土の拡大をはかった。ロシアのサンクトペテルブルクにあるエルミタージュ美術館は、エカチェリーナ二世が離宮に美術収集品を置いたことに始まる。

◉大黒屋光太夫

大黒屋光太夫の見聞記は、蘭学者・桂川甫周《ほしゅう》が『北槎聞略《ほくさぶんりゃく》』として一七九四年に著した。光太夫の漂流、送還などの経緯、当時のロシアの実情が明らかにされており、ロシアの案内書になった。一方、仙台の儒学者、大槻磐渓《おおつきばんけい》は一八四九年、ロシアと国交を開くよう老中の阿部正弘に進言。磐渓は、英露の対立を利用してロシアと結び、日本の安全を確保しようと考えた。磐渓の父で医師の大槻玄沢《げんたく》は一七九五年、大黒屋光太夫を蘭学者の集まりに招いた。また、ロシア使節レザノフが連れ帰った漂流民からも事情聴取し、『環海異聞《かんかいいぶん》』にまとめた（麻田雅文『日露近代史』）。

撃する事態が発生しました。日本側が対抗措置として、千島測量のため国後島《くなしり》にいたロシア軍艦の艦長ゴロウニンを捕らえると、副艦長のリコルドが、択捉航路を開発して「北海の豪商」とうたわれた高田屋嘉兵衛《たかだやかへえ》（一七六九―一八二七年）の船を拿捕《だほ》し、カムチャッカに連行しました。しかしこの紛争は、嘉兵衛自らが言葉の壁を乗り越えて両国間の調停にあたり、円満に解決しました。余談ながら半世紀後、プチャーチンが箱館で嘉兵衛の子孫を表敬訪問しようとした逸話が残されています。

徳川幕府はこの間、ロシアの南下に備える必要性を痛感し、松前藩と蝦夷《えぞ》地を直轄領として松前奉行の支配下に置いていています。一八〇八年には、間宮林蔵《まみやりんぞう》に樺太探検を命じ、樺太が島であることが確認され、「間宮海峡」の名が残りました。

プチャーチンと川路聖謨

プチャーチンは、ロシアにとって三回目の遣日使節でした。ロシアとの交渉のため、江戸から長崎に向かったのは、幕臣の筒井政憲《まさのり》と川路聖謨《としあきら》★（一八〇一―六八年）でした。プチャーチン来航から三か月も経《た》っていました。

ロシアの国書の特徴は、国境の画定を求めていたことです。これは今日も続く日露間の北方領土問題の源流といえます。

一八五四年一月からの第一回交渉で、プチャーチンが「千島のうち南は日本、北は我《わ》が国にて支配」と主張したのに対して、川路は「千島は残らず我が国の属領」などと反論。樺太、千島列島の帰属をめぐって交渉は長期化します。ただし、協議を進め

●間宮林蔵

●川路聖謨

るうちに日露双方の間に信頼関係が生まれます★。

川路は、家臣団の一組織にすぎない小普請組《こぶしんぐみ》から勘定奉行へと破格の出世を遂げた人でした。アメリカのペリー艦隊に応接した中島三郎助や香山栄左衛門にいたっては中下級武士です。外国人にオープンで、常識と礼儀をわきまえた「外交官」的人物を、徳川幕府は実力主義で登用していました。未曽有の国家危機を乗り越えるうえで彼らが果たした役割は、実に大きなものがありました。

◉川路聖謨

江戸末期の幕臣・外政家として活躍した。豊後（現在の大分県）日田の人で、旗本川路家の養子となる。勘定吟味役、奈良奉行、大坂町奉行などを経て、一八五二年、勘定奉行兼海防掛に就任、長崎に来航したプチャーチンと交渉し、日露和親条約を結んだ。老中堀田正睦に従って上洛し、日米修好通商条約調印の承認を朝廷に求めたものの認められなかった。続いて将軍継嗣問題に関与し、一橋慶喜を推したため、大老井伊直弼と対立して免官、処罰された。その後、六三年に外国奉行に起用されたが、病を得て数か月で辞職した。六八年、江戸開城の翌日、ピストル自殺した。川路を描いた小説に吉村昭『落日の宴』がある。

◉日露全権の人間的交流

日露交渉の全権を担った川路聖謨とプチャーチンは、相互に畏敬の念を抱いた。川路は、プチャーチンに接して「真の豪傑」と感服し、「詞《ことば》通ぜねど、三十日も一所に居るならば、大抵には参るべし。人情、少しも変らず候」と、自著『長崎日記・下田日記』に書いている。これに対して、プチャーチンは、上奏報告書の中で、川路について「いかなるヨーロッパの社交界に出ても、その俊敏で健全な知性と巧みな弁論術ゆえに傑出した人物たりうるだろう」と記している。作家のゴンチャローフも自著で「彼（川路）の一言一句、一瞥、それに物腰までが、すべて良識と、機知と、炯眼と、練達を顕わしていた」と賛美したほどだった。

クリミア戦争の余波

とはいっても、交渉の現場では、川路らもロシア側の開国要求に対して「返答は三―五年待ってほしい」と、訓令通りの言葉を繰り返さざるをえませんでした。この「ぶらかし策」、言い換えれば「のらりくらり策」は、ロシア側を苛立《いらだ》たせました。プチャーチンは、母国ロシアのことが気が気ではなかったのです。

日本到着後の五三年一〇月、ロシアはオスマン帝国に宣戦布告しました。クリミア戦争★（一八五三―五六年）の始まりです。きっかけは、ニコライ一世がオスマン帝国に対して、領内のロシア正教徒の保護権を要求して拒絶されたことです。五四年三月には、ロシアの南下を警戒するイギリスとフランスがオスマン帝国と手を結んで参戦します。

これに伴い、北太平洋でも、イギリスとフランスの連合艦隊がカムチャッカ半島のロシア太平洋艦隊の基地を砲撃しました。そのあとイギリス艦隊が長崎に来航し、司令官がロシア艦の索敵のために日本への寄港許可を要求します。これに対して徳川幕府は、慎重に局外中立の立場をとりました。

ヨーロッパ周縁の列強間の戦争が、アジアに直接、波及する時代がきたのです。同時に、北太平洋が世界史の表舞台に初めて登場したといってもいいでしょう。プチャーチンは、イギリスやフランス両海軍からの追撃をかわすため、当分、日本を離れます。日露交渉は中断を余儀なくされます。

黒海に突出したクリミア半島を舞台にした戦争は五六年、ロシアの敗北で終わりま

●「クリミアの天使」と呼ばれたナイチンゲール

した。英仏に比べてロシアの工業力や軍事技術の立ち遅れが敗因とみられています。

日米交渉　第二ラウンドへ

さて、「来春、再び来る」と言い残して離日したペリーは、一八五四年二月一三日（嘉永七年一月一六日）、約束通り来日し、江戸湾に進入します。今度は七隻（のちに二隻が参加）の大艦隊です。うち蒸気船は三隻で、新たに旗艦として「ポーハタン」号が加わりました。

ペリーはすでに琉球についても「開国」に目処《めど》をつけていました。五三年七月、琉球の「摂政」と面会したペリーは、石炭貯蔵庫の設置と自由な交易を求め、「自分のすべての要求に対する満足な回答を得られなければ、兵士を上陸させて、問題が解決するまで王宮を占拠する」（『ペリー提督日本遠征記』）と脅しました。琉球側はこれを受け入れました。その後は中国の沿岸に滞在していましたが、日本の「開国」で他国に先んじられるのを懸念し、厳冬期にかかわらず、予定を早めてやってきたのでした。

●「ポーハタン」号

◉フローレンス・ナイチンゲール

イギリスの看護師だったフローレンス・ナイチンゲールは、クリミア戦争の惨状を報道で知ると、看護団を組織して戦地に赴いた。野戦病院における献身的な看護活動の結果、負傷者の死亡率は劇的に改善し、看護師の社会的地位向上に貢献した。その精神と活動が一八六四年、スイスのデュナンによって国際赤十字が設立される契機となった。一八二〇年、フィレンツェ生まれ。帰国後も病院改革、看護師養成などに力を尽くした。一九一〇年死去。

4　徳川祖法の「鎖国」捨てる

「タブーに触れてもいい」

徳川幕府は、ペリーの再来航にどう備えたのでしょうか。

老中首座の阿部正弘は、アメリカ大統領の国書★を受理してから二週間後、この「親睦と交易」（開国と通商）を求めた国書を、大胆にもオープンにしました。

「国家の一大事であるので、タブーに触れてもよいから、よく読んで遠慮なく意見を述べよ」――という旨を各方面に通達したのです。これを受けて提出された意見書は、記録に残るものだけで七一九通に上りました（加藤祐三『幕末外交と開国』）。大名から藩士、幕臣や学者、さらに吉原の遊郭の主人のものまであったといわれます。

なお、幕臣の勝麟《りん》太郎《たろう》（海舟）が「軍艦建造」などを求める建白書を提出して注目されたのは、この頃のことです。

従来、一握りの幕閣中枢の手になる政策決定を改め、対処策を世に問うたことは異例かつ画期的なことでした。さらに、鎖国で禁じられていた大型船の建造を許可し、オランダから蒸気船・帆船購入も決めます。海防強化のため、巨費を投じて品川沖に

●ペリー提督、横浜上陸の図

台場造成を決め、工事を進めます。阿部は、幕府内の開明派の意見を重く見て開国へと動いていくのです。

下田、箱館の二港を開く

一八五四年二月、再び姿を見せた黒船に浦賀も江戸市中も緊張に包まれます。今回の日米交渉の首席全権は、第一一代大学頭《だいがくのかみ》（幕府の学問所の統轄者）の林復斎《ふくさい》でした。事前折衝でアメリカ側は、大統領国書に対する回答を受けるのは「江戸で」と要求して譲らず、艦隊を羽田沖まで進入させました。ペリーは、「条約の締結が受け入れられない場合は戦争になるかもしれない」などと日本側を脅します。「避戦」を最優先する日本側は危機感を募らせ、接見の場として、浦賀よりも江戸に近い横浜村を提案します。ペリーの一行、約五〇〇人が横浜村に上陸したのは三月

◉大統領国書

国書（和訳）の内容は、「親友の懇交を結び、通商の条約を定める」、「アメリカは異国の政礼を犯すことはない」、「火輪船により、アメリカから太平海（太平洋）を一八日で来日できる」、「カリフォルニアの黄金は価値が高く、日本も富・宝物が多く、隣接の両国が往来すれば、必ず大利益を得る」、「貿易を始めて利益がなければ中止は可能」、「難破した船員の救助」、「火輪船のための石炭の供給」などである。なお、国書に関する阿部の諮問に対する回答をみると、鎖国の「祖法」を維持するという現状維持論が大多数を占めており、次いで、やむをえず開国に応じるべきだとする消極的賛成論、そして少数ながら積極的開国論が含まれていた（加藤祐三『黒船異変』）。

八日です。

林はペリーとの会談で、難破船の人命救助などの人道支援協力は表明しつつも、通商は人命とは関わりないので交渉の対象外と突っぱねます。結局、条約は交易を主とした「通商」ではなく、「和親」条約として締結されることになります。

主な内容は、アメリカ船に燃料や食料を供給し、難破船や乗組員を救助すること、下田と箱館（函館）の二港を開いて領事の駐在を認めること、アメリカには最恵国待遇★を与えることなどが盛り込まれました。日米和親条約は三月三一日（嘉永七年三月三日）に調印されました。

安政大地震で「ディアナ」号沈没

他方、ロシアのプチャーチンが搭乗する軍艦「ディアナ」号は五四年一一月、大坂に来航した後、下田に回航され、中断していた条約交渉が再開されました。

そこを大地震★が襲います。下田は壊滅状態に陥り、「ディアナ」号は大破しました。戸田での修理が決まりましたが、曳航《えいこう》中、風浪のために沈没。沿岸住民らが総出で約五〇〇人の乗組員を救出しました。

五五年一月、幕府はプチャーチンに対して「ディアナ」号に代わる新しい船を建造する許可を与えます。新船建造には日本の船大工たちが協力し、西洋式の造船技術を学ぶことができました。後年、彼らのうち何人かは海軍工廠《こうしょう》などで活躍し、日本の造船技術者の草分けになります。

●「ディアナ」号の錨

日露和親条約は二月七日（安政元年一二月二一日）、下田において筒井・川路全権とプチャーチンとの間で調印されました。下田、箱館、長崎の三港を開港し、両国の国境については第二条で、択捉島《えとろふ》と得撫島《うるっぷ》を境とし、樺太《からふと》（サハリン）は国境を設けず、従来通り、両国民の混住の地としました。

このほか、日本はイギリス、オランダとも類似の和親条約を締結します。二〇〇年以上にわたった「鎖国」はこれで幕を閉じます。

◉**最恵国待遇**

主として二国間の通商条約では、ほとんどこの最恵国待遇の条項が入っている。条約当事国の一方が、任意の第三国の国民に与えるのと同様の利益を、他方の条約当事国の国民にも与えること。ここでは日本が他国との条約で、アメリカより有利な条件を認めた場合は、アメリカにも自動的にその条件を認めることを意味した。

◉**安政の大地震**

安政年間（一八五四―六〇年）は、全国で一三回に及ぶ大地震が発生した。最大の被害は、一八五五年一一月一一日、江戸を襲った大地震で、七千人余りの死者が出た。水戸藩邸で尊攘論者の藤田東湖らが圧死したのは、この時だ。その前年の一二月二三日、遠州灘沖を震源地とする大地震が起き、下田を津波が襲い、「ディアナ」号が大破した。死者は推定で二千―三千人。日露和親条約に先立って調印された日米和親条約の批准書交換のため、アメリカ本国から下田に到着したペリーの副官・アダムスは、地震・津波被害の復旧にあたる下田の人々を目撃した。そこでは「地震によって生じた災禍にもかかわらず、日本人の特性たる回復力が発揮されていた。これは彼らのエネルギーをよく物語るものである。彼らは気落ちせず、不運を嘆かず、雄々しく仕事にとりかかり、ほとんど意気消沈してはいないようだった」（『ペリー提督日本遠征記』）。

阿部正弘とペリー

ペリー来航は、日本にとって一三世紀後半の蒙古襲来以来の対外危機でした。その難局を一身に背負ったのが、老中首座の阿部正弘です。

備後国（広島県）福山藩の藩主だった阿部は、一八四三年、わずか二四歳で老中となり、四五年には水野忠邦のあとの老中首座に昇進します。この若さでいわば首相の座を射止めたのですから、相当、優秀な人物であったことは確かです。「攘夷」の急先鋒で「うるさ型」の徳川斉昭《なりあき》（水戸藩）を海防参与にして取り込み、幕議をまとめた「根回し」の手腕、ペリー来航後の国防強化策や抜擢人事★、「憤悶《ふんもん》」を抱きながらも、広く公論に決する形で、条約締結へとソフトランディングさせた現実的な政治手法を高く評価する声があります。

その一方で、ペリー来航を一年前に知りながら迅速に手を打たなかったこと、大統領国書の回覧は幕府の統治能力の限界を自ら露呈した、との批判があります。阿部は「温厚」「包容力」の人とみられていたようですが、「果断・胆気（押し切って進む気迫）」に乏しいとの評もありました。若き俊秀、「平時」の大宰相タイプの阿部は、乱世には向かなかったのかもしれません。

一方、ペリーは帰国後、こんな日本人論を述べています。

あまり年を経ずして、日本が東洋の中で最も重要な国家の一つに数えあげられるようになる。……彼ら（日本人）は、明らかに贅沢《ぜいたく》が好きで快楽を好む国民であるから、自分たちの生活を心地よく便利にする方法を貪欲に得ようとするだろう。

この予言はおおむね当たっていたといえるでしょう。

しかし、ペリーは「日本開国」という業績をあげて帰還しながら、人々に強い期待を抱かせた通商条約の締結に至らなかったことから、アメリカ国内で批判にさらされたといわれます。

阿部が死去した翌年の一八五八年、ペリーも六三歳でこの世を去ります。

岩波文庫の『ペルリ提督　日本遠征記』（土屋喬雄・玉城肇訳）の訳者は、日本の対米戦争敗北後の一九四五（昭和二〇）年版の解説でこう書いています。

●ペリーとマッカーサー

◉阿部の抜擢人事

阿部正弘は、ペリー艦隊退去後、「幕府の今日の衰微の様は、まことに身もすくむ思いがする」「日本の国力は一九世紀初頭、すでに疲弊していたとはいえ、ロシア使節を追い返すことができたのだが、その後、五〇年間で、西洋諸国との強弱の差は大きく開いてしまった」と述懐し、防衛力強化だけでなく、幕府洋学所（蕃書調所）の開設、長崎の海軍伝習所発足などの政策も進めた。川路聖謨、岩瀬忠震《ただなり》、永井尚志《なおむね》、勝海舟ら少壮の有志を抜擢。日本近代砲術の祖といわれる高島秋帆《しゅうはん》の禁錮を解いて登用し、漂流民・中浜万次郎を幕臣に取り立てたのも阿部だった（芳賀徹『明治維新と日本人』）。

ペルリ提督は維新日本の黎明《れいめい》を告げる者となったが、マッカーサー将軍は民主主義日本の黎明を告げる人となろうとしている。

その後、五三年の重版では「必ずしも、私の予言を裏書きしてはいないようである」と指摘していますが、ペリーと連合国軍最高司令官ダグラス・マッカーサー★が、日本の近現代史上、大きな存在であることは誰も否定できません。

◉ペリーとマッカーサー

ペリーは、愛用のパイプをくゆらし、航海日記を口述筆記させたといわれる。一方、一九四五年八月三十日、日本の厚木飛行場に丸腰で降り立ったマッカーサーの右手にはコーンパイプが握られていた。マッカーサーが「常に世界の歴史という大舞台の主役であるように振る舞った」(五百旗頭真『占領期』)ように、ペリーも幕府に対して「然るべき儀礼」を要求するなど、この大遠征で世界史に自らの名を大きく刻みたかったタイプに違いない。二人とも日本人を安易に寄せ付けなかったあたりは、カリスマのカリスマたるゆえんかもしれない。マッカーサーは同年九月二日、日本の米戦艦「ミズーリ」号上で行われた降伏文書の調印式で、ペリーが訪日の際、旗艦に掲げていた星条旗を取り寄せて飾った。マッカーサーの側近だった連合国軍総司令部(GHQ)参謀第二部長のウィロビーによれば、マッカーサーは「ペリー提督を尊敬」していた。艦上で降伏文書に署名した外相の重光葵《しげみつまもる》は、この星条旗をみて「占領政策の政治的意義を示す用意に出たものと認められた」と手記で述べている。

5　ヨーロッパ近代から吹く風

「ナポレオンを知っている」

ペリーが初めて日本に来航した二年前、ロンドンで第一回万国博覧会（一八五一年）が開かれています。ヴィクトリア女王★（一八一九―一九〇一年）の時代であり、イギリスの繁栄を象徴するイベントでした。この博覧会については、徳川幕府にペリー来航計画を伝えたオランダの「別段風説書《べつだんふうせつがき》」に記述がありますので、幕府要人は知っていたはずです。

「風説書」が伝えた情報はこれだけではありませんでした。西欧列強による植民地獲得の動きをはじめ、英仏間の海底ケーブル開通、米カリフォルニアの金鉱発見、ナ

●ヴィクトリア女王

◉ヴィクトリア女王の時代

一八三七年、一八歳で即位したヴィクトリア女王は、六四年間の長きにわたって君臨した。経済でも軍事でも、イギリスが圧倒的な力を誇った英帝国主義の最盛期にあたり、「ヴィクトリア時代」と呼ばれた。一八七七年以降は、インド女帝の称号をあわせもった。その繁栄ぶりは、「ブリテンによる平和」を意味するパクス・ブリタニカとも言われる。

ポレオン三世の皇帝即位などにも言及していました。

ペリー提督の『日本遠征記』には、こんな記述があります。

アメリカ人が交流の機会を得た日本の上流階級の人々は、自国の事情に精通しているばかりでなく、諸外国の地理、物質的進歩、近代の歴史についてもいくらか知っていた。この国の孤立した状態を考えると、彼らの情報はじつに驚くべきものであった。……

彼らは、以前には見たこともなかった鉄道、電信、銀板写真法、パクサンズ（ペクサン）砲、蒸気船について、多少は訳知り顔で話すことができたのである。また、ヨーロッパの戦争、アメリカの革命、ワシントン、ボナパルトについても、明晰《めいせき》な会話ができた。

日本人がオランダや清国経由で「西欧近代」にアンテナをはっていたことがわかります。

「大航海」の時代

世界では、「大航海」といわれる時代がありました。一五世紀から一七世紀のことですから、その始まりは、日本では、戦国時代の幕開けを告げた「応仁の乱」（一四六七―七七年）のころです。

スペインの女王イサベルに派遣されたコロンブスが一四九二年に西インド諸島（南北アメリカ大陸の中間）に、ポルトガル人のバスコ・ダ・ガマが一四九八年にインドにそれぞれ到達。一五一九年から二二年にかけては、マゼランの船隊が世界一周をなしとげました。当時、ヨーロッパの対外進出の主役は、なんといっても、スペインとポルトガルです。「大航海」は、インドやカリブ海などの産物をヨーロッパにもたらし、世界を一つにさせる契機となります。ポルトガルはブラジルを自国領とする一方で、スペインはメキシコを征服するなど、植民地支配を開始します。

つづく一七世紀は、オランダが世界の海を支配しました。優れた造船技術で海運業が発達し、アムステルダムは世界の金融の中心地になります。日本は一七世紀前半から鎖国状態に入りますが、ヨーロッパで唯一、日本と交易を続けたのがオランダでした。しかし、そのオランダも、海洋覇権に挑んできたイギリスにその座を譲ります。

ジョン・ロックの思想

一八世紀は、産業革命とフランス革命の時代です。イギリスでは、世界初の産業革命に先立って、国王と議会が対立し、クロムウェルの指導によって議会側が内戦に勝利。一六四九年にチャールズ一世を処刑し、王のいない共和政が導入されます（清教徒革命）。

しかし、クロムウェルは革命独裁へと進んで破綻し、王政が復活しますが、「権利の章典」によって国王に対する議会の優位が定められ、責任内閣制による立憲君主政

●クリストファー・コロンブス

●自由主義の父ともいわれるジョン・ロック

が実現します。これは無血で成功したため、名誉革命と呼ばれます。

この同時代人の哲学者ジョン・ロック★（一六三二―一七〇四年）は、王の統治権は神の恩寵《おんちょう》に基づくという王権神授説を否定し、「政府が人民の信託に反した場合は政府を打倒できる」と主張しました。

ギロチンと啓蒙思想

一七八九年、フランスで革命が勃発します。フランスの旧体制（アンシャン・レジーム）は、聖職者（第一身分）と貴族（第二身分）と、平民・農民の第三身分からなっていました。シエイエスは同年、自らは聖職者でありながら、『第三身分とは何か』と題する小冊子を出して「第三身分こそ、国民のすべて」と宣言します。増税に反発する第三身分とこれに同調する聖職・貴族議員は、新しい国民議会の結成へと向かいます。

武力弾圧の動きに対して、パリの民衆は「武器をとれ」とバスティーユ牢獄を襲撃し、フランス革命の火ぶたが切られます。八九年八月、国民議会が封建的特権の廃止と「人権宣言」を発布します。宣言には、人間の自由・平等や主権在民、法の下の平等、所有権の不可侵などがうたわれました。国王一家は国外逃亡を企てて失敗し、王政は廃止され、共和政が樹立されます。

「貴族たちに死を！」と叫ぶ革命陣営からは、自分たちの意見と異なる人々をすべて敵と見なす急進グループが台頭します。「首を速やかに切り落とすため」として断頭台（ギロチン）が発明されます。九三年一月には、ルイ一六世が革命広場（現コンコ

●ルイ一六世やマリー・アントワネットが処刑されたコンコルド広場

ルド広場）の断頭台の露と消えます。王妃マリー・アントワネットも同じ運命をたどりました。

革命の波及を恐れたヨーロッパ君主国は、対仏大同盟を結成し、戦争が始まります。対外危機の中で、急進共和主義のロベスピエールらは反対勢力を弾圧し、恐怖政治を進めますが、九四年にクーデターで倒されました。アナトール・フランス『神々は渇く』は、九三―九四年に猛威をふるった恐怖政治の日々と革命の狂信がもたらす悲劇を描いた歴史小説です。

一八世紀はまた、「啓蒙思想★」が時代を席巻しました。例えば、三権分立論で有名なモンテスキューの『法の精神』。イギリスを通してフランスの旧体制を批判したヴォルテールの『哲学書簡』。ルソー（一七一二―七八年）の『人間不平等起源論』『社会契約論』はフランス革命の導火線になりました。

●マリー・アントワネット

◉ジョン・ロック

「権利の章典」が制定されたイギリスの名誉革命（一六八八―八九年）の時代に生きた哲学者。その代表的著作である『統治二論』の思想は、海を越えてアメリカ革命に波及し、トマス・ジェファーソンらが起草したアメリカ独立宣言（一七七六年）に生かされた。その宣言は「すべて人は平等につくられ、神によって一定の奪いがたい権利を与えられていること、そのなかには生命、自由、および幸福の追求が含まれていること」を「自明の真理」と強調した。一七八七年に制定された合衆国憲法には、人民主権の共和政がとられ、行政、立法、司法の三権分立が定められた。ロックの思想は、はるかな時空を超えて今日の日本国憲法にも受け継がれている。

皇帝ナポレオン

フランス革命後の歴史の大舞台に登場するのが、幕末日本にもその名を知られた、英雄ナポレオン・ボナパルト（一七六九―一八二一年）です。

ナポレオンは、地中海に浮かぶコルシカ島の貧乏貴族の家に生まれました。陸軍士官学校に入学し、二〇歳の時、兵営でフランス革命に遭遇。その後、司令官としてイタリアに進軍し、イギリス支配下のエジプトにも遠征して名声を博しました。九九年、「ブリュメール（フランス革命暦の霧月）一八日のクーデター」で政府を倒し、事実上の軍事独裁体制をしきます。ナポレオンの権力掌握はフランス革命の終わりを意味しました。

一八〇四年、ナポレオンは、国民投票で圧倒的な支持を受けて皇帝につき、ナポレオン一世を名乗ります。人民投票型ポピュリズム（大衆迎合主義）の典型です。ネルソン提督ひきいるイギリス海軍に敗れたものの、ヨーロッパ大陸の覇権を握ったナポレオンは、ヨーロッパ諸国にイギリスとの通商を禁じる大陸封鎖令を出します。

さらに「反ナポレオン」のロシアを制裁するため、一八一二年、ロシアに遠征しますが、「冬将軍」に阻まれて失敗。これを機に諸国の「ナポレオン離れ」が一気に進み、一四年には退位、エルバ島に流されます。翌年、脱出して皇帝に復帰しますが、ワーテルローでイギリス軍と戦って敗れ、「百日天下」に終わります。再び退位に追い込まれたナポレオンは、幽閉先のセントヘレナ島で生涯を閉じます。

フランス革命以降、三色旗（国旗）や「ラ・マルセイエーズ」（国歌）が生まれ、徴

●ナポレオン・ボナパルト（ダヴィッド画）

兵制による国民軍や民法典（ナポレオン法典★）がつくられました。これらを通じてフランス人としての帰属意識、いわば「国民国家」の理念が生まれます。これは、ナポレオンの全ヨーロッパ制覇の過程で各国に広がりました。

「会議は踊る」ウィーン

革命と戦争でかく乱された国際秩序を立て直すため、一八一四年からウィーンで国

◉啓蒙思想

ロックの思想的影響を受けながら、一七世紀末に始まり、一八世紀後半に全盛を迎えた旧弊打破の革新的な思想。オランダ・イギリスから、フランス・ドイツに広がり、フランス革命に思想的な基礎を与える役割を果たした。フランスでは、モンテスキュー、ヴォルテール、ルソー、ディドロ、ダランベールらが代表的で、ドイツのカントらも影響を受けた。とくに「寛容」と「理性」と「人権」のフランス啓蒙思想は、欧州各国でこれを実践する君主を出現させた。中でもプロイセンのフリードリヒ二世は、ヴォルテールらと交わり、「啓蒙専制君主」のひとりとして知られた。日本でも明治時代初期、中江兆民らの手で翻訳・紹介され、自由民権運動に影響を与えた。

◉ナポレオン法典

ナポレオンの民法典は、一八〇四年三月に公布された。私有財産の不可侵や法の前の平等、契約の自由など革命の成果を発展させる条項が盛り込まれた。近代市民法典のさきがけとして、欧州をはじめ世界各国の法典の模範となった。ナポレオンは、「余の名誉は幾度かの戦勝にあるのではなく、余の法典にある」という言葉を残した。日本では、一八六七年に徳川幕府からフランスに派遣された栗本鋤雲《じょうん》がこれを知って翻訳を計画し、これが明治新政府の法案編纂作業の起点になった。栗本は、軍艦奉行や外国奉行などをつとめた親仏派の中心人物だった。

際会議が開かれました。国際政治史上、類例のない大きな会議で、宮廷的雰囲気のもと「会議は踊る。されど、会議は進まず」とからかわれます。そこへ届いた、ナポレオンがエルバ島から「パリに凱旋」という知らせは、参加国に衝撃を与えました。

議長国オーストリアのメッテルニヒ外相や、イギリスのカースルレイ外相らが各国の利害調整に努め、新しい国際秩序である「ウィーン体制★」を生み出します。その基本ルールは、革命前夜の主権者と領土を正統なものとみなす「正統主義」と、主要国の勢力を均衡させる「バランス・オブ・パワー」でした。敗戦国フランスのタレーラン外相は外交巧者ぶりをみせ、ブルボン王家を復活させただけでなく、領土割譲と賠償も「寛大な措置」で切り抜けました。

あらゆる国際秩序と同じく、ウィーン体制も揺らぐことになりますが、イギリス、オーストリア、ロシア、プロイセンの四か国に、敗戦国のフランスを加えた五大国体制は、第一次世界大戦まで続くことになります。

ルイ・ナポレオンとマルクス

ヨーロッパ各地に革命・民族運動の嵐が吹き荒れるのは、ペリー来航五年前のことです。

フランスなどでも産業革命が進展し、労働者は貧困と不況にあえぐようになりました。一八四八年二月、フランスではパリ市民が武装蜂起し、社会主義者や労働者の代表も参加した臨時政府を樹立します。男子普通選挙制が布告され、第二共和政が始まります。

ところが、五一年一二月、ナポレオン一世の甥に当たる、大統領のルイ・ナポレオンが、叔父の「ブリュメール一八日」のひそみにならってクーデターを起こし、これを一気につぶします。ルイ・ナポレオンは国民投票によって皇帝になり、ナポレオン三世と称するのです。

時計の針が大きく戻ったかのようです。ドイツ生まれのカール・マルクス★（一八一八―八三年）は、二月革命からクーデターまでの動きを『ルイ・ボナパルトのブリュメール十八日』で著しました。以下はその有名な書き出しです。

ヘーゲル（ドイツの哲学者）はどこかでのべている、すべての世界史的な大事件や大人物はいわば二度あらわれるものだ、と。一度目は悲劇として、二度目は茶

●マルクス

◉ウィーン体制

ウィーン体制については、自由主義や民族主義運動を弾圧し、ヨーロッパの現状維持を図った「国際的保守反動体制」と評される。しかし、ヨーロッパで安定的な秩序をつくるためには、主要な五大国の協調体制が不可欠だった。当時、最大の安全保障上の脅威はフランスであり、ナポレオンを打倒したイギリス、ロシア、オーストリア、プロイセンの四大国は、同盟を維持することで、フランスとの勢力均衡を保ち、五大国の協調を構築しようとした。国際政治学者のキッシンジャーは、ウィーン会議によって勢力均衡に基づいた平和が実現したことを賞賛している（細谷雄一『国際秩序』）。イギリスと並ぶ二大強国のロシアは一八一五年に皇帝アレクサンドル一世が神聖同盟を提唱。イギリス、プロイセン、オーストリアと四国同盟を結んだ。

番として、と、かれは、つけくわえるのをわすれたのだ。
マルクスは四八年、フリードリヒ・エンゲルスとともに『共産党宣言』を発表します。以後、日本を含め世界の社会主義運動に極めて大きな影響を与える宣言は、こう筆を起こしています。

ヨーロッパに幽霊が出る——共産主義という幽霊である。ふるいヨーロッパのすべての強国は、この幽霊を退治しようとして神聖な同盟を結んでいる。

そのうえで「今日までのあらゆる社会の歴史は、階級闘争の歴史である」と説いて、最後をこう結びます。「万国のプロレタリア団結せよ！」

●エンゲルス

◉カール・マルクス

科学的社会主義の創始者として知られるドイツの経済学者、哲学者、革命指導者。ユダヤ人弁護士の家庭に生まれ、ベルリン大学などで法律、哲学、歴史学を学んだ。盟友のエンゲルスとともに、弁証法的唯物論や史的唯物論を打ち立て、資本主義社会の矛盾と、社会主義社会が生まれる必然性を明らかにした。ドイツでの革命闘争の後、ロンドンに亡命し、五一年に『ルイ・ボナパルトのブリュメール十八日』を発表した。主著『資本論』（第一巻）は六七年に刊行された。マルクスの妻、イェンニーは、ロンドンでの赤貧洗うがごとき生活に耐え、マルクスの研究生活を支えた。一方、日本では、一九二〇年代後半から三〇年代初めにかけ、労働運動、農民運動などの社会運動が盛んになるが、これらはマルクス主義の影響を受けていた。

6　強大だったアジアの帝国

南洋の日本人町

日本、およびヨーロッパ以外の諸地域に目を向けてみましょう。

日本全国を統一した豊臣秀吉が、「明《みん》」の征服をめざして朝鮮に出兵したのは、一六世紀末でした。武装貿易集団の倭寇《わこう》の活発化などによって、明の貿易統制が揺らぐなど、東アジア情勢にも変化が見え始めていました。明の援軍などによって朝鮮軍が勢いづき、秀吉軍は苦戦し、明との講和交渉も決裂しました。二度目の遠征も失敗し、秀吉の病死とともに朝鮮から撤兵を余儀なくされました。

明朝の末期、日本人が海外に進出した一時期があります。徳川幕府から海外渡航を認める免許（朱印状《しゅいん》）を得た、延べ約三五〇隻に上る商船が、幕府が「鎖国」するまで、対外貿易に従事しました。移住する日本人も多く、フィリピンやカンボジア、シャム（現在のタイ）など南洋各地に「日本人町」が形成されました。中でも山田長政《ながまさ》★は、アユタヤ（シャムの首府）の日本人町の頭になっただけでなく、シャムの高官の地位に就き、王の命令で軍隊を率い、反乱軍の鎮圧にあたりました。

●山田長政が活躍したタイ・アユタヤの遺跡

明は一六四四年、農民反乱の首領・李自成《りじせい》によって滅ぼされました。現在の中国東北部、遼寧省や吉林省あたりに住む女真《じょしん》（満州）人が、一六一六年、すでに新王朝をたて、三六年には国号を「清《しん》」と定めていました。清朝は、初代の太祖ヌルハチからラストエンペラーの宣統帝溥儀《せんとうていふぎ》（一二代）まで三〇〇年近く続きます。溥儀は廃帝後、日本の傀儡《かいらい》国家、満州国の皇帝になります。

清朝の三帝時代

清朝では、康熙《こうき》帝、雍正《ようせい》帝、乾隆《けんりゅう》帝の三帝時代（在位一六六一―一七九五年）に黄金期を迎えます。康熙帝は、南の国境地帯での反乱を鎮め、台湾において反抗を続けた鄭成功《ていせいこう》★（一六二四―六二年）を下して一六八三年、台湾を領土としました。

黒竜江（アムール川）方面で南下するロシアとも戦い、八九年、ネルチンスク条約を締結、国境などを取り決めました。一七二〇年にはチベットを制圧し、五七年には中央アジアのジュンガル王国を滅ぼして、新疆《しんきょう》（新しい土地の意）と名付けました。一七世紀には一億人台だった清の人口は、その後急増し、一九世紀に入ると四億人を超えたといわれます。

イスラム世界の王朝

インドのムガル帝国（一五二六―一八五八年）は、一六世紀前半、チンギス・ハーン（モ

●ムガル帝国の第五代皇帝シャー・ジャハーンが亡くなった王妃のために造ったタージ・マハル

ンゴル帝国の創始者）の血を引くとされるバーブルが建てた王朝です。ムガルとはモンゴルが訛《なま》ったものです。

イスラム教が奉じられていましたが、第三代皇帝のアクバルは、インド人の大多数を占めるヒンズー教徒の官僚・軍人を登用するなど融和に努めました。一七世紀半ばに版図は最大規模となり、インドの大部分を支配します。

一方、トルコ族の一派によって建設された西アジアのオスマン帝国（一二九九―一九

◉日本人町の頭領・山田長政

日本人の海外進出は、一六世紀の終わり頃から見られ、徳川幕府が与えた朱印状（海外渡航許可証）を携帯して貿易を行う「朱印船」貿易によって盛んになった。一七世紀前半の、鎖国までの約三〇年間、海外に渡った日本人は約一〇万人とみられている。彼らのうち一万人近くは、東南アジアの各地に、「日本人町」をつくって集団で生活した。シャムのアユタヤの日本人町も、そのうちの一つだった。山田長政（生年不詳）は、沼津藩（静岡県）で駕籠かきをしていたといわれるが、一六一二年ごろ、シャムに渡り、国王ソンタムの信任を得て日本人町（約一五〇〇人）の頭領になった。王位継承争いに巻き込まれた末、一六三〇年に殺害された。

◉鄭成功

鄭成功の父親は福建地方の実力者だった鄭芝竜《ていしりゅう》で、貿易のためしばしば寄港していた、長崎平戸の日本女性を妻とした。二人の間に生まれた鄭成功は、中国沿岸各地に軍事・経済拠点を設け、台湾からオランダ人を追い払い、一六六一年に台湾を占領。明朝再興のため、清朝への抵抗活動を続けた。鄭は明の皇帝の「国姓」の朱を賜ったので「国姓爺《こくせんや》」と言われた。近松門左衛門《ちかまつもんざえもん》（一六五三―一七二四年）の代表作で、一七一五年に初演された浄瑠璃『国性爺合戦』の主人公は、鄭成功がモデル。明朝回復に奮闘する物語が人気を博した。芝居の中で、主人公は、清朝軍を打ち破った際、「うぬらが小国とあなどる日本人、虎さえこわがる日本の手並み覚えたか」とみえをきっている。

一二年）は、一五世紀半ばにビザンツ帝国（東ローマ帝国）を滅亡させてコンスタンチノープル（イスタンブール）を首都にし、一六世紀にはスレイマン一世★（一四九四──一五六六年）のもとで最盛期を迎え、アジア、アフリカ、ヨーロッパにまたがる広大な領土を支配下に置きました。

一六世紀の初め、イランではサファビー朝（一五〇一──一七三六年）が成立します。イスラム教シーア派を国教とし、アッバース一世によって建設された首都イスファハーンの壮麗なモスクや庭園は、王朝最盛期の繁栄ぶりを今日に伝えています。

こうしてムガル帝国、オスマン帝国、サファビー朝がイスラム世界に並び立っていたのです。

日本の銀、世界の三分の一

巨大な領土と、膨大な人口と、豊かな文化をもつアジアの大帝国が、ヨーロッパ諸国と比べていかに強勢であったかを示す数字があります。

一七〇〇年の世界のGDP（国内総生産）に占める割合をみますと、清が二二・三％、ムガル朝などインドが二四・四％、オスマン朝八・三％、サファビー朝六・五％でした。ヨーロッパ各国はいずれもそれ以下で、日本は四・一％でした（出口治明『「全世界史」講義2』）。

交易の拡大に伴い、多種の品々の交換が始まると、国際通貨が生まれます。はじめは銅銭でしたが、一五世紀には銀の流通が増大。中国では輸出品の対価として銀を求

●世界有数の銀の産地だった石見銀山

めたため、大量の銀が中国に流入しました。

当時、大量の銀を産出し輸出できたのは、スペイン領の南アメリカと日本でした。ヨーロッパ諸国のインド洋貿易でもこれらの銀が重視されます。一七世紀半ば、日本の銀産出量は、石見《いわみ》銀山★などから年間二〇〇トンに上り、世界の約三分の一を占めました。

◉スレイマン一世

オスマン帝国の第一〇代スルタン（イスラム王朝の君主の称号）。一五二〇―六六年と長期間にわたって在位、その治世はオスマン帝国の絶頂期だった。一三回にわたる外征を企て、アラブ地域に支配領域を広げる一方、一五二六年にはハンガリーを征服し、二九年にはウィーンを包囲してヨーロッパ諸国を震えあがらせた。三八年にはプレヴェザの海戦で、スペイン・ヴェネツィアの連合艦隊を破り、地中海の制海権を握った。

◉石見銀山

一六世紀前半に発見された日本最大の銀山で、一六世紀のヨーロッパの地図には「銀鉱山王国」と記載されており、高品質の銀は東アジアで広く流通した。とくに、朝鮮式の銀の精錬法が導入されてから、銀の産出量が爆発的に増加した。また、中国の明代後期に、租税を銀納に一本化する税制改革が行われ、中国で膨大な銀の需要が生じたことも、日本の銀の存在感を高めた。日本は、中国産の生糸・絹織物、陶磁器、朝鮮産の木綿などを輸入するため、銀を使い、日本産の銀の大部分は中国に流れ込んだ（「日本史アップデート」二〇二一年六月二九日読売新聞夕刊）。二〇〇七年七月、島根県大田市の「石見銀山遺跡」（鉱山跡や周辺の町並み、積み出し港、鉱山と港をつなぐ街道など）が、国連教育・科学・文化機関（ユネスコ）の世界遺産に登録された。

イギリス領インド帝国の成立

これらのアジアの帝国は一八世紀後半―一九世紀になると、弱体化・分裂の傾向を見せ、イギリスをはじめヨーロッパ勢力の干渉を受けるようになります。ムガル帝国について見ますと、ヨーロッパ諸国は一七世紀はじめ、インド貿易を試み、国策会社として東インド会社★を設立しました。イギリス、オランダのあと、デンマーク、フランスが続きます。

イギリスの東インド会社は、オランダなどと競合しながら商館網を築きあげます。一七世紀後半からインド産の綿布をイギリスに運ぶと、爆発的な売れ行きをみせます。それまでインド貿易商品の主役は、香料や胡椒《こしょう》でした。これが綿布に交代していくのです。

さらにイギリスは、今度は綿花を輸入して自国で綿織物の製造を始めます。この結果、紡績機、織機が開発され、その動力として蒸気機関が活用されます。これがイギリスの産業革命を大きく前進させます。

一八世紀に入ると、ムガル帝国内は、地方政権が割拠して軍事抗争を繰り返します。帝国は弱体化し、これを機にイギリス、フランス両国が介入を強めました。

一七五七年、傭兵《ようへい》として多数のインド人を雇っていたイギリス東インド会社と、フランス東インド会社・地方政権の連合軍がぶつかりあい、イギリスが勝利します（プラッシーの戦い）。イギリスは、インド北東部のベンガル州の支配権を確立し、続いて

●英東インド会社の拠点が置かれていたロンドンのイースト・インディア・ハウス

地方の政権も次々に撃破して一九世紀半ばまでにインド全域を制圧するのです。

しかし、インドでは、インド人兵士たちの待遇への不満から「大反乱」（一八五七―五九年）が起きます。反乱は兵士にとどまらず、インドの民衆が多数参加しており、植民地支配に抵抗する民族運動の始まりでもありました。イギリスは、反乱鎮圧後、東インド会社を解散し、直接統治に切り替えます。ムガル王朝は消滅し、ヴィクトリア女王がインド皇帝を兼ねる英領インド帝国が成立します（一八七七年）。インドで大兵力を掌握したイギリスは、ここを拠点にアジア支配★を強めていくのです。

◉東インド会社

一七世紀、西ヨーロッパ諸国が東洋貿易と植民地経営を目的として設立した会社の総称。イギリスは一六〇〇年、オランダは〇二年、フランスは〇四年に開業した。このうち、フランスは実質的な活動が出来ず、いったん消滅後、一六六四年に再建された。中でも、オランダ東インド会社は、政府から東洋貿易の独占権を与えられ、バタビア（現在のインドネシアの首都ジャカルタ）を根拠地に、香辛料などの貿易とともに植民地支配を強行した。初めはイギリスを抑え、一七世紀半ばに最盛期を迎えたが、一八世紀末、イギリスの圧迫や住民の抵抗などもあって会社を解散した。

◉英米のアジア覇権争い

アメリカのペリー提督が日本遠征途上、海軍長官にあてて書いた意見書（一八五二年）には、「世界地図を見ると、イギリスがすでに東インド洋ならびに中国海域において、要所を掌中に収め……イギリスは意のままに、これらの海域から他国を閉め出す力をもち、莫大な額の貿易を支配することが出来る」という記述がある。ペリーは、東洋のイギリスの属領で、イギリスの軍港が不断にかつ急速に増加している状況を見れば、アメリカも迅速な方策を推進する必要があると進言。イギリスを相手に、アジア太平洋における覇権争いを演じようとしていた。

世界システム論

すでに見たように、アジアの大帝国の富と力は、ヨーロッパ諸国を大きく上回っていました。しかし、交易を通じて「世界の一体化」が進展する中、アジアに対するヨーロッパ、とりわけイギリスの優位が確定的になります。

そこで一つの世界史像が生まれます。「世界システム論」です。アメリカの社会学者ウォーラーステインが一九七〇年中ごろに提唱しました。この近代世界システムは、大航海時代の後半、西ヨーロッパ諸国を「中核」とし、中南米や東ヨーロッパを「周辺」として成立し、以後、成長と収縮を繰り返しながら拡大していきます（加藤祐三・川北稔『アジアと欧米世界』）。

イギリスなどの西欧諸国は、国際的な分業体制を作り出し、多くの後発国を植民地として従属させました。一七―一八世紀には、悪名高い「三角貿易」が盛んに行われます。イギリスなどヨーロッパの船は、西アフリカに武器や雑貨を運びます。その代わりに得たアフリカ人の奴隷★をアメリカ大陸に連れて行きます。それとの交換で砂糖や綿花、タバコ、コーヒーなどをヨーロッパに持ち帰ったのです。この奴隷貿易と綿花・砂糖を栽培する奴隷制プランテーションによって、イギリスは莫大な利益をあげ、それを産業革命の資金としました。

この世界システム論に対しては、「ヨーロッパ中心史観」だという批判があります。とはいっても、ヨーロッパ人が主導して地球をぐるりと回って対外拡張を進め、グロー

●英東インド会社の行政官の名前を冠したシンガポールのラッフルズ・ホテル

バル化を推進したことは事実でしょう。このシステムの歴史でヘゲモニー（主導権）を握った国家は、「一七世紀中ごろのオランダ、一九世紀中ごろのイギリス」（加藤・川北『アジアと欧米世界』）です。イギリスは、工業製品を輸出する「世界の工場」として、また、通貨ポンドによる「世界の銀行」として、「パクス・ブリタニカ」（イギリスによる平和）と称される繁栄を謳歌《おうか》しました。そして二〇世紀に入ると、アメリカが表舞台に登場し、二〇世紀は「アメリカの世紀」と呼ばれることになります。

この世界システム論に立つと、ペリーに迫られた日本の開国も、日本をこのシステムに組み込む一つのプロセスのようにみえます。日本の近代は、ここに幕を開け、覇権国家のイギリス、アメリカ、そしてアジアの大国・中国との関係を軸に、起伏の激しい道をたどることになります。

●英東インド会社の蒸気船が清軍の帆船を破壊する様子を描いたエドワード・ダンカンの絵画

◉奴隷貿易

ヨーロッパ人がアフリカ住民を奴隷としてアメリカに売り込む「奴隷貿易」は、一六世紀から始まった。ポルトガル、スペインが乗り出し、一七世紀からオランダとイギリスが参入して、それぞれ莫大な利益を上げた。大西洋を越えて北米に運ばれたアフリカの黒人の総数は一千万―四千万人に上ったとされる。一八〇七年、イギリスは国内からの反対論を受けて、奴隷貿易禁止法を制定し、一八三三年には大英帝国内で奴隷制度を廃止した。アメリカ、オランダ、フランスがこれに続いた。奴隷貿易禁止二〇〇周年を前に、当時のブレア英首相は二〇〇六年、英紙に寄稿し、過去の奴隷取引について「深い悲しみ」を表明し、「その廃止に向けて闘った人々を称賛する」と述べた。

7　清帝国に「西からの衝撃」

アヘン戦争勃発

作家の陳舜臣は、『実録　アヘン戦争』をこう書き始めています、

アヘン戦争は、東と西の邂逅《かいこう》に違いないが、平等な立場のそれではない。東にたいする「西からの衝撃」（western impact）にウェイトを置いてとらえるべきであろう。

そして「西」にとって「東」は、まずキリスト教を伝道すべき、宗教上の処女地であり、産業革命後は商品を売りさばく市場になる。これに対して、東にとって西は、単なる「夷狄《いてき》（野蛮な異民族）の土地」にすぎない。東は西のように、激しい信仰の情熱や飽くことをしらぬ利益追究欲をもって西に眼を向けたことはなかった――。陳はこのように続けていました。

こんなエピソードがあります。

●清朝まで王宮として使われていた紫禁城

清朝黄金期の乾隆帝《けんりゅう》★（一七一一―九九年）は一七九三年、イギリスのジョージ三世が通商交渉のため派遣した使節団のマカートニー全権にこう言いました。

「わが天朝は、およそ無い物はないほど豊かであるから、外国と通商して有無相通じる必要などもともとない」。

この初の「中英接触」では、イギリス側が皇帝に「三跪九叩頭《さんききゅうこうとう》」（三回ひざまずき、そのたびに三回ずつ頭を地につける）の謁見儀礼をとるかどうかで紛糾し、清朝は、イギリス側の要求をほとんど拒否しました。

中国には元来、われこそ世界の中心であるという中華思想があり、異民族のことは夷狄と呼んで見下してきました。中国の皇帝は、古代から「冊封《さくほう》」といって周辺国の首長に国王の称号を授与し、周辺国は、使節を派遣して貢物を贈り返礼の品を受けとる「朝貢《ちょうこう》」のシステムをとっていたのです。乾隆帝の時代には、内地をはじめ東北地方と台湾が直轄領、モンゴル・チベット・新疆《しんきょう》・青海《せいかい》は間接統治、朝鮮・ベトナム・タイ・ビルマ（ミャンマー）を朝貢国とする、中国中心の国際秩序が成立していました。

◉乾隆帝

康熙、雍正と続いた清朝の最盛期に即位した第六代皇帝で、廟号は高宗。一七三五―九五年まで六〇年間にわたって在位し、絶大な権力をふるった。対外遠征に力を注ぎ、ウイグルの平定、チベットへの出兵など一〇回の戦争に勝利（「十全の武功」）し、中国史上最大の版図を得た。ここに現在の中国領土の基礎が形づくられることになった。皇帝は、ふだん北京の紫禁城で執務していたが、夏の数か月間は、避暑のため、宮殿や楼閣のある熱河（河北省承徳市）の離宮で過ごした。英使節マカートニーと会見したのは、熱河の離宮でのことである。

インド産アヘン密輸

インドからイギリスへのアヘン輸出は、一七七三年に始まり、その後、増加の一途をたどっていました。当時、イギリスでは中国からの茶の輸入が増えていたのに、中国に売るような輸出品がありませんでした。そこでイギリスは綿製品をインドに売り、その対価でインド産のアヘンを買って中国に密輸し、かわりに中国から茶を輸入することにしました。

イギリスとインドと中国による「三角貿易」です。一八世紀末から中国のアヘン消費が増大し、中毒患者のまん延に危機感を抱いた清朝は、アヘン禁止措置を強化しました。

「アヘン厳禁論」に立つ道光帝は、有能な官僚だった林則徐《りんそくじょ》★（一七八五―一八五〇年）を皇帝特命の「欽差《きんさ》大臣」に任命しました。一八三九年、広州に着いた林は、アヘン絶滅に向けて、イギリス商人たちが持っていたアヘンを大量に没収・廃棄処分にします。これに反発したイギリス政府は、同年一〇月に開戦を決定します。

ただ、議会では、戦争の正当性をめぐって疑問も出て、四〇年四月、開戦賛成が二七一、反対が二六二の僅差でようやく軍の派遣が認められました★。同年六月、イギリスは艦隊を中国沿海部に集結させます。清の正規軍はイギリス艦隊の艦砲射撃と装備に圧倒され敗走を続けます。そうした中で、イギリス軍を苦しめたのは、農民や漁民からなるゲリラ軍でした。戦争は二年以上続き、イギリス軍は四二年、インドからの

●林則徐

増援軍を得て上海などを占領し、南京に迫って戦争は終結します。

イギリスに香港割譲

清は、四二年八月に調印した南京条約で、イギリスの要求をほとんど受け入れます。一つは、戦争さなかの四一年、イギリスが領有を宣言した香港島★の割譲です。第二に、清は上海、寧波《ニンポー》、福州、廈門《アモイ》、広州の五港の開港、賠償金二七〇〇万ドルの支払いを

◉林則徐

湖広総督（湖北省・湖南省の長官）だった林則徐は、皇帝への意見書で、アヘン厳禁の具体策を提案した。一年間の猶予期間を置き、その間は罪に問わず、中毒者にアヘンを断ち切るよう促し、猶予期間後は厳罰に処すというものだった。皇帝はこの厳禁案を採用し、林則徐に取り締まりを命じた。結局、没収された約二万箱のアヘンは海岸で廃棄された。マカオで発行されていた外国紙誌からイギリスの報復を予期した林則徐は、正規軍だけでなく、沿岸漁民らを募って訓練し、ゲリラ戦の準備をした。しかし、英国の遠征艦隊が北京に近づくと、清朝政府は動揺し、林則徐を更迭した。他方、林則徐の友人の魏源《ぎげん》の著作『海国図志』は、早速、日本に輸入され、「夷の長技（すぐれた軍事技術）を師として夷を制する」という主張は、武士たちの共感を呼んだ（小島晋治・丸山松幸『中国近現代史』）。

◉グラッドストン、開戦に反対

イギリスのパーマストン外相（一七八四―一八六五年）が進めた開戦方針に異議を唱え、議会で反対演説をしたのが、のちに首相になる、若き日のグラッドストン（一八〇九―九八年）だった。彼は「異教徒で半文明的な野蛮人たる中国人側に正義があり、他方のわが啓蒙され文明的なクリスチャン側は、正義にも信仰にももとる目的を遂行しようとしている」などと述べて、「不義にして非道の戦争」を強く非難した（近藤和彦『イギリス史10講』）。

認めました。

翌四三年に清は、領事が本国の法律に基づいて在留自国民の裁判を行う領事裁判権や、最恵国待遇も容認。また、関税自主権も失い、税率は自主的に変更できなくなりました。他の国からも条約締結を求められ、アメリカとは望厦《ぼうか》条約、フランスとは黄《こう》埔《ほ》条約を結びました。開港後の上海には、イギリスをはじめフランス、アメリカが「租界」（外国が行政権をもつ区域）を開設しました。租界は漢口や天津、広州などにも設けられます。

英仏米露で利権争奪

アヘン戦争は一度で終わりませんでした。

イギリスは、南京条約によっても貿易量が伸びず、不満を募らせていました。一八五六年一〇月、英国旗を掲げて停泊中の貨物船「アロー」号で、中国人船員が清の官憲に海賊容疑で逮捕されました（アロー号事件）。イギリスは、これを口実にナポレオン三世のフランスと共同出兵し、アロー戦争（第二次アヘン戦争、五六―六〇年）が勃発します。英仏両軍は五七年末に広東を占領し、天津まで進撃。清朝は降伏して五八年六月、イギリス、フランスだけでなくアメリカ、ロシアとも条約★（天津条約）を結びました。

五九年、天津条約の批准を前に再び戦端が開かれ、清軍はイギリス・フランス軍を破りますが、翌六〇年に再び来襲した英仏軍によって首都・北京は占領されます。その際、兵士たちは、清朝の離宮「円明園《えんめいえん》」（バロック洋式の西洋建築を含む壮大な庭園）を

●ロシアはウラジオストクを得て、太平洋への出口として港を建設した

焼き払って、略奪・破壊の限りを尽くしました。

同年一〇月に締結された北京条約は、天津条約の内容を確認するとともに天津、漢口、南京など一一港の開港のほか、外国使節の北京常駐、外国人の内地旅行権、賠償金の増額なども認めました。また、イギリスには香港対岸の九竜半島の一部が割譲されることになりました。

アヘン戦争後もアヘンの輸入は続いていました。清朝政府はこれを黙認していたのですが、そのアヘンも北京条約によって合法化されてしまいます。中国にとって余り

◉香港島

一八四一年、英国が香港島の領有を宣言し、四二年の南京条約で英国に割譲された。当時の香港は、人口数千人の一寒村に過ぎなかった。イギリスの香港統治は二〇世紀の終わり近くまで続き、返還されたのは一九九七年七月。香港島は、約六三〇万人が住む、アジアきっての貿易・金融センターに変貌した。八四年一二月の中英共同声明では、香港に外交と国防を除く独自の行政・立法・司法権といった「高度な自治」や言論の自由を、少なくとも五〇年間は保障するとしたが、社会主義国・中国で、社会主義と資本主義を併存させる「一国二制度」は、近年、大きく揺らいでいる。

◉ロシアの東方進出

アヘン戦争のイギリスの勝利に刺激されたロシアは、積極的に東方進出を図った。東シベリア総督ムラヴィヨフ（一八〇九—八一年）は、太平天国の乱で苦しむ清国に圧力を加え、一八五八年、アイグン（愛琿）条約によって、黒竜江（アムール川）左岸をロシア領とした。さらに、キリスト教の布教や外国使節の北京駐在などを認めた天津条約にも関与。ロシアを代表してこれに調印したのは、日本にも縁の深いプチャーチンだった。ロシアはまた、アロー戦争で英・仏と清朝を仲介した見返りとして、露清北京条約を結び、沿海州も獲得した。ここにウラジオストク港を開設し、アジア・太平洋進出の戦略的拠点とした。

にも屈辱的な不平等条約は、この先、欧米列強が中国での権益を正当化するための根拠となっていきます。こうしてアジアの大帝国の一つ、インドがイギリスによって支配されたのに続いて、中国も、欧米列強に侵食され半植民地状態に置かれることになります。

佐久間象山らの警鐘

徳川幕府が日本人漂流民を送還してきた「モリソン」号を大砲で追い払ったのは、アヘン戦争勃発三年前の一八三七年のことでした。この無法の行為を知った渡辺《わたなべ》崋山《かざん》（一七九三—一八四一年）が『慎機論《しんきろん》』を著す一方、高野長英《ちょうえい》（一八〇四—五〇年）は『戊戌《ぼじゅつ》夢物語』を書いて、幕府の対外政策を批判しました。高野は日本に「後来如何《いか》なる患害出来《しゅったい》し候や、実に恐るべき」と警告しました。ところが、幕府内の頑迷な守旧派が、この蘭学の先覚者で海外事情に通じた二人を弾圧し、厳しく罰します。いわゆる「蛮社《ばんしゃ》の獄《ごく》」★です。

他方、幕府は、アヘン戦争に関してオランダと清国から続々と情報を入手し、イギリスの圧倒的優勢をキャッチします。幕府が「無二念打払令」をやめ、今後は必要な物資は与えるという「天保薪水《しんすい》令」を布告したのは、中英間で南京条約が結ばれる直前のことでした。

清の敗北は、中国をモデル国家として畏敬していた徳川の幕僚や知識人たちを打ちのめしました。松代藩士で朱子学者の佐久間象山《さくましょうざん》（一八一一—六四年）は、アヘン戦争

●『戊戌夢物語』で幕府の対外政策を批判した高野長英

を「容易ならぬ事態」と受け止め、幕府の海防掛《がかり》になっていた藩主・真田幸貫《ゆきつら》に大船・大砲の充実など海防策の緊急性を説きます。象山は、オランダ語を学ぶとともに、江戸・木挽《こびき》町で塾を開いて弟子たちに砲術と儒学を教えます。門下には勝海舟、吉田松陰、加藤弘之らがいました。

アヘン戦争は、日本人の中国への見方を変えると同時に、対外危機意識を目覚めさせました。幕府はアヘン戦争を機に「前者の轍《てつ》を踏むまい」と考えるようになります。そして第一次アヘン戦争終結から一〇年余り後のペリー来航時、鎖国から開国へと一八〇度の方針転換を図ります。さらに日本と他国との通商に道を開く日米修好通商条約の締結に踏み切る際は、第二次アヘン戦争に関する情報が大きな決め手となるのです。

太平天国の建国宣言

清朝は、イギリスとの戦争のみならず、太平天国軍はじめ内乱にも対処しなければ

◉「蛮社の獄」

渡辺崋山は、洋学者で画家、三河田原藩の家老でもあった。高野長英は、陸奥水沢出身の町医者で洋学者。二人は、「尚歯会《しょうしかい》」という洋学者や幕臣らが参加する知識人の勉強会に加わり、交流していた。幕府に捕らえられた渡辺は、国元で永蟄居《えいちっきょ》、高野は永牢《えいろう》に処せられ、後に二人とも自刃した。洋学者に対する苛烈な弾圧政策の裏には、幕府の文教政策を担っていた儒学者らの、洋学の隆盛に対する反感があったという。

なりませんでした。一八五一年にはキリスト教の影響を受けた洪秀全《こうしゅうぜん》★（一八一三—六四年）が清朝打倒を唱えて中国南部の広西で挙兵し、信徒らとともに太平天国（五一—六四年）の建国を宣言しました。彼らは清の強制した「辮髪《べんぱつ》」をやめ「長髪」にしたため、長髪族と呼ばれました。洪秀全率いる軍団は湖南、湖北を転戦するうちに肥大化し、五三年三月南京を占領して首都と定めます。これに対して、清朝は、彼らを討伐するため、軍隊を派遣します。

六〇年の北京条約でアヘン戦争が幕を閉じるころ、内戦にも変化が生じます。鎮圧に苦しむ清軍に代わって、漢族の高官で著名な朱子学者の曽国藩《そうこくはん》が、地主階級を中心に農民らを募って義勇軍を編成し、太平天国軍に立ちはだかったのです。曽は幕僚の李鴻章《りこうしょう》に新たに義勇軍を編成させます。洋式装備で強化された義勇軍にイギリス、フランス両軍が加勢します。追いつめられた太平天国は六四年七月、滅亡しました。

当時、上海に渡航し、太平天国の運動をみていた日本人★がいました。長州藩士の高杉晋作（一八三九—六七年）です。徳川幕府は一八六二年、貿易調査のため、蒸気船「千歳《せんざい》丸」を上海に派遣しました。高杉はその一行に加わり、上海に二か月滞在しました。

高杉は帰国直後、長崎でオランダ軍艦を注文し、まもなく品川のイギリス公使館焼き打ちに参加します。さらに、士農工商の身分階層をこえた「奇兵隊」の結成へと動くのは、この〝上海体験〟が物を言ったとみられます。

●洪秀全の像

◉洪秀全

太平天国運動の最高指導者（天王）。広東省花県《かけん》出身の客家人《はっかじん》。客家というのは、広東省を中心に、かつて華北から南下移住してきた漢族の子孫といわれ、住む土地に恵まれなかったため、多くが貧しく、習俗や言葉の違いから差別されていた。なお、中国国民党を結成した孫文も客家の出身だった。科挙受験に失敗した洪秀全は、プロテスタントの布教パンフレットに出会い、キリスト教に帰依。自分はエホバの次男で、この世を救う使命を受けたと確信して拝上帝会を創設した。神の前の平等を説いて信者を増やし、ついに地上に天国をつくるとして清朝打倒の兵を挙げた。

◉高杉晋作がみた太平天国

太平天国の乱を目撃した高杉晋作の渡航日記『遊清五録』によると、「払暁、小銃の声陸上に響く」とあり、高杉は早朝から「長髪」族と「官軍」とが戦う小銃の音を聞いた。別の日に上海の町を歩くと、中国人は、イギリス人やフランス人をみると、こそこそと道をよけ、ほとんど外国人の「便役」（使用人）になってしまっている。これでは、上海の地は中国に属するといっても、イギリスやフランスの「属地」（植民地）ではないか、注意しておかないと日本も同じ運命に見舞われかねない。高杉はそんな危機感を書き付けていた。

第2章　攘夷の反攻、回天の維新

第2章関連年表

1856（安政3）	8月	駐日米総領事ハリスが下田に来航
1857（安政4）	12月	ハリスが江戸城で将軍に大統領親書提出。老中堀田正睦に通商条約締結求める
1858（安政5）	3月	堀田、条約の勅許を求め京都入り。参内公卿多数が条約拒否を訴え「列参」
	4月	天皇、堀田に条約調印拒否の勅諚
	5月	次期将軍の継嗣は徳川家茂に内定
	6月	彦根藩主井伊直弼、大老に就任
		第2次アヘン戦争で清敗北。天津条約調印
	7月	井伊、日米修好通商条約の調印断行
	8月	英国、インド統治法を公布
		水戸徳川斉昭ら不時登城し、井伊を責める
		幕府、斉昭らに謹慎、徳川慶喜に登城停止処分
	9月	違勅調印・幕政批判の勅書（戊午の密勅）が水戸藩に下される
	10月	安政の大獄始まる
	12月	西郷隆盛、僧月照と入水。月照没
1859（安政6）	8月	露使節ムラヴィヨフが軍艦率いて品川に来航。士官・水夫が攘夷派に襲われ2人死亡
	11月	幕府、橋本左内や吉田松陰らに死罪
1860（安政7・万延元）	2月	幕府の軍艦「咸臨丸」、品川を出港
	3月	水戸藩浪士ら桜田門外で井伊直弼を襲撃し、殺害（桜田門外の変）
1860（安政7・万延元）	10月	英・清間で北京条約調印
	11月	アメリカ大統領選でリンカーン当選
		露・清間で北京条約調印
1861（万延2・文久元）	3月	ロシア皇帝アレクサンドル2世が農奴解放令
		露艦「ポサドニック」、占領を企図して対馬来航（対馬事件）
	4月	アメリカで南北戦争始まる
	11月	清の同治帝即位、西太后が実権を握る
		天皇の妹和宮、家茂との結婚（公武合体）のため京都を出発
1862（文久2）	1月	幕府、初の遣欧使節団派遣
	2月	老中安藤信正、坂下門外で襲撃される（坂下門外の変）
	3月	将軍家茂と和宮が江戸城で結婚式
	6月	遣欧使節団、兵庫・新潟の開港延期などロンドン覚書に調印
	8月	幕府、徳川慶喜を将軍後見職に任命
	9月	島津久光の行列を護衛する薩摩藩士が生麦村で英国人を斬る。3人死傷（生麦事件）
		プロイセン首相にビスマルク就任
	11月	幕府最初の海外留学生、オランダへ出発。榎本武揚、津田真道、西周ら
1863（文久3）	1月	長州藩の久坂玄瑞、高杉晋作らが品川御殿山に建設中の英公使館を焼き打ち

1863（文久3）	6月　長州藩、下関海峡で米商船、仏・蘭艦を砲撃（下関事件） 7月　米艦「ワイオミング」号、下関砲台を報復攻撃 長州藩士高杉晋作、奇兵隊を編成 8月　薩摩藩、生麦事件報復のため鹿児島湾に侵入した英国艦隊と交戦（薩英戦争） 9月　会津と薩摩の会薩同盟（公武合体派）、宮中クーデターを実行（8月18日の政変）。三条実美ら長州へ七卿落ち ＊朝鮮国王に高宗即位し、大院君の政権成立
1864（文久4・元治元）	4月　仏公使ロッシュが着任 7月　新選組、京都三条の旅館「池田屋」を襲う。木戸孝允逃れる 8月　長州藩兵、京都・蛤御門などで幕軍と交戦（禁門の変）。幕府、第1次長州征討 9月　英仏米蘭の4国連合艦隊が下関砲撃。陸戦隊上陸 12月　長州藩、幕府へ恭順の意表す
1865（元治2・慶応元）	4月　薩摩藩士の寺島宗則、五代友厚、森有礼ら、ひそかに英国留学に出発 7月　英公使パークスが着任 9月　長州藩の伊藤博文・井上馨、坂本龍馬及び薩摩藩の斡旋で英商人グラバーから銃砲購入 11月　英仏米蘭の代表、条約勅許・兵庫の前倒し開港を求め、連合艦隊で兵庫沖に来航。天皇は「条約勅許、兵庫開港不可」 横須賀製鉄所（のち造船所）起工式
1866（慶応2）	3月　龍馬の斡旋で西郷隆盛ら、木戸孝允らと抗幕のための薩長同盟密約 7月　第2次長州征討 8月　将軍家茂が病死 9月　幕府、小倉城落城し征討失敗 朝鮮、大同江に侵入した米商船を撃沈 10月　仏艦隊がカトリック弾圧を理由に朝鮮襲来 12月　徳川慶喜、征夷大将軍・内大臣に就く ＊アーネスト・サトウが「英国策論」執筆 ＊福沢諭吉『西洋事情』の刊行開始
1867（慶応3）	1月　孝明天皇崩御 2月　睦仁親王、践祚の儀 4月　パリ万博開幕。日本から徳川昭武一行 5月　高杉晋作死去 6月　将軍徳川慶喜、兵庫開港を奏請。朝議紛糾の末、勅許と決定 オーストリア＝ハンガリー帝国成立 7月　龍馬の「船中八策」 9月　名古屋で「ええじゃないか」起こる 11月　岩倉具視、薩摩藩に「倒幕の密勅」出す 徳川慶喜、朝廷に大政奉還 12月　坂本龍馬・中岡慎太郎、京都で暗殺される ＊マルクス『資本論』第1巻刊行 ＊バジョット『イギリス憲政論』刊行
1868（慶応4・明治元）	1月　薩摩藩兵らが警護する中、宮中クーデターで王政復古の大号令。小御所会議で、慶喜に辞官納地を命じる

1　日米修好通商条約で政変

「オランダ語」から「英語」に

駐日アメリカ総領事のタウンゼント・ハリス★（一八〇四―七八年）は、一八五六年八月、通商条約締結のため、下田に来航しました。

ハリスの「突然」の来日に下田奉行は大あわてです。ペリー提督と結んだ日米和親条約の第一一条（和文）は、領事の設置は「両国政府の合議によって定める」旨が書かれていました。その合意がまだなされていない以上、ハリスの来日はありえない出来事だったのです。

ところが、第一一条の英文では「いずれか一方の政府が必要と認めた場合」に領事は置けるとあり、ハリスはそれに基づいてやってきたのでした。日本側が英語のeither（いずれか一方の）をboth（両方）の意味に取り違えて和訳したことによる誤訳トラブルでした（高梨健吉『文明開化の英語』）。

日本には英語のつかい手がわずかしかいませんでした。徳川幕府はさっそく蕃書《ばんしょ》調所《しらべしょ》★（洋学の教育研究機関）で英語を教え始めます。六〇年からは蘭学に代えて英学が

●ハリスが総領事館を置いた下田の玉泉寺

正科になります。オランダ語から英語へ――「外国語はもっぱら英語」の時代の始まりです。

ハリスは、下田の玉泉寺に総領事館を置きました。江戸に出てピアース・アメリカ大統領の親書を将軍に渡し、真の開国と完全な通商を約束させようと考えていました。しかし、幕府の役人たちは面倒なことを避けて、ハリスの要請を拒み続けます。

下田奉行との談判中の出来事として「唐人お吉」の物語があります。お吉が唐人（ハリス）の妾《めかけ》になるよう役人から懇請され、再三、断ったにもかかわらず、「御国のため」と説得され、恋人とも別れて唐人のもとにおもむく――といったお話です。外国人との接触がない時代のこと、お吉は世間から疎まれ、最後は投身自殺してしまいます。

◉タウンゼント・ハリス

ハリスは、ニューヨーク州の商人の子として生まれた。貧しさから中学校しか出られなかったが、フランス語などを独学で学び、教育活動に力を注いで市の教育委員長を務めた。家業の陶磁器店が倒産すると、貿易業を始め、東アジアを歴訪。外交官を志すようになり、一八五四年、清国の寧波《ニンポー》総領事に。翌五五年、日米和親条約に基づく下田駐在の初代アメリカ総領事に任命され、日本との通商条約締結のため、全権が委ねられた。ハリスは当時の日記に、「私は日本と、その将来の運命について書かれるところの歴史に名誉ある記載をのこすように、私の身を処したいと思う」と書いた。

◉蕃書調所

徳川幕府は一八一一年、蕃書和解御用《ばんしょわげごよう》を設置し、洋学者を集めて洋書の翻訳などにあたらせた。開国後間もなく、洋学所が建てられ、蕃書調所と改称して一八五六年に開校。洋学研究教育機関として語学のほか地理、物理、化学、兵学などの教育や外交文書の翻訳などにあたった。その後、洋学調所と改称され、明治政府のもとで開成学校を経て、東京大学につながる。

実際、持病のあるハリスは看護婦名目で「きち」という名の女性を雇っていました。ただ、きちは腫れ物を理由に三夜で解雇されたと言われており、今に受け継がれている下田情話は、「ナショナリズム感情にもとづいた後世のフィクションらしい」（松本健一『開国・維新』）とみられています。

ハリス、江戸城に入る

ハリスは一八五七年、日米和親条約を補う下田条約を締結します。そして来日から一年以上待たされて、「江戸出府要求」がようやく実現しました。五七年一二月、ハリスは江戸城に入って一三代将軍・徳川家定《いえさだ》（一八二四—五八年）に謁見し、大統領親書を渡しました。

数日後には、阿部正弘の後継として老中首座に就いていた堀田正睦《ほったまさよし》★（一八一〇—六四年）と会見し、大演説をします。ハリスは、世界情勢やアヘン戦争を引きつつ、譲歩するなら時機を失わないように説き、通商条約の締結を求めました。これまで、幕府の条約締結の決断は、このハリスの要求と説得によるものとみられてきました。しかし、開明派として知られた堀田は、すでにこの年の四月、自らの判断で国交・通商開始の方針を固めていました（三谷博「日本開国への決断」、『大人のための近現代史』所収）。

幕府は、一〇月にはオランダ、ロシアと事実上の通商条約を結びます。そうした準備のあと、堀田は、目付の岩瀬忠震《ただなり》らにハリスとの交渉にあたらせ、五八年二月、日米通商条約交渉を妥結させたのです。条約案は鎖国という「祖法」の完全放棄につな

●タウンゼント・ハリス

●堀田正睦

がる内容でした。事は重大であり、朝廷と天皇の了解が必要と考えた幕府は、調印の二か月延期をハリスに求めました。

堀田は三月、自ら京都入りして参内し、勅許（天皇の許可）を要請します。しかし四月、岩倉具視《いわくらともみ》（一八二五―八三年）をはじめとする中・下級の公家八八人が、条約拒否を訴えて「列参」（強訴）に及ぶなど、抵抗勢力の動きが表面化します。

「一橋派」と「南紀派」

この動きと並行して、幕府内では将軍・家定の継嗣《けいし》（後継ぎ）をめぐって、すさまじい権力闘争が展開されていました。外交政策と国内政局が深く絡み合っていたのです。

水戸藩の徳川斉昭の子で一橋家を継いでいた徳川慶喜《よしのぶ》（一八三七―一九一三年）を推す「一橋派」と、紀州藩主・徳川慶福《よしとみ》（一八四六―六六年）をかつぐ「南紀派」とが真っ

◉堀田正睦

下総佐倉藩主。一九三四年に寺社奉行のあと、大坂城代を経て、四一年に老中になり、水野忠邦の天保の改革に参与した。四三年には辞任して帰藩すると、藩政改革にあたり、蘭学を奨励し、西洋医学、西洋兵器の研究を進めた。あまりの洋学への傾倒ぶりから「蘭癖《らんぺき》」と称された。堀田の侍医は、佐倉で病院と蘭学塾順天堂（現在の順天堂大学）を開いた医師の佐藤泰然《たいぜん》である。堀田は条約勅許に失敗したあと、将軍継嗣問題で徳川慶喜を推す一橋派についたため、大老に就任した井伊直弼によって罷免された。六二年には、外交の処置不行届により蟄居《ちっきょ》を命じられた。

向から対立しました。一橋派は、親藩・外様雄藩で形成され、越前藩主の松平慶永《よしなが》（一八二八―九〇年）、薩摩藩主の島津斉彬《なりあきら》（一八〇九―五八年）らが参集しました。これに対して、南紀派は譜代諸侯のグループで、彦根藩主の井伊直弼《なおすけ》★（一八一五―六〇年）が中心でした。ペリー来航に際しての意見書では開国を唱え、攘夷《じょうい》強硬派の徳川斉昭、すなわち慶喜の父と対立し、政敵の関係にありました。

五八年五月、朝廷側は、通商条約について「改めて諸大名の意見を聞くように」と差し戻しの勅諚《ちょくじょう》（天皇の言葉）を出します。堀田の工作は不首尾に終わりました。この直後、将軍の継嗣は、家定の意向もあり、南紀派の推す慶福（一四代将軍家茂《いえもち》）に内定します。六月四日には、南紀派の井伊が大老（幕府の職制で臨時の最高職）の座につきました。

井伊は七月二九日（安政五年六月一九日）、勅許を待たず、日米修好通商条約調印を断行します。下田に入港したアメリカ船「ミシシッピ」号がもたらした情報がきっかけでした。第二次アヘン戦争が英仏両軍の勝利に終わり、六月に天津条約が結ばれたというものです。ハリスは、言葉巧みに「このあと、英仏両国が日本にやってきたなら、日本は過酷な要求に苦しむだろう」と揺さぶり、調印を急がせました。

井伊家に伝わる史料には、調印に踏み切った直弼の心境について、「大政は幕府に委任されており、政治は機に臨んで権道をとる必要もある。勅許を得ない重罪は、甘んじて直弼一人が受ける決意」とあります。ただ、直弼は最後の最後までひとり煩悶《はんもん》していたことも確かなようです。

●井伊直弼の肖像画

条約調印断行、安政の大獄

日米修好通商条約には、公使の江戸駐在、神奈川（横浜）・長崎・新潟・兵庫の開港と江戸・大坂の開市《かいし》、自由貿易の原則などが盛り込まれました。問題なのは、領事裁判権を認め、和親条約の際の最恵国待遇の規定を引き継いだこと、相互協定で税率を決める「協定関税」方式により、日本の関税自主権が認められなかったことです。

通商条約は、アメリカに続いてオランダ、ロシア、イギリス、フランスとも締結されます（安政の五か国条約）。これは清国が欧米諸国と結んだ条約に似ていました。その不平等性は、明治日本の指導者たちをして条約改正交渉に向かわせることになります。

井伊直弼の強硬策は、朝廷や攘夷派との間で深刻な亀裂を生み、一橋派の徳川斉昭らは、突然、登城して井伊をなじります。しかし、井伊は「不時（無断）登城」というルール違反を逆手にとって、斉昭を謹慎処分にするなど一橋派を封じ込めます。

◉井伊直弼

近江彦根藩主の一四男として生まれた直弼は、長兄の藩主からわずか三〇〇俵を与えられただけという恵まれぬ身ながら、居合術、禅、茶道など文武諸芸に精進した。長兄の嗣子《しし》が病死したため、棚ぼた式に藩主の跡継ぎとなってからチャンスをつかみ、一八五〇年、彦根藩主に就いた。井伊家は、譜代諸侯中最高の家格をもつ家柄で、井伊家一三代当主の直弼は、幕府の実力者として開国和親を主張し、徳川斉昭らの尊攘派と対立した。

孝明天皇は、朝廷をないがしろにされたことに怒ります。水戸藩に対し、井伊排斥を含みとする幕政批判の勅書「戊午《ぼご》の密勅（内々に下される勅命）」が出されます。

これに対して井伊は、「密勅」にかかわったとして水戸藩の家老ら藩士四人を切腹等に処して反撃し、尊攘派志士ら多数を処罰します。世界情勢に通じていた越前藩士・橋本左内《さない》★（一八三四―五九年）や長州藩士・吉田松陰《しょういん》（一八三〇―五九年）も死罪になりました★（安政の大獄）。また、追手《おって》がかかった京都・清水寺の勤王僧・月照《げっしょう》が、保護を求めた西郷吉之助（隆盛）と鹿児島湾に入水し、月照は死亡し西郷ひとり生き残ったのは、この時のことです。

この「安政の大獄」といわれる流血の大弾圧のあと、直弼に対する暗殺計画が始動します。一八六〇年三月二四日（安政七年三月三日）、春の大雪が降る中、水戸と薩摩の脱藩浪士ら一八人が、江戸城桜田門外で、登城する井伊の行列を襲い、直弼を殺害しました（桜田門外の変）。

直弼の遺骸は、今の東京・世田谷区の豪徳寺に埋葬されました。大老の暗殺は、幕府の権威を大きく失墜させ、激烈な尊皇攘夷運動を引き起こすことになります。

松陰と大和魂

安政の大獄で死罪の判決を受けた吉田松陰は、「老中・間部《まなべ》詮勝《あきかつ》の襲撃計画」が直接の罪状になりました。

松陰は諸国遊学中、ペリー来航を知り、師の佐久間象山とともに浦賀に駆けつけて

●橋本左内

●吉田松陰像

います。当初、アメリカの要求を拒否して開戦を覚悟していたという松陰は、和親条約が締結されると、密航を企てます。★外国に対抗するには、何よりもまず外国を知らなければならない。「夷《い》をもって夷《い》を禦《ふせ》ぐ」信念から出たことです。

松陰は五四年四月二四日未明、下田に停泊中のペリー艦隊に、金子重輔《しげのすけ》とともに小舟で接近しました。乗艦を許されると「アメリカに連れて行ってほしい」と懇願しました。ペリーは、これにどうこたえたのでしょうか。

◉橋本左内

幕末の志士の一人で福井藩士。一八四九年に大坂に出て緒方洪庵に医学や洋学を学んだ。父の仕事を継いで藩医となったが、江戸に出て、攘夷論者で水戸藩士の藤田東湖や、薩摩藩士の西郷隆盛らと交遊。福井藩主の松平慶永に認められ、腹心として慶永を支え、中根雪江、由利公正らとともに藩政改革にあたった。また、イギリスよりもロシアと手を結ぶ方がいいと説く日露同盟論者だった。将軍継嗣問題では、慶永の意向に沿い一橋慶喜の擁立に奔走したが失敗し、安政の大獄に連座して刑死した。

◉「安政の大獄」の処断

一八五八（安政五）年から翌年にかけ、大老・井伊直弼による尊皇攘夷運動に対する大弾圧の標的は、公卿、大名、幕吏、志士ら百余人に上った。死刑は、吉田松陰、橋本左内、頼三樹三郎（頼山陽の子）ら八人。徳川斉昭、一橋慶喜、松平慶永らは隠居・謹慎を命じられた。

◉松陰の密航計画

吉田松陰は、ペリーが最初に来航してから外国への密航の機会をうかがっていた。その大冒険を励ましていたのが、松陰の師、佐久間象山だった。一八五三年、松陰は、ロシアのプチャーチン艦隊への潜入をはかろうと、江戸を出発した。しかし、松陰が長崎に着いたのは、ロシア艦隊が上海に引き上げた直後で、密航は計画倒れに終わった。しかし、松陰はあきらめることなく、ペリーの再来航時を狙ったのである。

「彼らは教養ある人物で、中国語を流暢《りゅうちょう》かつ端麗に書き、物腰も丁重で非常に洗練されていた。提督は、自分としても何人かの日本人をアメリカに連れて行きたいのはやまやまだが、残念ながら二人を迎え入れることは出来ないと、答えさせた」（『ペリー提督日本遠征記』）ただ、ペリーは「死の危険を冒すことも辞さなかった二人」に好意を抱いたようで、彼らの身を案じて幕府側に使者を出したりしています。

松陰は江戸に護送される道すがら、高輪《たかなわ》・泉岳寺のあたりで歌を詠みます。

かくすればかくなるものと知りながら已《や》むに已まれぬ大和魂

思想家の松陰は、教育者でもありました。長州・萩で私塾「松下村塾《しょうかそんじゅく》」★を主宰しましたが、教育期間はわずかに一年、通った塾生は一〇〇人を上回ることはなく、それも萩城下とそれに隣接する松本村の若者だけでした。その点、全国から秀才が集った緒方洪庵の「適塾」（大坂）や広瀬淡窓が豊後（大分）日田に開いた「咸宜園《かんぎえん》」のような有名塾とは、塾生の数もカリキュラムもまったく比べものになりませんでした。

しかし、松陰は開塾にあたって「天下を奮発震動」させる人材が松下村塾から輩出すると予言。その予言の通り、高杉晋作、久坂玄瑞《くさかげんずい》、伊藤博文、山県有朋、前原一誠、品川弥二郎などの人材を育てました（古川薫『松下村塾』）。

吉田松陰と井伊直弼については、さまざまな見方や評価があります。

たとえば、松陰は、昭和戦争のさなか、「大東亜戦争」における「忠君愛国」の理想的人間像として鼓吹されました。とりわけ児童・生徒に対して「少松陰たれ」と、

●松陰が主宰した私塾「松下村塾」

イデオロギー教育がなされたのです。これに対し、違勅条約を結び、松陰を捕縛した井伊直弼は、足利尊氏《あしかがたかうじ》同様、「逆臣」とされていました。ところが戦後、価値観が一変し、一時期、松陰の伝記★は姿を消します。逆に直弼は日米協力関係の先駆者として評価されるに至ります（田中彰『吉田松陰』）。

歴史に名を残した人物の評価が時代とともに、かくも変わるものなのか、その格好の例として覚えておいていいことです。

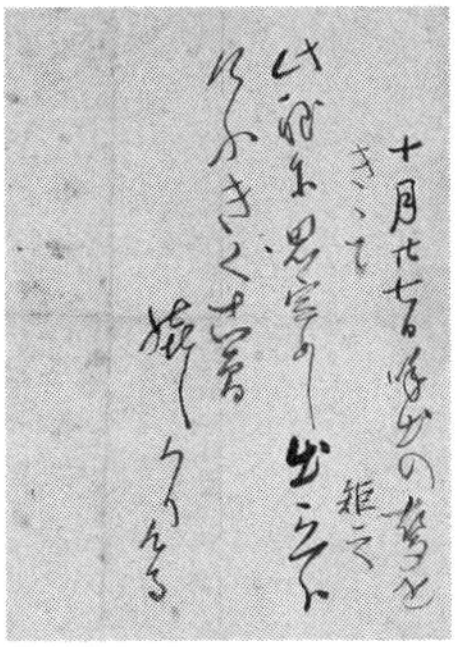

●松陰が処刑される前、したためた辞世の句。「此程に思定（おもいさだ）め し出立（いでたち）をけふきく古曽嬉（こそうれ）しかりける」

◉松下村塾

長門国萩藩の下級武士の子として生まれた吉田松陰は、萩藩の山鹿流兵学師範を務める吉田家の養子に入り、山鹿流の師範となった。一八五〇年、兵学研究のため、長崎をはじめ日本各地を遊学し、江戸では佐久間象山に師事。松下村塾は、もともと、松陰の叔父、玉木文之進が開いた私塾に「松下村塾」と名付けたのが始まり。ペリー艦隊での密航に失敗した松陰は、国許に送り返され、獄を出た後、自邸で『孟子』などの講義を始めた。そこに近隣の子弟が押しかけ、五七年に小屋を改築して塾舎とした。これがいわゆる「松下村塾」で、木造平屋建ての小舎は、現在も松陰神社境内に保存されている。

◉英小説家の松陰小伝

一八五〇年生まれのイギリスの小説家であるスチーブンソンは、児童文学の傑作である『宝島』や、二重人格を扱った怪奇な寓話『ジキル博士とハイド氏』など数多くの著作を残した。そのスチーブンソンが、松下村塾出身の留学生から話を聞いて松陰の小伝をまとめ、「祖国改革の殉教者」としての松陰をたたえた（平川祐弘『西欧の衝撃と日本』）。異国にも松陰ファンがいたのである。

2 「攘夷」とは何だったのか

公武合体と皇女和宮

桜田門外の変のあと、徳川幕府は、朝廷（公）と幕府（武）との融和を図るため、公武合体政策をとり、その象徴として孝明天皇（一八三一―六六年）の妹である和宮《かずのみや》★（一八四六―七七年）と将軍家茂《いえもち》との政略結婚を企てます。

和宮には婚約者がいたのですが、幕府側は再三にわたって「降嫁《こうか》」を懇請し、孝明天皇の承諾を得るため、最後は「七、八年ないし一〇年以内」の破約攘夷（通商条約の解消）を誓約しました。しかし、幕府には何の成算もなく、空約束にすぎませんでした。

皇女和宮は、一八六一年一一月に京都の御所を出発し、翌六二年二月、江戸城で結婚式が行われます。その一か月ほど前、老中の安藤信正《のぶまさ》が登城途中、坂下門外で、二人の結婚に反対する水戸浪士らの襲撃を受けて負傷しました（坂下門外の変）。

首脳に対するテロなどによって幕府の力が弱まるのに伴って、外様の長州、薩摩両藩が中央政局に乗り出します。長州藩は、直目付《じきめつけ》の長井雅楽《うた》が六一年、「航海遠略《こうかいえんりゃく》

●和宮の肖像画

策《さく》」という独自の開国論を唱えました。幕府と朝廷はわだかまりを捨て、外国の長所を取り入れることで国力をつけ、そのうえで「五大州（五大陸）」を制覇しよう、と主張しました。

次いで薩摩藩が動きます。藩主の父、島津久光《ひさみつ》★（一八一七―八七年）は、六二年五月、藩兵一〇〇〇人を率いて京都に到着。公武合体の態勢づくりのため、人事刷新を含む「幕政改革」を朝廷に上奏し、勅使とともに江戸にくだります。

幕府は、勅使らの圧力に押されて、言われるままに徳川慶喜《よしのぶ》を将軍後見職に、松平慶永を政事総裁職にそれぞれ任命します。これまで天皇の権威は、幕府支配を正当化するためのものでした。ところが、幕府の凋落《ちょうらく》とともに天皇の権威が上昇し、朝廷は政治組織化して「勅命」が絶対的価値をもつようになります。

●幕末に撮影されたとみられる江戸城

◉和宮

仁孝天皇の皇女で、孝明天皇の妹。幕府から将軍家茂への降嫁要請があった際、和宮は有栖川宮熾仁《たるひと》親王という婚約者がいた。和宮の不同意を知って、兄の孝明天皇は、初めは要請を断ったという。家茂夫人となった和宮は、結婚後わずか四年余りで家茂と死別し、剃髪して静寛院《せいかんいん》宮と称した。戊辰戦争では徳川家救済を朝廷に嘆願し、その家名を保った。病気療養中の箱根塔ノ沢で死去した。

◉島津久光

西郷隆盛や大久保利通らを藩政に登用した開明派の薩摩藩主島津斉彬《なりあきら》の異母弟で、斉彬を継いだ忠義の実父。藩主忠義の後見役として国父と称し、藩政の実権を掌握した。斉彬の遺志を継ぐ公武合体派で、過激な討幕運動に走ろうとする藩士の暴発を抑え、寺田屋事件でも、薩摩藩の尊攘派志士を弾圧した。維新後は左大臣に就任したが、欧化政策に反対し、郷里に隠退した。

政治の舞台は、江戸から京都に移り、「朝廷」と「徳川幕府」と「外様雄藩」の三者が、複雑に絡みながら政局の主導権争いを展開します。

「尊皇攘夷」の思想

公武合体と並んで進行していたのが尊皇（尊王）攘夷運動★でした。

当時は一般庶民も含め、あげて「攘夷」でしたが、それはなぜなのでしょうか。

第一は、「開国」による物価の騰貴で「欧米人に対する怨恨感情」が芽生えたことです。第二は、欧米商人の中に「日本人を未開の人種であるかのように軽んじる」者が少なくなかったためとみられています（中村彰彦『幕末入門』）。日米修好通商条約を調印したハリスでさえも、日本を近代化の遅れた「半開の国」とみて、条約上、対等な扱いをしなかったことが想起されます。

とくに江戸後期、尊皇攘夷の熱風を吹かせたのは水戸藩★でした。その魁《さきがけ》は会沢正志《あいざわせいし》斎《さい》（一七八二―一八六三年）や藤田東湖《ふじたとうこ》（一八〇六―五五年）です。会沢は『大日本史』の編纂に携わり、一八二四年、イギリスの捕鯨船員が藩領に大挙上陸した際には筆談役をつとめました。会沢が著書『新論』で、対外危機下の国防策や天皇を頂点とする国体論を提示したのは翌二五年のことです。

「尊皇」と「攘夷」が一体化する契機は、五八年の日米修好通商条約の締結でした。天皇の希望を汲《く》まず勅命をたがえたことは「尊皇」にもとる、通商条約も不平等である、幕府は条約を解消し、攘夷を断行する「破約攘夷」を実行に移せ――「尊皇攘夷」

●光圀公が着手し、歴代藩主によって完成した『大日本史』

は、これらを背景に政治運動のスローガンとなり、やがて、幕府を激しく揺さぶり、幕府を倒壊させるための「口実」と化していくのです。

先に「航海遠略策」を唱えていた長州藩は六二年八月、一転して破約攘夷に藩論を統一します。ペリー来航以来、外国への対抗心に燃え、安政の大獄による吉田松陰の処刑に反発を抱く同藩は、攘夷運動の先頭に立ちます。

吹き荒れる攘夷の嵐

攘夷運動は、「異人斬《き》り」（外国人殺害事件）を続発させました。一八六一年一月、ハリスの通訳を務めていたアメリカ公使館のヒュースケンが、江戸市中で攘夷派の浪士

◉尊皇（尊王）攘夷

「尊王論も攘夷論も、本来封建的な名分思想で、前者は身分制の頂点にある天皇を尊崇する思想であり、後者は自国を中華とし他国を夷狄として排撃する思想である」（『国史大辞典』）。もともと別個の思想だったが、幕藩体制の衰えと外圧によって惹起された対外危機の下、幕府の開国政策に対して二つの思想が結びつき、反幕のスローガンと化していったとされる。

◉水戸藩

常陸《ひたち》国（茨城県）水戸に藩庁を置いた。徳川親藩三家の一つ。二代藩主の徳川光圀（水戸黄門）（一六二八―一七〇〇年）は、一六五七年に史局を設け、各地から学者を招いて『大日本史』の編纂に着手、国家意識を特色とする「水戸学」の基礎を築いた。九代藩主の徳川斉昭は、藤田東湖、会沢正志斎らを登用して藩政改革を実施。その過程で生まれた尊皇攘夷思想は、諸藩の運動家に大きな影響を与えた。

に殺されました。この事件で幕府は、ヒュースケンの母親に対して賠償金一万ドルを支払いました。また七月には、水戸浪士らが、イギリス公使館が置かれていた高輪・東禅寺を襲撃し、館員を負傷させました。

一八六二年九月、有名な「生麦事件★」が発生します。島津久光の一行が横浜の生麦村にさしかかった際、乗馬したイギリス商人らが行列を乱したという理由で薩摩藩士が「無礼討ち」したのです。イギリス側が、犯人の引き渡しや賠償金を幕府と薩摩藩に要求したところ、同藩はこれを拒否、国際的な大事件に発展します。幕府の外交方（外交部）で、イギリスの賠償要求の公文書を翻訳していた一人に福沢諭吉がいました。その著『福翁自伝』によりますと、賠償支払いの可否をめぐって事態が切迫し、「江戸市中そりゃモウ今に戦争が始まるに違いない」という騒ぎになります。

翌六三年一月、長州藩の久坂玄瑞《げんずい》、高杉晋作らが、品川御殿山に建設中のイギリス公使館を焼き打ちしました。

一方、京都では、尊攘派の志士や浪人たちが跳梁《ちょうりょう》し、公武合体派や開国派の公卿、幕府役人らを相次いで斬殺しました。公武合体で動いた岩倉具視すら「天誅（天に代わって罰すること）」を予告されたため、宮中を去り、隠棲《いんせい》を余儀なくされました。

長州藩や朝廷内の強硬派は、幕府に勅使を派遣して「攘夷断行」を強く要求するに至ります。将軍の家茂も、異例の上洛を決意します。上洛は、三代将軍・家光以来、二二九年ぶりのことでした。六三年四月、天皇から「攘夷成功のために尽力せよ」と命じられた家茂は、「攘夷安民」祈願のために挙行された天皇の賀茂社行幸に随従《ずいじゅう》しました。

●生麦事件のあった現場付近

家茂は、六三年六月二五日（文久三年五月一〇日）を期して「破約攘夷★」を行うと約束せざるをえなくなります。幕府は、生麦事件の賠償金四四万ドルをイギリスに支払うとともに、各国公使に対して条約の解消を通告しました。ただ、「破約攘夷」をめぐる主張や行動は一様ではありませんでした。

下関事件と薩英戦争

幕府が攘夷期限としていた六月二五日、長州藩は、いきなり下関海峡を通過中のアメリカ商船を砲撃します。二週間後にはフランスの軍艦、次いでオランダの軍艦にも

◉生麦で三人死傷

開港されたばかりの横浜近郊の生麦村（現横浜市鶴見区）で、騎馬のイギリス貿易商人リチャードソンら四人が、幕政改革を行って江戸から帰る途中の島津久光（薩摩藩主の父）の行列に入り込んだ。すると、警護の侍が「無礼者」とリチャードソンを斬り殺し、二人を負傷させた。彼らは東海道を川崎大師に向かう途中だったという。薩英戦争を前に、英軍艦が横浜に来航すると、開戦の危機が叫ばれ、市中は疎開する者が出るなど大混乱した。

◉破約攘夷

歴史学者・佐々木克の『幕末史』によると、破約攘夷といっても、それは「武力対決も辞さないとする強い姿勢で不平等条約の破棄を要求する」強硬論と、「武力対決は避け、あくまで外交交渉で破棄を要求し、全面廃棄は難しいから天皇が望む『横浜鎖港』を実現するよう努力する」穏健論に分かれていた。前者は長州や一部の公家が代表し、後者は松平慶永（春嶽）、山内豊信《とよしげ》（容堂）、島津久光らの立場だった。

砲弾を浴びせました（下関事件）。

これに対して、七月一六日、アメリカの軍艦「ワイオミング」号★が下関の砲台と長州の軍艦に報復攻撃し、戦闘の末、長州藩所有の三隻を撃沈、大破させます。四日後、フランス東洋艦隊の軍艦二隻が報復のためやって来ました。砲弾で長州の砲台を沈黙させると、陸戦隊七〇人のほか水兵一八〇人が敵前上陸、村落に火を放ちました。

下関攘夷戦争に惨敗した同藩では、藩士の高杉晋作が、外国軍隊迎撃を名目に、民兵組織としての「奇兵隊★」編成に着手します。

一方、八月一五日、薩摩藩士による生麦事件の報復のため、イギリス軍艦七隻が鹿児島湾に侵入しました。薩摩藩は、イギリス側が求めた殺害者の逮捕と処刑、賠償金の支払いを拒否し、戦闘が始まります。

薩摩側は、イギリスの砲撃で鹿児島の市街地を焼失したうえ、全砲台が大破。他方、イギリス側も旗艦の艦長が即死し、死傷者は六〇人を超えるなど大きな被害が出ます。薩摩藩は講和交渉に入り、幕府から借金して賠償金を支払います（薩英戦争）。

この戦争は薩摩藩にとって大きな転機になりました。イギリスとの関係を親密化させ「開国」へとかじを切っていくことになるのです。

新選組の結成

薩英戦争の一か月半後、京都では長州藩急進派の暴走を阻止する動きが表面化します。六三年九月三〇日（文久三年八月一八日）、会津藩と薩摩藩の「会薩同盟」（公武合体派）

●高杉晋作

●新選組の近藤勇、土方歳三らが稽古に励んだ道場があった日野宿本陣（東京都日野市）

が、朝廷内の急進尊攘派公卿の失脚をはかるクーデターを実行したのです（八月一八日の政変）。

薩摩と会津の兵で御所の門をすべて固め、急進派を締め出し、長州藩は門の警衛を解任され追い出されました。三条実美《さねとみ》（一八三七―九一年）ら七人は、「長州藩と結んで天皇の意思とは異なる偽勅を発した」として長州へと追放されました。「七卿《しちきょう》落ち」と言われます。

他方、テロの烈風が吹く六三年、幕府の実力部隊として結成された「新選組」が京都守護職の会津藩主・松平容保《かたもり》（一八三五―九三年）の監督下に入ります。彼らは、袖口が白の「山道つなぎ（キザギザ模様）」で縁取られた羽織姿で京都市中を闊歩《かっぽ》しました。局長の近藤勇《いさみ》（一八三四―六八年）は、武州多摩郡（現在の東京都調布市）の出身。江戸牛

◉「ワイオミング」号

当時アメリカは南北戦争（一八六一―六五年）の最中であり、ちょうどゲティスバーグの戦いで北軍が勝利した時期にあたっていた。「ワイオミング」号は、北軍の軍艦で、南軍の軍艦を捕えるためアジアに来ており、日本国内の険悪な情勢を知って駆けつけてきたようだ。米商船撃破の知らせを受けると、七月一三日、停泊していた横浜を出港、豊後水道を抜けて下関に迫り、戦闘を開始した。

◉奇兵隊

一八六三年、高杉晋作が下関の豪商・白石正一郎宅で結成した志願制の軍隊。郷土防衛の意識を持つならば、身分にかかわらず、足軽、農民、商人でも加入を許された。初代総管（総督）には高杉が就き、のちに山県有朋も総管になった。長州藩では、藩内各地に、奇兵隊のように、正規の藩兵とは異なる、「遊撃隊」などと称する一〇前後の諸隊が続々結成された。

込で天然理心流《てんねんりしんりゅう》の道場を開いていました。将軍家茂の上洛の警護のため、幕府が浪士を募集した際、師範代の土方歳三《ひじかたとしぞう》（一八三五―六九年）、塾頭の沖田総司らとともに参加しました。

もともと江戸に拠点があり、将軍家に親近感を抱く「佐幕攘夷」の剣客集団・新選組★に参集した浪士は剣客ぞろいで、長州藩や勤王の志士らを震えあがらせます。翌六四年七月、近藤らが京都三条の旅館「池田屋」を襲い、尊攘派の志士らを殺傷しました。この池田屋事件は、長州藩を激高させ、幕末史の展開に大きな影響を与えます。この時、長州藩京都留守居役の桂小五郎《かつらこごろう》（のち木戸孝允《たかよし》）はあやうく難を逃れました。

四国連合艦隊の来襲

全国各地で尊攘派の反乱★が続きました。文久三年八月の政変や池田屋事件にいきり立つ長州藩は六四年八月、藩兵を京都に向かわせ、御所に進撃します。しかし会津、桑名、薩摩藩兵と激戦のあげく敗退し、久坂らが戦死しました（「禁門《きんもん》の変」または「蛤御門《はまぐりごもん》の変」）。

八月二四日、朝敵となった「長州征討《せいとう》」（第一次）の勅命がくだり、幕府は諸藩の兵士の出動を命じます。

きびすを接するように九月五日、イギリスをはじめフランス、アメリカ、オランダの四か国、計一七隻の連合艦隊が、長州・下関の砲台を攻撃しました。目的は長州による関門海峡封鎖を解除させることでした。イギリス公使・オールコックが他の三か

●連合艦隊によって占拠された砲台（下関市立歴史博物館蔵）

国によびかけました。
このころ、留学のため、イギリスに密航していた長州藩士の伊藤俊輔（のち博文）、井上聞多（のち馨）は、列強による長州藩への武力行使を回避するため、急ぎ帰国し、藩側とイギリス公使館との間に立って避戦工作にあたりましたが、うまくいきませんでした。
敗れた長州藩は九月八日、連合艦隊側と講和交渉を開始します。藩側の代表は高杉で、伊藤が通訳をつとめました。連合艦隊側の通訳だったアーネスト・サトウが著した『一外交官の見た明治維新』によれば、高杉は「悪魔のように傲然《ごうぜん》として」いました。

◉新選組のリーダー

徳川幕府は、浪士組を組織して京都に上らせ、警備にあたらせた。指導者の一人、清川八郎は、尊攘派と気脈を通じていたとして失脚、京都に残った芹沢鴨（初代隊長）、近藤勇、土方歳三らが新選組を結成した。内部抗争から芹沢は謀殺され、近藤局長（総長）と土方副長が実権を握り、尊攘・倒幕派制圧の先頭に立った。近藤は一八六七年、見廻組頭取、幕臣となった。王政復古の大号令、鳥羽・伏見の戦いのあと、江戸に戻り、新選組の残党をまとめて、甲陽鎮撫隊《ようちんぶたい》を組織し、官軍と甲斐（山梨）勝沼で戦って敗れた。下総（千葉）流山で捕縛・斬首された。

◉尊攘派の反乱

一八六三年一一月、元福岡藩士の平野国臣らが、農兵二〇〇〇人を組織して但馬《たじま》国（兵庫）の生野《いくの》代官所を襲撃、占拠した（生野の変）。平野は「わが胸の　燃ゆる思いにくらぶれば　煙はうすし　桜島山」の歌で知られる尊攘派の志士。土佐藩士らが天皇の大和行幸の詔勅を契機に大和（奈良）五条の幕府代官所を襲った「天誅組《てんちゅうぐみ》の変」に呼応したものだったが、いずれも鎮圧された。また、水戸藩尊攘派の藤田小四郎らが率いる天狗党が六四年五月、筑波山で倒幕の挙兵をしたが、幕府の追討を受けて敗走、一橋慶喜を頼って上洛の途中、越前まで進軍して降伏した。

た。交渉はオールコックが主導し、賠償金として三〇〇万ドルを要求しました。長州藩にはとても払えない法外な額であり、高杉らは頑強に拒みます。結局、オールコックはこれを幕府に押しつけることで、開港交渉で新たなカードを得ようとしていました。

長州藩と薩摩藩による対外戦争は、攘夷派に「刀と槍《やり》」の時代の終わりと、攘夷が現実には不可能なことを悟らせます。攘夷断行のためにも、積極的に開国することで富国強大化をめざし、そして世界に対峙すべきだという「開国攘夷」の考え方が生まれます。他方、幕府の長州征伐では、薩摩藩側役《そばやく》の西郷隆盛が交渉にあたり、長州藩は一二月、京都出兵（禁門の変）の責任をとらせて三家老を切腹させます。これにより交戦は避けられました。

3　咸臨丸、太平洋を渡る

江戸―サンフランシスコ間、初の横断航海

攘夷の嵐の中でも、徳川幕府は、積極的に大小の外交使節団を「夷狄《いてき》（野蛮人）の国」に派遣していました。

その手始めがアメリカへの使節団です。正史には外国奉行の新見《しんみ》豊前守正興《ぶぜんのかみまさおき》、副使には箱館奉行の村垣淡路守範正《むらがきあわじのかみのりまさ》、目付に小栗豊後守《おぐりぶんごのかみ》（のち上野介《こうずけのすけ》）忠順《ただまさ》が選ばれました。目的は日米修好通商条約の批准書の交換で、目的地はサンフランシスコです。一八六〇年二月九日（安政七年一月一八日）、総勢七七人の遣米使節団が、アメリカから差し向けられた軍艦「ポーハタン」号に乗り込み、品川を出港しました。

これに先立つ二月四日には、幕府の軍艦「咸臨丸《かんりんまる》」が品川沖を出帆しています。船将（艦長）は勝麟太郎★（海舟、一八二三―九九年）です。その上役に軍艦奉行・木村摂津守喜毅《きむらせっつのかみよしたけ》、従者に中津藩士・福沢諭吉（一八三五―一九〇一年）ほか、通訳として中浜万次郎、さらに瀬戸内海・塩飽《しあく》島の水夫ら総勢九六人でした。

「咸臨丸」は、幕府がオランダから一〇万ドルで購入した小型の蒸気軍艦で、船長

●勝麟太郎（海舟）や福沢諭吉らが乗り込んだ「咸臨丸」

四九メートル、幅・深さともに約七メートル、排水量六〇〇―八〇〇トン。正使一行の護衛とともに、事故があったときの「身代わり」的な役割も期待されていました。日本人士官は、勝をはじめ幕府の長崎海軍伝習所の出身者で、航海術を学んでいました。ところが、幕府当局は、技量に不安を感じたのか、日本近海で難破したアメリカの測量船の海軍士官・乗組員ら一一人を同乗させました。

航海は、勝がのちに書いているように「洋中にある三七日、晴天日光を見る、わずかに五、六日」という悪天候ぶりで、木村や勝も、苦闘の連続だったようです。他方、アメリカの海軍士官は日記で、「日本人が無能で帆を十分にあげることができない」などと、その操船ぶりを手厳しく批判しています。ただ、福沢は『福翁自伝』で、測量をするにしても「けっしてアメリカ人に助けてもらうということはちょいとでもなかった」と指摘。「咸臨丸」による単独航海の決断と勇気と技量は、「日本国の名誉として世界に誇るに足る」と書いています。

「咸臨丸」は三月一八日、新見一行より一足早く、サンフランシスコに入港しました。幕府は五四年、「白地日の丸」の日章旗を「日本国総船印」(国旗)と定めていましたが、この日、「咸臨丸」のマストには「日の丸」が翻っていました。地元紙は、日本人による江戸―サンフランシスコ間を結ぶ、初の太平洋横断航海成功の壮挙をたたえています。その後、「咸臨丸」は、ワシントンに向かう新見一行と別れて五月、単独で帰国の途につきました。

●ワシントン海軍工廠での遣米使節団の一行

●勝海舟(一八六〇年、渡米時にサンフランシスコで撮影)

アメリカは「昼夜反対」

遣米使節団の派遣は、通商条約交渉の際、日本側が提案し、米国側が快諾して決まりました。使節団の副使・村垣範正★（一八一三—八〇年）は、とても面白い『航海日記』を書き残しています。

それによりますと、五九年一〇月、使節入りが決まって家に帰ると、「家の女子等は打ちしおれた」様子です。というのも「むかし遣唐使といえど、わずか海路を隔て

●福沢諭吉

◉勝海舟ら維新の群像

勝は、旗本の長男として江戸に生まれた。数え二一歳で剣術の免許を得て、二八歳で蘭学塾を開いた。ペリーが来航した一八五三（嘉永六）年には、三一歳になっていた。

これに対して、五三年の時点で、薩摩の西郷隆盛は二七歳、大久保利通は三つ下の二十四歳、長州の吉田松陰は大久保と同年、木戸孝允はその三つ下で二一歳、高杉晋作は一五歳、伊藤博文は一三歳だった。肥前の大隈重信は一六歳。倒幕派公卿では三条実美が一七歳、岩倉具視が一九歳で、倒幕・維新で中心をなした人物は、いずれも一〇代—二〇代だった。倒された徳川慶喜も一七歳、新選組の近藤勇は二〇歳。これに比べて、勝はかなり年長で、三三歳で長崎海軍伝習を命ぜられ、「咸臨丸」で渡米したのは三八歳の年だった（松浦玲『勝海舟』）。

◉村垣範正

江戸時代末期の幕臣。勘定奉行吟味役として海防掛と蝦夷地掛を兼ねた。一八五四年のロシア使節・プチャーチンの下田来航に際して応接を務めた。江戸湾台場築造にあたる一方、箱館奉行として蝦夷地開拓にも取り組んだ。五八年から外国奉行、勘定奉行を務め、六〇年の遣米使節に副使として加わった。六一年のロシア艦「ポサドニック」の対馬占領事件では、退去を求めて在箱館領事と交渉した。

たる隣国」なのに、「米利堅《めりけん》（アメリカ）」となると、「皇国と昼夜反対にして一万里外」にあるというわけです。自分も副使に任命されて「男子に生まれ得し甲斐ありなどと言いて、すかしける」けれど、「君命をはづかしむれば、神州の恥辱となりなんことと思えば、胸苦しきこと限りなし」と、ドキドキがおさまりません。

とはいえ、いざアメリカの旅が始まってしまうと、村垣も、リラックスして外遊を楽しむようになります。ワシントン入りした新見正使らは六〇年五月、ブキャナン大統領と会見し、条約批准書を交わします。村垣は、大統領が商人と同じ服装で何の飾りもないのを見て、「こちらは盛装できたのに」と愚痴をこぼします。日本側は、狩《かり》衣《ぎぬ》を着ていたのです。

国会議事堂も訪ねますが、演説する議員の姿を「もも引掛け筒袖《つつそで》にて、大音に罵るさま、我が日本橋の魚市のさまによく似たり」と描き、国務長官招待の夜会で初めて見たダンスにはこんな感想を抱きます。「こま鼠《ねずみ》の廻《まわる》が如く、女のすそには風をふくみ、いよいよひろがりてめぐるさま、いとおかし」。

一行は、ニューヨークのブロードウェーを馬車で行進し、市民から大歓迎を受けました。

南北戦争の前夜

アメリカの奴隷制度に対する批判で知られる小説に、ストウ夫人の『アンクル・トムの小屋』（一八五二年）があります。黒人奴隷のトムが主人公で、その悲惨な境涯を通して、奴隷制度の非人間性を訴えたものでした。ブキャナン大統領の任期中も奴隷をめぐる対立は変わらず、深刻な事件が続いていました。使節団が訪れたその年の秋には大統領選挙が予定されており、アメリカ国内は穏やかならぬ政情にありました。

一八六〇年一一月の大統領選挙では共和党のリンカーン（一八〇九―六五年）が、党分裂に陥った民主党の候補を破って当選しました。リンカーンは、奴隷制廃止論者というより、これ以上の奴隷制の拡大を阻止するという立場でした。が、奴隷制存続派は、選挙結果を受け入れず、サウスカロライナ・ミシシッピ・フロリダ・ジョージアなどの南部諸州が連邦を脱退。六一年二月に新国家「アメリカ連合国」の結成を宣言しました。

三月、リンカーンは、大統領就任演説を行い、「いかなる州も合法的に連邦から脱退することは出来ない」と、連邦統一を最優先に訴えましたが、四月には南北戦争（一八六一―六五年）が勃発します。北部は、人口や工業力、資源、輸送力、食料生産などで南部にまさっていました。しかし、北部軍は、リー将軍ら伝統的に優秀な軍人を抱える南部軍の「国土防衛戦」にてこずります。

イギリス政府が、南部の独立承認に傾くなか、リンカーンは六三年一月、南部占領地域の奴隷解放宣言を発して、内外の世論の流れを変えます。北軍は、ゲティスバーグの戦いで勝利したあと優位に立ち、六五年四月、南軍は降伏、アメリカ連合国は消滅しました。この間の六三年一一月、リンカーンは、両軍の戦死者が合計四万五〇〇〇人とされるゲティスバーグの戦いの追悼式典で、「人民の人民による人民のための政治」という名演説を行います。

●ワシントンのリンカーン記念堂にある坐像

●戦場だったゲティスバーグの平原に置かれた古い大砲

南北戦争では北軍約三六万、南軍約二六万人の死者を出しました。日本の遣米使節団一行は、このような未曽有の内戦をとても予測できなかったことでしょう。日本開国の先鞭《せんべん》をつけたアメリカは、通商条約を批准してまもなく、対日貿易量が著しく低下し、幕末の日本で英仏のような存在感を示せなくなります。これは、南北戦争による疲弊のためにほかなりませんでした。

幕府の訪米使節団は、六〇年七月、アメリカ艦「ナイアガラ」号に乗ってインド洋経由で帰国の途につきます。訪米を命じた井伊大老の死（同年三月）を彼らが知るのは、一〇月に香港に寄港した時でした。使節団は日本人として初の世界一周を終え、一一月、無事帰還します。

ヨーロッパにも使節団

幕府は、一八六二年一月、今度はヨーロッパに初めて使節団★を派遣しました。正使の竹内下野守保徳《たけのうちしもつけのかみやすのり》以下、総勢三六人。その使命は、通商条約で約束した兵庫・新潟・江戸・大坂の開市開港の最大限延期を、ヨーロッパ諸国に要請し、その承認を得ることでした。

五八年の通商条約の締結によって、五九年から横浜（神奈川）・長崎・箱館の三港で貿易が始まりました。日本からは生糸、茶、蚕卵紙などを主に輸出し、綿・毛織物、砂糖、艦船、武器類が主な輸入品でした。

貿易は大幅な輸出超過になり、そのために国内の供給不足を招いて物価が騰貴。武

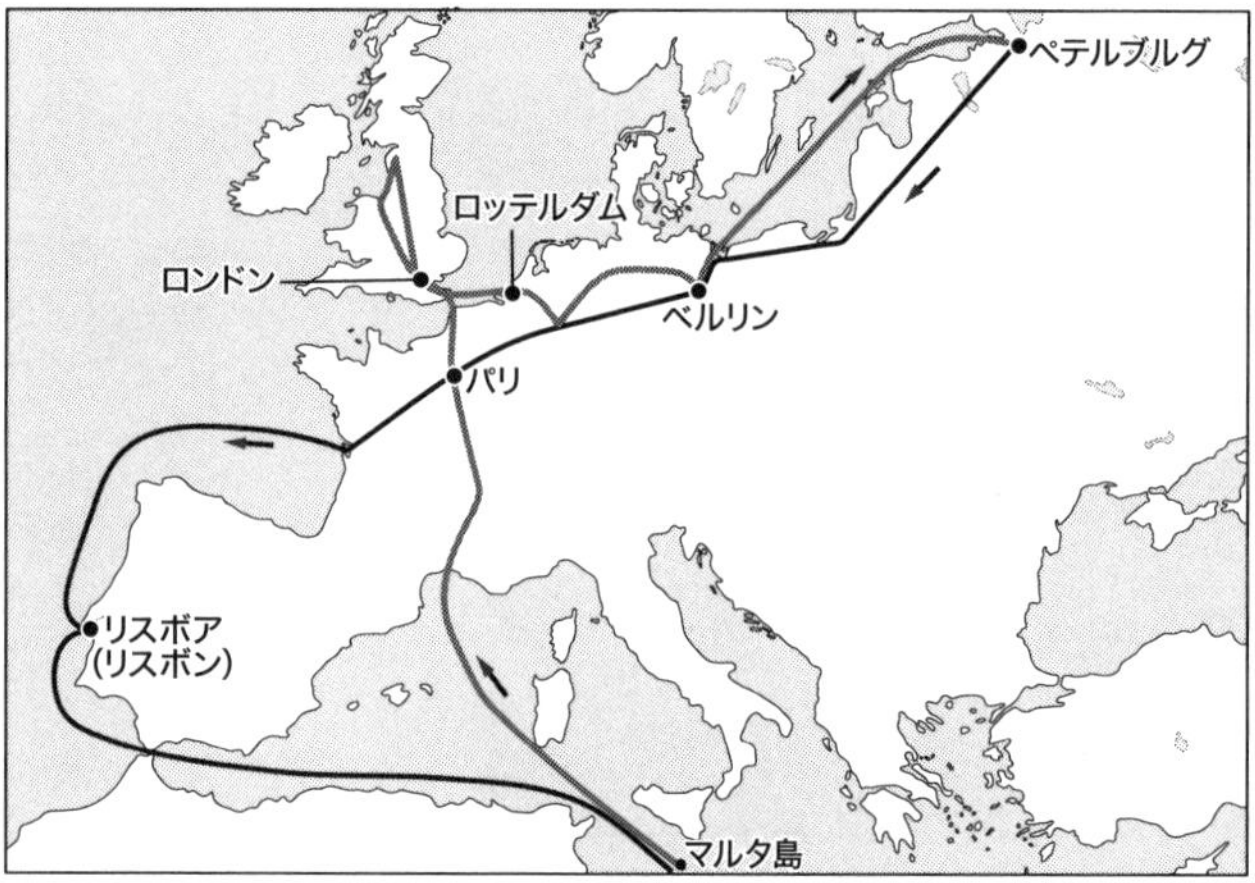

●遣欧使節団のヨーロッパでの旅程

士や庶民は生活難に陥り、それが攘夷運動やテロの引き金になっていました。さらに四か所の開市開港の時期も切迫し、関係国からは約束履行のプレッシャーがかかっていました。そこで幕府は、開市開港の「延期」によって貿易量を抑え、攘夷テロにもブレーキをかけようとしたのです。

イギリス公使のラザフォード・オールコック★（一八〇九―九七年）は、アメリカと同じく、ヨーロッパの締約国にも、日本が全権使節を派遣するように勧めました。「幕府をアメリカ依存から全面的にイギリス依存に転じさせようという深謀遠慮も働いていた」（芳賀徹『大君の使節』）とされます。

竹内使節団に対しては、西欧各国の近代的諸制度の調査とともに、樺太における日

●オールコック

◉遣欧使節団

使節団には、福地源一郎、松木弘安（寺島宗則）、福沢諭吉ら洋学者が参加した。福地は「通弁方」、松木と福沢は「翻訳方」として選ばれた。福地は、後に『東京日日新聞』の主筆・社長に就くなど「大記者」として活躍。福地桜痴の名でも知られるが、これはなじみの芸妓の「桜路」にちなんだものと言われる。

◉ラザフォード・オールコック

軍医から外交官に転身した。清国に渡り、広東領事などを歴任。駐日総領事として五九年に来日し、六〇年に初代駐日公使に昇格。六四年の四か国連合艦隊の下関砲撃を実行するなど、在日列国外交団の中で指導力を発揮した。六一年に英国公使館（江戸東禅寺）が水戸浪士らに襲撃される事件が起きたが、その直後、負傷した大使館員を引き連れて老中の安藤信正と会談。対馬に居座ったロシア艦をイギリスの力で撤去する旨を約束したという逸話がある。オールコックは文人でもあり、『大君の都』という著書を残した。

露国境の画定という任務も与えられました。一行は、イギリスから提供されたフリゲート艦で、江戸から香港―シンガポール―セイロン島―アデン―スエズをたどります。つづいて汽車でカイロ経由アレキサンドリアに出たあと、イギリス艦でマルタ島からマルセーユに向かい、最初の訪問国・フランスに入ります。

ナポレオン三世のフランス

フランスのナポレオン三世（一八〇八―七三年）の在位は、一八五二―七〇年ですから、使節団の訪問は在位半ばの頃にあたります。ナポレオン三世は、産業振興やパリの都市改造に力を入れていて、六二年四月、パリ入りした一行は、壮麗な装いのパリの町並みに圧倒されます。

使節団は、ナポレオン三世に拝謁《はいえつ》しました。竹内らは狩衣、烏帽子《えぼし》の古式にのっとった装いで馬車に乗り込み、ホテル前の広場には、東洋からの珍客見たさに数万の人々が集まりました。

ナポレオン三世には、英雄ナポレオン一世のイメージも手伝って、使節団一同、圧倒されたようです。ですからその八年後に帝政が崩壊しようとは、誰も想像できませんでした。

ナポレオン三世は、資本家と労働者、農民の各勢力のバランスの上に乗って、政権を運営していました。そして国民の人気を維持するため、ロシアとのクリミア戦争、清国との第二次アヘン戦争などを繰り返し、イタリア統一戦争にも介入しました。★

●遣欧使節団の主要メンバー

他方、五八年、ナポレオン三世は、ベトナムにも侵攻し、フランス領インドシナ（現在のベトナム、ラオス、カンボジア）成立への端緒をつくり、六一年にはメキシコに出兵しますが、これは失敗します。また、極東市場にも目をつけ、六四年、公使としてロッシュを日本に送り込みます。ロッシュは、薩摩藩などとの提携に動くイギリスに対抗して幕府に接近、軍の近代化や製鉄所の建設などに協力して親密な関係を築き上げることになります。

●ナポレオン三世

ロシア軍艦、対馬に来航

さて、開港延期をめぐる遣欧団の対仏交渉は進まず、一行は六二年四月、イギリスに渡ります。ロンドンでは万国博覧会★が開かれていました。オールコック公使が日本からイギリス本国に帰国して交渉にあたり、その努力もあって六二年六月、兵庫・新潟の開港、江戸・大坂の開市を六三年一月から五年間延期することで合意し、「ロン

◉イタリア統一介入

オーストリアとフランスは、イタリアの統一・独立運動をともに弾圧、抑え付けてきた。ナポレオン三世は一八五九年、サルデーニャ王国のヴィットーリオ・エマヌエーレ二世のもと、首相になったカヴールとの間で、王国によるイタリア統一を支援する代わりに、ニースなどの割譲を受けるとの密約を交わし、オーストリアと開戦した。フランス・サルデーニャ連合軍が勝ち進み、各国を併合していくと、サルデーニャ王国の大国化を恐れたナポレオン三世は、戦いの途中でオーストリアと単独講和して撤兵し、王国の統一事業は中断した。

ドン覚書」が調印されました。最強国であるイギリスとの交渉妥結を突破口に、他国との開港延期交渉の締結が可能になります。このあと、一行はオランダ、プロイセン、ロシア、ポルトガルの順で各国を訪問します。

プロイセンでは、六一年にヴィルヘルム一世が即位してドイツ統一に乗り出していました。六二年九月にはビスマルク（一八一五―九八年）が首相に就任し、軍備拡張政策（鉄血政策）を宣言しています。使節一行がベルリン入りしたのは、その直前の六二年七月のことで、同月二〇日にはヴィルヘルム一世に拝謁しました。

翌八月、遣欧使節団は、ロシア帝国の首都ペテルブルクに到着しました。ロシアはアレクサンドル二世の治世でした。『罪と罰』などの作品で知られる作家のドストエフスキー（一八二一―八一年）は、この年六二年六月からベルリン、ロンドン、パリなどを旅行し、八月末にペテルブルクに帰っていますが、同じ時期に歴訪中の日本の使節団について書き残したものはないそうです★。

日露関係では、五九年八月に東シベリア総督のムラヴィヨフが軍艦を率いて来航した際、ロシア士官・水夫が攘夷派によって襲われ、二人が死亡する事件がありました。また、六一年三月には、ロシア軍艦が海軍基地の設置を目的に、日本海要衝の地・対馬に来航し、土地の租借を要求しました。幕府は、ロシアの行動に反発するイギリスの東洋艦隊の協力を得て退去を要求。ロシア艦は九月、対馬を去りました（対馬事件）。

遣欧使節団の仕事は、日露和親条約やムラヴィヨフ来航時にも決着のつかなかった樺太の国境画定問題でした。日本側は「北緯五〇度」を日露の境界とするよう要求しましたが、結局、折り合うことはできませんでした。

●オランダ滞在中の遣欧使節のメンバー

●長くロシア帝国の首都だったペテルブルク

使節団はベルリン、パリなどを再訪したあと、ポルトガルのリスボア（リスボン）を訪問して国王に拝謁。六二年一〇月にフランス軍艦でポルトガルを離れ、六三年一月、一年ぶりに横浜に帰りました。

●ドストエフスキー

◉万国博覧会

万国博覧会は、一八五一年のロンドン国際博覧会が始まり。六二年の万博が再びロンドンで開かれ、日本の遣欧使節団はその開会式に出席した。出品作の漆器や陶磁器、刀剣、織物、絵画、蓑笠や提灯などは、英国公使オールコックが熱心に集め、発送したものだった。六七年、パリで開かれた万博に日本は初めて正式参加し、徳川幕府、薩摩藩、佐賀藩がそれぞれ出品した。なお、アジアで最初に大阪で開催された一九七〇年の日本万国博覧会は、「人類の進歩と調和」をテーマに七七か国が参加した。

◉ヤマートフの〝歓待〟

ロシア滞在中、幕府遣欧団の一行を驚かせる出来事があった。宿泊した迎賓館で何と箱枕、白木のハシで日本料理というすべて日本流の「おもてなし」を受けたのである。プチャーチン来日の際に知り合ったロシア人通訳の手引きで密出国した橘耕斎（ロシア名はヤマートフ）という日本人が準備したものだった。一行の前にはまったく姿をみせなかった。だが、ヤマートフは、明治になってペテルブルク大学の日本語講師などを務めたあと、帰国したという。

4 オランダ・英国へ留学生

幕府使節団の派遣相次ぐ

勢威は衰えたとはいえ、日本を対外的に代表していた徳川幕府は、外交案件処理のためにも、海外派遣をつづけます。一回目のアメリカ、二回目のヨーロッパに次ぐ三回目は、池田筑後守《ちくごのかみ》長発《ながおき》★（一八三七―七九年）をトップとする使節団でした。総勢三四人が一八六四年二月、開港した横浜の「鎖港」を目的に、フランスに向かいました。

「鎖港」とは、条約の破棄が難しい中で、せめて最大の貿易港である横浜の「閉鎖」を実現させるというアイデアでした。とはいえ、締結したばかりの条約の重大変更が簡単に認められるはずもありません。それでも幕府が一行を派遣したのは、鎖港を求める朝廷や尊攘派の圧力をかわすためでした。案の定、鎖港交渉は六月には決裂してしまいました。

六五年になると、横須賀製鉄所の設立準備のため、外国奉行の柴田日向守剛中《たけなか》らをフランスとイギリスに派遣。六六年には、懸案の樺太国境画定交渉のため、ロシアに箱館（函館）奉行の小出大和守秀実らを送っています。六七年のパリ万国博覧会には、

●池田長発

ナポレオン三世の招待を受けた将軍慶喜の弟・昭武《あきたけ》（一八五三—一九一〇年）が、渋沢栄一（一八四〇—一九三一年）ら多数の幕臣を引き連れて渡仏しました。

これら幕府の使節団は、一様に羽織・袴《はかま》、腰に大小の太刀を差したサムライ姿で、欧米人の好奇の目にさらされつつ、「夷狄《いてき》」の地をめぐりました。彼らは異文化との接触を通じて、産業革命を経た欧米列強の先進技術はもとより、政治や資本主義経済・社会の仕組みも含めて「西洋」の実情を吸収してくるのです。

●徳川昭武

福沢諭吉の『西洋事情』

こうした中、第一回、第二回の使節団のいずれにも参加したのが福沢諭吉★（一八三五—一九〇一年）でした。

福沢は、咸臨丸で訪問した一回目のアメリカでは、サンフランシスコとその周辺に五〇日余滞在しました。当時、捕鯨業が盛んな小都市は、にわかのゴールドラッシュでにぎわっていました。福沢は、あるアメリカ人に、初代大統領ワシントンの子孫は「どうなっているか」と尋ねてみました。すると「知らない」と、何とも素っ気ない

◉池田長発

池田は旗本の養子になり、領地は備中（岡山県西部）にあった。小普請組から目付、京都町奉行へと昇進。外国奉行に転じて使節団を率い、一八六四年、ナポレオン三世にパリで謁見した。池田は、攘夷論者でフランス側と談判したものの、横浜鎖港交渉に失敗。帰国後、一転して大胆な開国論を建議して物議を醸し、免職となった。

返事です。福沢には、源頼朝や徳川家康など世襲の権力のことが頭にあるものですから、「これは不思議だ」と感じます。

生まれて一八か月で父を亡くし、下級武士、母子家庭での生活体験から、「私のために門閥制度は親の敵《かたき》でござる」（『福翁自伝』）と後に書く福沢は、この時、アメリカのデモクラシーを感得したのではないでしょうか。

福沢の外国語修業の始まりはオランダ語でした。ところが、開港直後の横浜を見物した際、オランダ語が少しも通じず、店の看板すら読めないことに愕然《がくぜん》とします。彼はいち早く「英語」に転向し、蘭英対訳の辞書を頼りに独習を始めました。福沢は、アメリカで中浜万次郎と一緒にウェブスターの「英語辞書」を一冊ずつ購入し、「天地無上の宝を得たるが如《ごと》し」と有頂天になります。また、写真屋の娘さんに声をかけ、一緒にカメラに収まった写真が今に伝えられています。

二回目のヨーロッパ派遣では、福沢は「何でも見てやろう」精神を遺憾なく発揮します。パリで「懐中手帳」を購入し、見たこと聞いたことのすべてを記入することにしました。各国でさまざまな施設を訪ね、「百聞は一見にしかず」とばかり、熱心に見学・取材を続けました。

福沢は帰国後、これらの欧米諸国での見聞と、外遊中に手に入れた書籍をもとに、三年余りを費やして本にします。それが一八六六年から順次刊行された『西洋事情』（全一〇冊）でした。

●「独立自尊迎新世紀」と書かれた福沢諭吉の遺墨

●アメリカで撮影された写真屋の少女と写る福沢諭吉

「文明の政治」の要点

その初編は、ヨーロッパの政治、税財政（収税法、国債、紙幣）、外交、兵制、教育と学校制度、新聞紙、図書館、病院、身体障害者施設、博物館、博覧会、さらに蒸気機関、汽車、汽船、電信、ガス灯など多岐にわたって書かれています。さらに後続のシリーズでは、アメリカとイギリスを中心に訪問国の歴史や政治制度、陸海軍などについて詳述しています。

初編のなかで福沢は、「文明の政治」について「六か条の要訣《ようけつ》（最も肝心なところ）」を挙げています。その第一条は「自主任意」で、「士農工商の区別を立てず、門閥を論ずることなく、上下貴賤《きせん》おのおのその所を得て、毫《ごう》も他人の自由を妨げず」とあります。第二条は「信教」で、「人々の帰依する宗旨を奉じて政府よりその妨げをなさざる」ことです。第三条は科学振興、第四条は学校教育、そして第五条は「保任安《あん》

◉福沢諭吉の六六年

一八三五年、中津（大分県の西北端）藩士の子として、大坂堂島の中津藩邸内で生まれ、一九〇一年に東京で死去した。「六八年を明治維新の年とすれば、福沢の一生六十六年は、ちょうどこの年によって二等分される。すなわち、彼は、維新に先だつこと三十三年にして生まれ、維新に後れること三十三年にして死んだのである。このことは象徴的の意味をもっとも見られよう。彼は、日本の近代化のために三十三年準備し、三十三年働いたともいえるのである」（小泉信三『福沢諭吉』）。福沢の生涯は、イギリスのヴィクトリア女王の治世とほぼ一致していた。

穏《のん》」で、これは「政治一定して、号令必ず信にして欺偽《ぎぎ》なく、人々国法を頼み安んじて産業を営む」ことだとしています。第六条は「人民飢寒の患《うれ》いなからしむること」。今で言う医療・福祉の充実ということでしょう。

『西洋事情』は、ベストセラー★になりました。それだけ欧米への関心が高かったことの証左でしょう。幕府の要人、とくに時の将軍・徳川慶喜もこれを読んでいたといわれます。

とはいっても、福沢も良いことばかりではありませんでした。洋学者・洋行者として攘夷の標的にされてしまったのです。福沢は、用心に用心を重ね、「およそ文久年間から明治五、六年まで十三、四年の間というものは、夜分外出したことがない」（『福翁自伝』）という生活を余儀なくされました。

「天はみずから助くるものを助く」

徳川幕府は、使節団とは別に、優秀な人材を留学生として海外に派遣しました。一八六二年、オランダに留学したのが西周《あまね》（一八二九―九七年）、津田真道《まみち》（一八二九―一九〇三年）、榎本武揚《たけあき》（一八三六―一九〇八年）ら五人でした。

西と津田は、ライデン大学で自然法・万国公法・国法・経済学・統計学を学び、帰国すると、開成所（幕府設立の洋学研究・教育機関）教授として多くの書物を著します。西は六八（明治元）年、訳本『万国公法』を刊行しました。二人は七三年、福沢諭吉や加藤弘之らとともに「明六社《めいろくしゃ》」★を結成し、『明六雑誌』を発行。哲学・思想・政治・

●西周

経済・教育・宗教などの論考を通じて近代思想の普及に努めることになります。

長崎の海軍伝習所の二期生だった榎本は、ハーグで航海術・砲術・造船術などを学び、幕府がオランダに注文した軍艦「開陽丸」の竣工《しゅんこう》をまって、六七年、同艦に乗って帰国しました。同時に『海律全書』という海事国際法の本も持ち帰ります。榎本が帰国して半年後、大政奉還―王政復古のクーデターにより徳川幕府が滅亡します。海軍副総裁だった榎本は、「開陽丸」など旧幕府軍艦を率いて北に進路をとり、箱館の五稜郭《ごりょうかく》にたてこもって、箱館戦争を戦うことになります。

六五年に幕府は、市川文吉ら六人の青年をロシアに派遣しました。翌六六年には、イギリスに外山正一《とやままさかず》（のち東大総長）ら一四人が派遣されます。その中で少年たちの監督者として同行を命じられたのが、中村正直《まさなお》（一八三二―九一年）でした。

●中村正直

◉ベストセラー

『西洋事情』初編は、福沢の見積もりで「二十万ないし二十五万部は間違ひなかる可し」という幕末驚異のベストセラーだったが、「天は人の上に人を造らず人の下に人を造らず」と言えり――で始まる『学問のすゝめ』にいたっては、一八七二年から四年間に一七篇の小冊子で分売されたのを各篇約二〇万部として合計すれば、実に三四〇万部という前代未聞の発行数に達した（芳賀徹『明治維新と日本人』）。

◉明六社

「明六社」は、西周、津田真道、箕作秋坪《みつくりしゅうへい》、西村茂樹、杉亨二、中村正直、福沢諭吉、加藤弘之、箕作麟祥《りんしょう》、森有礼らを社員とした。総じて旧幕臣系が多かった。結成されたのが明治六年だったことから「明六社」と名づけられたという。メンバーは、明治政府の近代化政策をおおむね是としながら、独立と批判の自由を堅持し、国民啓発が必要とする点で一致し、啓蒙に指導的役割を果たした。

中村は帰国すると、友人のイギリス人から贈られた、著述家サミュエル・スマイルズ（一八一二―一九〇四年）の『セルフ・ヘルプ（自助論）』を翻訳し、七一年に『西国立《さいごくりっ》志編《しへん》』として刊行しました。欧米で立志伝中の三〇〇人以上の人物を紹介したものです。同書第一編はこんなキーワードで始まります。

「天はみずから助くるものを助く」

この自助の精神の大切さを知る人が多ければ、その国は元気充実する、と説いた同書は、一〇〇万部以上と言われるベストセラーになり、福沢諭吉の『学問のすゝめ』と並んで明治の青年たちを鼓舞しました。

反幕雄藩も留学生

いわゆる幕臣だけでなく、反幕雄藩の藩士たちも次々と海を渡りました。

薩摩藩は六五年、グラバー商会所有の蒸汽帆船で一九人をひそかにイギリスに派遣しました。メンバーは一三歳から三三歳までと幅広く、寺島宗則（一八三二―九三年）、五代友厚《ごだいともあつ》★（一八三五―八五年）、森有礼《もりありのり》（一八四七―八九年）らが含まれていました。寺島と五代は、六三年の薩英戦争のあと、あえて自発的に捕虜になってイギリスを知ろうとしたほどです。この人材育成をねらいとした留学生の派遣は、六四年に五代が藩主に提案したもので、イギリス、フランス、ドイツ、オランダ、ベルギーなどを巡り歩きました。

留学生たちは全員、「変名」を使ってロンドン入りし、長州藩から同じように密航

●サミュエル・スマイルズ

●森有礼

留学中の野村弥吉★（一八四三―一九一〇年）らに出会います。長州藩の伊藤俊輔（博文）と井上聞多（馨）は、英仏米蘭四国連合艦隊下関砲撃事件のため、すでに帰国していました。

ロンドンに到着して三か月後、森有礼が兄に宛てた手紙は、彼が西洋文明から受けた衝撃の大きさをあらわしています。

> 人間一度は宇宙を遊観《ゆうかん》せずんば、十分の大業遂難《とげがた》し……このたび渡海以来、魂《こん》魄《ぱく》大いに変化して、自分ながら驚くくらいに御座候。……始終心を用い汚魂《おこん》を洗濯仕《つかまつ》り居り申し候。

森の「汚魂の洗濯」は、徹底した自己変革という意味でしょうか。それは土佐藩の

◉五代友厚

薩摩藩から長崎に派遣され、オランダ士官について航海術を学んだ。徳川幕府から派遣された「千歳丸」での上海渡航や、留学生との欧州訪問から帰国後、藩の洋式工業、貿易振興などに努めた。維新後、大阪府権判事などを務めた後は政商として活躍、開拓使官有物払い下げ事件では非難を浴びた。また、大阪商法会議所の設立をはじめ、関西方面の商工業の近代化に尽くした。

◉野村弥吉（井上勝）

野村弥吉は後年、「日本の鉄道の父」とよばれた。ロンドン大学で五年間、鉱山と鉄道関係の技術を学び、帰国後、井上姓に戻って改名。工部省に出仕し、七一年、鉄道頭兼鉱山頭になった。明治政府有数の技術官僚として、東海道線（新橋―神戸間）の全線開通を推進した。

坂本龍馬の言葉、「日本を今一度、せんたく」するという国家改造への志向と響き合うものがあります。

たった一人の冒険

幕府が六六年、海外渡航の禁止を解くまで、日本人の外国行きは命がけでした。それが単独行となるとなおさらです。

新島襄《にいじまじょう》（一八四三—九〇年）の日本脱出は、文字通りのアドベンチャーでした。上州（群馬県）安中藩の江戸屋敷で生まれた新島は、蘭学や英語、航海術などを学ぶとともに、漢訳聖書に接してキリスト教に強くひかれました。

渡航熱に駆られた新島は、まず箱館に出て、ロシア領事館付司祭のニコライを知り、英語やキリスト教を学びます。六四年、アメリカ船で箱館を出発し、上海に着くと別の船に乗り換えます。渡米の願いを聞き入れてくれた船長らに助けられ、新島は香港—マニラ—ケープタウンを経て、一年がかりで米東海岸のボストンに着きました。

新島はキリスト教の洗礼を受け、六七年、マサチューセッツ州の名門・アマースト大学に入学し、日本人として初の学士号をとり、神学校にも進みます。

新島が帰国したのは、密出国から一〇年を経た七四年のことでした。翌七五年には、京都府顧問・山本覚馬（会津藩出身）らの協力をえて京都に同志社英学校（同志社大学の前身）を創設し、翌年、覚馬の妹で、会津城落城の際、奮戦した八重と結婚することになります。

●新島襄

5　英パークスvs仏ロッシュ

組織的攘夷運動の終わり

幕末日本の政局もいよいよ大詰めです。ここで一八六三年に遡って「日本と列強」の動きを振り返ってみます。

六三年後半から翌六四年までの一年半の間★、長州や薩摩両藩の「攘夷」に対して、列強が武力行使に出ています。これは攘夷行動への「報復」だけでなく、攘夷の不可能なことを「上は帝《みかど》（天皇）・大君（将軍）から下は武士・浪人に至るまで思い知らしめる」意図があったことは明らかです。

もともと、長州、薩摩両藩は、自国産品の専売制強化や貿易拡大によって財政を再建し、洋式技術も導入して西国雄藩としての地歩を固めてきました。ところが、攘夷戦争では欧米の軍事力に歯が立ちませんでした。これを機に、両藩ともに攘夷論が急速にしぼみ、組織的な攘夷運動は収束に向かうことになります。

両藩はそれぞれ講和条約を結んだあと、イギリスなど各国に対し積極的な融和策をとり、西洋技術の導入や留学生の派遣に取り組みます。

●四か国の艦隊が長州藩に激しい砲撃を浴びせた関門海峡

さて、長州藩では六五年一月、高杉晋作が、藩庁を握る保守派（門閥派）を打倒するため、奇兵隊など諸隊に決起を促しました。これに伊藤俊輔らが馳参《はせ》じ、正規の藩兵との内戦が始まります。最後は高杉らの急進派（正義派）が勝利し、新体制のリーダーには木戸孝允《たかよし》★（一八三三―七七年）が就きます。

長州藩は四月、新しい政策として、幕府に恭順の意は示しながらも軍備は強化するという「武備恭順」を藩論として決定します。高杉は「大割拠」という言葉を使って、藩の富強化路線をとります。その指導者には村田蔵六《ぞうろく》（大村益次郎）が抜擢《ばってき》され、幕府に対抗するために軍備充実を急ぐことになります。

一方、薩英戦争後の薩摩藩では、大久保一蔵（利通）、西郷吉之助（隆盛）、小松清廉《きよかど》（帯刀《たてわき》、一八三五―七〇年）らが藩の主導権を掌握します。

通商条約の勅許

下関攻撃で攘夷運動に大打撃を与え、賠償金を得たイギリス、フランス、アメリカ、オランダの四か国が六五年一一月四日（慶応元年九月一六日）、計九隻の連合艦隊を編成し、兵庫沖に来航します。この「砲艦外交」というべき示威行動の狙いは、通商条約の勅許と、兵庫（神戸）の前倒し開港、関税引き下げの実現にありました。

これに先立つ七月、英上海領事のハリー・スミス・パークス★（一八二八―八五年）が、イギリス公使・オールコックの後任として長崎に到着。パークスにとっては、条約勅許と兵庫開港が初仕事になりました。

●戦死した奇兵隊の志士たちの霊を弔う碑（下関市の桜山神社で）

◉攘夷運動の曲り角（一八六三―六四年）

六三年　6月　長州藩、下関海峡でアメリカ船、フランス、オランダ艦を砲撃
7月　アメリカ、フランス艦が長州砲撃
8月　薩摩藩、イギリス艦隊と鹿児島湾で交戦（薩英戦争）
9月　朝廷・長州の攘夷派を追放する「八月一八日の政変」
11月　尊攘派平野国臣ら挙兵、鎮圧（生野の変）
六四年　5月　水戸藩尊攘派藤田小四郎ら筑波山に挙兵、降伏へ（天狗党の乱）
7月　新選組が長州藩などの尊攘派志士を襲撃（池田屋事件）
8月　長州藩兵、京都に進軍し幕府軍と交戦（禁《きん》門《もん》の変）
幕府、長州藩追討の勅命を受けて西国二一藩に出兵を命じる（第一次長州征討）
9月　英仏米蘭四国連合艦隊、長州・下関砲台と交戦、陸戦隊上陸し砲台を破壊
12月　長州藩、幕府に恭順の意、三家老自刃

◉木戸孝允

木戸は、西郷隆盛、大久保利通とともに明治維新三傑と言われる。長州萩城下で藩医の子として生まれ、七歳の時、桂家の養子となり、桂小五郎を名乗った。江戸に遊学し、斎藤弥九郎道場で剣術・神道無念流の免許皆伝を得、江川太郎左衛門から西洋兵学を学んだ。吉田松陰と親しくなり、その密航計画を支持。水戸、越前、薩摩の志士と交わり、尊攘運動に奔走した。長州藩は、禁門の変や四国連合艦隊の下関攻撃により指導的人物が失われ、木戸が衆目を集めた。

◉ハリー・スミス・パークス

パークスは、一三歳の時、従姉の招きで、アヘン戦争最中の極東に向けてイギリスを出発。一八四三年にイギリスの広東領事館員に採用された。アロー号事件（第二次アヘン戦争）に遭遇し、中国側と厳しく対決、北京で投獄されて拷問を受けたが、屈服しなかった。二〇年以上中国に滞在経験をもつチャイナ通として六五年に来日。「人一倍豪毅で、疲れを知らない精励家」（アーネスト・サトウ）と評された。八三年に清国駐在の特命全権公使に栄転し、朝鮮公使を兼任した。

このパークスらの要求を受けて問題処理に当たったのが、家茂《いえもち》と将軍の座をめぐって争って敗れた徳川慶喜《よしのぶ》でした。当時、慶喜は禁裏《きんり》（御所）御守衛総督をつとめていました。

兵庫開港問題で慶喜は、朝廷会議の開催を求め、開港も条約勅許も拒否すれば、京都が攻められ、日本は属国になるかもしれないなどと、脅しも交えて公家たちを説き伏せました。

一一月二二日、孝明天皇が「条約は勅許、開港は不可」との断を下します。攘夷主義者の天皇にしてみれば、足元の兵庫に横浜のような居留地が作られ、英仏の軍隊が駐留する事態だけは避けたかったとみられています。

パークスは、幕府負担となった、長州による下関攻撃の賠償金支払いの延期と、兵庫開港の延期を認める代わりに、関税のルール変更を日本側に認めさせ、条約の不平等を拡大させました。

「一会桑」のパワー

これらの外交問題と並行して起きていたのが、「朝敵」である長州をもう一度懲らしめようとする「第二次長州征討」です。

六五年七月、将軍・家茂が征伐に向けて上京・参内しましたが、「長の措置（長州追討）は衆議を遂げて言上せよ」との勅語が伝えられるにとどまりました。多くの藩は、軍費（財政）負担の増大などを嫌って再征に否定的でした。

●イギリス公使パークス

しかし一一月九日、慶喜は、京都守護職・松平容保《かたもり》★（一八三五―九三年）と京都所司《しょし》代《だい》・松平定敬《さだあき》（桑名藩主、容保の実弟）とともに参内して再征を要請、勅許（天皇の許可）を得ます。慶喜はこの時、「我々、『一会桑《いちかいそう》』は辞める」などと辞職をほのめかしながら、半ば強引に勅許を得たといわれます。そもそも「一会桑」は、「一橋」（慶喜）、「会津」（容保）、「桑名」（定敬）の頭文字からとったものです。

「薩摩・会津同盟」が長州藩を追放した「八月一八日の政変」の後、朝廷首脳部と「参与」諸侯（松平慶永、伊達宗城《むねなり》、山内豊信、徳川慶喜、松平容保、島津久光）による合議体制が生まれましたが、ほとんど機能しませんでした。そのあと、「禁門の変」で力をふるった「一会桑」が天皇の信任を得て、朝廷を支配するようになったのです。

この慶喜主導の長州再征勅許に対して、薩摩藩士の大久保利通らが強く反発します。三家老を切腹させて謝罪した長州を追討するのはおかしい、これは「非議（正義でない）の勅命」である、と主張したのです。大久保は、再考を求めましたが覆らず、もはや「朝廷これかぎり」と言い放ったといわれます。

薩摩藩は、第一次長州征討では幕府側についていました。それが第二次征討では、「幕府と長州の『私戦』（西郷隆盛）にすぎないとして、反対に回ります。ここに、幕末

●松平容保

◉松平容保

会津藩主。一八六二年、福井藩主・松平慶永とともに幕政に参与した後、京都の治安を守るために置かれた京都守護職に就いた。孝明天皇の信を得て公武合体を推進し、禁門の変では長州藩兵を撃退した。しかし、鳥羽・伏見の戦いに敗れたのちは、会津若松城で官軍に抗戦したものの、軍門に下った。晩年は日光東照宮宮司を務めた。

政局のライバルとして、とくに「禁門の変」では戦火を交えた薩摩藩と長州藩が、相互接近することになるのです。

幕府内に親仏派

幕末期、アメリカが南北戦争に追いまくられる中で、アヘン戦争、クリミア戦争を終えたイギリスが、対日外交の主導権をとります。

イギリスとの戦争のあと、親英・開国路線をとった薩摩藩は、特定の開港地の居留地貿易と幕府による独占貿易に強い不満をもっていました。イギリスの初代公使のオールコックは、幕府との関係は維持しながらも、貿易拡大の主張に耳を傾け、薩摩・長州の開国派との距離を縮めます。後任のパークスもこれを継承しますが、そのパークスと張り合うことになるのが、六四年四月に着任したフランス公使のレオン・ロッシュ★（一八〇九―一九〇一年）でした。

薩摩藩がイギリスに接近したのに対して、幕府側はロッシュを頼りにし、ロッシュもイギリスに協力的だった前任者の方針を転換、独自の立場をとるようになります。この英仏対立の背景には、自由貿易主義のイギリスと、幕府の独占貿易で利潤を上げようとするフランスとの、貿易政策をめぐる対立がありました。

幕府内部には、小栗忠順《おぐりただまさ》★（一八二七―六八年）や栗本鋤雲《くりもとじょうん》（一八二二―九七年）らを中心に親仏派が形成されます。兵制改革や軍備の充実が急務と考えていた小栗は、製鉄所（造船所）の建設に取り組み、六四年からロッシュとの交渉にあたりました。フランス

●フランス公使ロッシュ

●小栗忠順

●栗本鋤雲

の軍港をモデルにした製鉄所建設工事は、のちの横須賀軍港につながります。幕府のフランス接近は、これにとどまりません。銅製施条カノン砲一六門の製造をロッシュに依頼、この大砲は六六年の長州再征の直前に届いて幕府側を喜ばせました。

こうして幕府の親仏派は、フランスからの軍事援助をあてにしながら長州藩打倒をはかろうとした形で、勝海舟は「フランスは飢えた狼、イギリスは飢えた虎」とみられる以上、幕仏接近は危険だと警鐘を鳴らしていました。それだけ当時の幕府のフランス依存は、国家独立の観点から危うく見えたのかもしれません。

◉レオン・ロッシュ

フランス・グルノーブル生まれ。フランス革命でジロンド派の女王といわれたロラン夫人の娘が自分の「名付け親」だという。アルジェリアに渡り、リビア・トリポリ総領事から本格的な外交官生活に入った。その対日外交は、「幕府が進もうとしている開明的な方向に激励と援助を与える」ことを基本とした。本国外務省の訓令をあえて無視する型破りな人物で、徳川慶喜を偉大な指導者とみて、幕府による絶対主義国家の実現をめざしていた（小島英記『幕末維新を動かした8人の外国人』）。

◉小栗忠順

小栗上野介と称した。一八六〇年、日米修好通商条約批准の使節として渡米し、帰国後は、外国奉行に昇進。歩兵奉行のとき、陸軍部隊を率いて、朝廷に対し、開国和親の勅旨を強要しようと企てたが、事前に発覚し、罷免された。軍艦奉行として製鉄所の建設を促進し、勘定奉行として幕府財政を担当し、高い指導力を発揮した。戊辰戦争では強硬な主戦論を唱えたが、受け入れられず、免官になり、上野国（群馬県）に帰郷。六八年、新政府軍に捕縛され、首を切られた。

トーマス・グラバー

これに対して長州藩も、幕府との戦争に備えて新兵器を渇望していました。ところが、英仏米蘭の四か国は、長・幕戦にあたっては厳正中立と密貿易の禁止を申し合わせ、長州は武器購入が困難になります。そこで木戸孝允は、イギリス貿易商のトーマス・グラバー（一八三八—一九一一年）に相談します。武器の売り込み先がほしいグラバーは、「長州の船で上海へ行って買うなら差し支えない」などとアドバイスします。

このとき、長州の窮地を救ったのが薩摩藩でした。長州征討には参加しないことにした薩摩藩は、同藩名義で外国から武器を購入して、これを長州に回すことにしました。土佐藩浪士の坂本龍馬《りょうま》が仲介にあたり、長州藩の伊藤博文と井上馨《かおる》が、長崎で薩摩藩の小松帯刀《たてわき》★（一八三五—七〇年）に要請して決まりました。

グラバーが調達したミネー銃四三〇〇挺《ちょう》、ゲベール銃三〇〇〇挺が、薩摩の船によって長州に運び込まれました。このほか、汽船も、まず薩摩が購入して長州に譲渡されました。グラバーは井上らに対して「一〇〇万ドルぐらいの金はいつでも用立てる」と語ったといわれます。

グラバーは、今も長崎港を眺望できる観光スポット、グラバー邸★の主でした。「グラバーの生涯」を副題とした杉山伸也『明治維新とイギリス商人』によりますと、彼はスコットランド生まれのイギリス人で、五九年九月、長崎にやってきました。当時は、日本開港や蒸気船による定期航路の開設によって、対日貿易が活発化し、多数の

●グラバー園内に立つグラバー像（長崎市で）

●高台にあるグラバー邸前から見える長崎港（長崎市で）

欧米貿易商が来日、グラバーもその一人でした。貿易商社の下働きから、まもなく独立して「グラバー商会」を設立、茶の輸出や艦船の取引を始めました。

「死の商人」「政治好き」

ちょうど六二年、幕府が海防強化の観点から諸藩に外国船の購入を許可し、船の需要が高まる時期でした。同書によると、グラバーが六四年から五年間に手がけた艦船の売却は、薩摩・熊本・佐賀・長州藩などのほか幕府相手も含め計二四隻、一六八万ドルにも上りました。

日本の武器・弾薬類の輸入は六五年以降、増加しました。中には、戦いが終わった

◉**小松帯刀**

薩摩藩士。藩主の父だった島津久光の側近として、大久保利通らとともに、久光の公武合体・幕政改革の運動を推し進め、家老に昇進した。禁門の変では、西郷隆盛とともに薩摩軍を指揮して長州軍を撃破した。西郷が木戸孝允との間で結んだ薩長同盟をめぐる会談にも同席する一方、徳川慶喜に対し大政奉還を進言するなど、幕末史を彩る節目の舞台で重要な役目を果たした。

◉**グラバー邸**

貿易開始に伴い、長崎に押しかけた外国商人の多くは、高台に洋館を建てた。グラバーもその一人で、六三年、自らが設計して天草の大工の棟梁が施工して邸を建てた。木造平屋建て瓦葺き。日本最古の木造洋風建築とされる。ちなみに、明治初期の長崎を舞台にした、プッチーニ作曲のオペラ『蝶々夫人』(初演は一九〇四年)のモデルは、グラバーの日本人妻ツルという説がある。

ばかりのアメリカの南北戦争（一八六一―六五年）で使われた小銃も流れ込んでいました。当然、グラバーも武器・弾薬類を扱っており、薩摩藩名義の長州藩との取引はその代表例です。

その一方、グラバーは六五年、幕府から、薩英戦争で威力をみせつけたアームストロング砲計三五門の注文を受けるなど、したたかなビジネスを展開していました。このあたりが「死の商人」と称せられるゆえんかもしれません。

ただ、グラバーは懇意の五代友厚《ごだいともあつ》らが進めた薩摩藩留学生の密航について便宜供与をはかったほか、パークスと薩摩との橋渡しもしています。さらに、佐賀藩とともに高島炭鉱の開発に乗り出しますが、一八七〇年、商会は資金難から倒産してしまいます。後年、グラバーは、「徳川政府の反逆人の中では、自分がもっとも大きな反逆人だと思った」と語っていますが、この「政治好き」のイギリス商人が幕末政局で果たした役割は無視できないものがありました。

6 飛騰する志士・坂本龍馬

龍馬、海舟、隆盛

一八六四年九月、土佐脱藩の志士・坂本龍馬《りょうま》（一八三五―六七年）は、幕臣・勝海舟の紹介で、薩摩藩士・西郷隆盛（一八二七―七七年）と会っています。そのあと龍馬は、勝を相手に、西郷について「少しくたたけば少しく響き、大きくたたけば大きく響く、もしばかなら大きなばかで、利口なら大きな利口だろう」（『勝海舟語録　氷川清話《ひかわせいわ》』）と評したと言われます。

龍馬が、福井藩主の松平慶永から勝を紹介してもらい、その門下生になったのは六二年の秋。後年、勝が「彼（龍馬）はおれを殺しにきた奴だが、なかなか人物さ」と語れば、龍馬は勝を「日本第一の人物」と称《たた》え、弟子になったことを誇らしげに手紙に書いています。龍馬は、勝との出会いを契機に「攘夷《じょうい》」派から「開国」派に転じます。

他方、征長総督参謀の西郷と軍艦奉行の勝が初めて相まみえたのは、六四年一〇月のことです。勝は、「今や国内で争う時ではない。幕府はもはや天下を統一する力が

●勝海舟

ないから、むしろ雄藩の尽力で国政を動かすべし」と言い、賢明な四、五人の大名が協議して政治運営にあたる「共和政治」に言及しました。西郷は、勝の弁舌に感服して「実に驚き入り候《そうろう》人物」「どれ丈《だけ》か智略のあるやら知れぬ塩梅《あんばい》に見受け申し候」などとほれ込み、両雄のつきあいが始まります。

龍馬と海舟と隆盛は、それぞれ盟友関係を結びますが、この幕末史を彩る三者が、天下の形勢を一変させる「回天政局」を引っ張っていくことになります。

「ニッポンを今一度せんたく」

龍馬は、土佐藩の郷士《ごうし》★の次男として生まれました。ペリーが来航した五三年、龍馬は数え年一九歳で、江戸の北辰《ほくしん》一刀流、千葉道場で剣術修行中の身でした。そのとき、土佐藩の黒船警備で臨時雇いに加えられましたが、国元への手紙には「その節は異国の首を打ち取り、帰国仕《つかまつ》るべく候」と記していました。

この無邪気ともいえる攘夷主義者は、六一年になると、武市瑞山《たけちずいざん》（一八二九―六五年）を首領とする「土佐勤王党」に、郷士・中岡慎太郎（一八三八―六七年）らとともに参加し、尊皇攘夷運動を始めます。武市は、漢詩で「肝胆元より雄大にして、奇機自ら湧出《ゆうしゅつ》す」と、龍馬の奔放さをうたっています。翌六二年、龍馬は土佐藩を脱藩しますが、勤王党の同志はそれを「坂龍飛騰《ひとう》（飛びあがること）」と形容しました。

龍馬は、勝の紹介で開明派の幕臣・大久保忠寛《ただひろ》★（一八一七―八八年、号は一翁）の知遇を得ます。勝が設立した神戸海軍操練所をめぐっては、政事総裁職・松平慶永から資

●坂本龍馬

金引き出しに成功するなど、幕府中枢にも食い込みます。また、慶永の政治ブレーンだった、熊本藩士で思想家の横井小楠《しょうなん》（一八〇九―六九年）とも知り合いになります。このあたり、幕末政治潮流の勘所をおさえ、キーパーソンをかぎ分け、大胆にアプローチして目的を達する龍馬の能力は、端倪《たんげい》すべからざるものがありました。

姉の乙女あての手紙（六三年六月）は、龍馬の成長ぶりを示しています。龍馬はその中で、直前の下関攘夷戦争で、長州に報復攻撃した外国艦を幕府が修理していると憤り、「神州（日本）をたもつの大本《タイホン》をたて」、幕府の「姦吏《かんり》」（不正を働く役人）は打ち殺し、「日本《ニッポン》を今一度せんたく」するとの決意を明らかにしています。幕府のように諸外国の武力行使と干渉を許せば、長州にとどまらず、日本存立の危機を招来する、とみていたわけです。

◉郷士

郷士とは、一般的には農村に住んでいる下級武士（下士）を指し、「上士」と比べて差別的な待遇を受けていた。土佐藩では、藩主山内氏が旧領主の長曽我部氏の遺臣を「郷士」身分として待遇したほか、新しく財をなした町人や豪農を取り立てて「郷士」とした。坂本家は「町人郷士」で、町家であると同時に武家でもあるという存在で、ふつうの武家にはみられない豊かな経済力をもっていた（池田敬正『坂本龍馬』）。

◉大久保忠寛

一八五四年、老中阿部正弘に見出され、海防掛になり、京都町奉行などを歴任したが、一橋派のため、安政の大獄で罷免。その後、蕃書調所頭取、外国奉行などを歴任。幕府瓦解後は、徳川慶喜の意を体し、勝海舟とともに恭順論を唱え、徳川家の「救解」のために力を尽くした。隠居して「一翁」と名乗った。

「天下のため」薩長同盟

六五年、龍馬は、長崎に「亀山社中」をつくり、海運業を興します。のちの「海援隊★」の前身ですが、長州藩が薩摩藩名義で武器を購入した際の仲介役として、この社中はうってつけの存在でした。龍馬は中岡慎太郎★とともに、薩摩、長州両藩の提携に向け、各地を奔走します。龍馬は薩摩藩に、中岡は長州藩にそれぞれ親近感をもっていたと言われます。

六六年一月、薩摩藩士の黒田清隆が、下関を訪問し、長州藩の木戸孝允の上京を求める薩摩藩首脳の意向を伝えました。しかし、木戸は反目してきた薩摩へのわだかまりが消えていません。それを長州藩の高杉晋作、井上馨《かおる》、そして龍馬が説得にあたりました。木戸もようやく重い腰を上げ、二月、京都の薩摩藩邸で、薩摩の小松帯刀、西郷、大久保利通と、薩長首脳会談に臨みました。しかし、一向に話し合いは進まず、木戸は山口に帰ると言い出します。龍馬は「自分が両藩のために努力しているのは薩長のためではない、天下のためだ」と木戸を説き伏せました。

六六年三月七日（慶応二年一月二一日）に密約された「薩長同盟★」（薩長盟約）は六か条からなっています。「幕府と長州との戦争」を想定したもので、例えば、開戦の時は「薩摩藩兵二〇〇〇人ほどを急ぎ東上させ、現在京の兵と合わせ、大阪にも一〇〇〇人ほどおいて京坂両所を固めること」（第一条）や、長州藩の勝利・敗北・非開戦の場合について、それぞれ主に薩摩藩の役割を定めていました。とくに第五条は、一橋・会津・

●亀山社中の跡地に立つ記念館（長崎市）

桑名が薩摩の正義の主張を拒むときは決戦するとし、第六条は、長州の冤罪《えんざい》がとけたときは、薩長両藩は「皇国」のために身を砕いて尽力すると明記しています。

薩長の盟約は口頭での約束だったため、桂が文書化して龍馬に確認を求め、龍馬が「この内容で間違いない」と裏書きすることによって成立しました。中岡は同盟成立後、「自今以後、天下を興《おこ》さん者は必ず薩長両藩なるべし」と、的確な見通しを示していました。

◉**海援隊**

坂本龍馬を隊長とする商社。長崎亀山に社中を設けた。海援隊約規には、「本藩を脱する者、海外にも志ある者」を隊員とし、「運輸射利、開拓投機、本藩応援」をなすとあり、諸国脱藩の志士を中心に、航海運輸業を看板に政治性の高い活動をした。六七年に龍馬の脱藩罪が許されたのに伴い、藩付属の商社になる。

◉**中岡慎太郎**

中岡慎太郎は、龍馬と同じ土佐藩の出身。武市瑞山が一八六一年に結成した土佐勤王党にともに参加して以来の龍馬の同志。武市夫人は晩年、「中岡さんは、大変行儀のいい方」で「お茶受けに柿などをすすめても、辱《かたじけ》のうござるといわれるだけで手をだそうともされなかった」が、「坂本さんは、大層無遠慮な方」で「こちらがすすめもしないのに、勝手にとって、皮もむかずに食べられる」と語っていたという（池田敬正『坂本龍馬』）。

◉**薩長同盟**

薩長両藩で結ばれたこの秘密の盟約については、従来、武力倒幕を確認したものと言われてきた。しかし、幕末維新史に詳しい家近良樹は、著書『江戸幕府崩壊』で、盟約に言う薩長の「戦う相手」は、「一会桑」を想定しており、幕府本体ではなかったと指摘。薩長両藩では、いずれも藩内に多数の反対論があり、「藩の軍事力をあげて、幕府本体の打倒に向けて立ち上がることは、絶対にできなかった」と強調している。

アーネスト・サトウ

薩長同盟は、政局はもとより各方面に多大な影響を与えます。

まず、龍馬の身の上です。薩長同盟成立翌々日未明、京都・伏見の寺田屋に帰った龍馬は、伏見奉行配下の者に襲撃されます。のちに妻となる「お龍《りょう》」の機転によってピストルで応戦、負傷しながらも裏口から辛《かろ》うじて逃げました。

薩長同盟成立の数か月後、英公使・パークスの下にいた通訳官のアーネスト・サトウ★（一八四三―一九二九年）が、横浜の英字週刊紙に書いた「英国策論」が、小冊子になって大坂や京都の書店で売られます。それによりますと、日本の政治体制をみると、これまで「大君《タイクーン》（将軍）」が日本の君主と言ってきたのは「偽」であり、いま、大君が日本の主宰者と言っているものはいないと言い切っています。サトウは後年、回想録で「大君を本来の地位に引き下げて、これを大領主の一人となし、天皇《ミカド》を元首とする諸大名の連合体が大君に代わって支配的勢力となるべきである」（アーネスト・サトウ『一外交官の見た明治維新』）というのが私の提案だったと説明しています。

サトウの非公式な論文とされますが、幕府の権威失墜を強く印象づけるものでした。

パークス英公使は七月下旬、薩摩藩を訪問して西郷らと懇談し、天皇の下での雄藩連合体制づくりの必要性で一致したといわれています。サトウは一〇月、大坂で西郷と会談した際、フランスと幕府との提携に言及しながら、イギリスとして薩摩を支援する意向を示しました。しかし、西郷は「日本の政体変革は、我々日本人が力を尽くす

●アーネスト・サトウ

べきことだ」と答え、外国勢力とは一線を画す態度を示しました。

長州に幕府が敗北

六六年七月、幕府連合軍は長州の周防大島《すおうおおしま》を砲撃し、第二次征討が始まりました。薩摩、越前、宇和島、佐賀など有力藩は出兵を拒否し、戦いは二か月で、長州の勝利に終わりました。勝因は、龍馬と薩摩藩の尽力によって入手した新式銃などの威力と、大村益次郎★（一八二四—六九年）の戦術と、よく訓練された軍の士気の高さなどが指摘

◉大村益次郎

周防国（山口県の東部）の低い家格の村医の子として生まれた。一九歳で蘭医を志し、二三歳で大坂の緒方塾に入門。蘭学修行から洋式兵学の研究に転じ、宇和島藩主・伊達宗城の兵学顧問に。三七歳から長州藩で洋式兵学を指導し、上野戦争や箱館戦争などでは、兵站《へいたん》参謀として手腕を発揮。やがて維新政府の軍事官僚となり、中央常備軍の編成に際しては、「最も先鋭な反藩兵論者、民兵主義の立場」をとった（絲屋寿雄『大村益次郎』）。藩兵解散、徴兵制の実施などで士族の反発を買い、襲われた傷がもとで死去した。

◉アーネスト・サトウ

一八六一年、日本の領事部門の通訳生としてイギリス外務省に入る。来日早々、生麦事件が起きた。抜群の日本語能力を生かして、主に倒幕勢力の要人らと接触し、豊富な情報収集能力により、パークス英公使の対日政策立案を助け、当時の日本の政局に影響力を発揮した。この間、日本語書記官に昇進し、八三年まで日本に在勤。バンコク、タンジール（モロッコ）公使などを経て、日清戦争・三国干渉直後の九五年七月、日本公使に抜擢された。一九〇〇年には駐清公使と栄進を重ね、義和団事件の事後処理にあたった。学者肌で多数の著述を残した。

されています。この戦争で龍馬は長州の軍艦に乗って幕府攻撃に参加しました。

高杉は最大の激戦地の九州・小倉城攻撃の勝利を目前にして喀血《かっけつ》し、六七年五月に死亡します。数え年二九歳でした。晋作は、臨終の床で筆をとり「おもしろきこともなき世をおもしろく」とまで書きました。傍らで歌人の野村望東尼《ぼうとうに》が、その下の句を「すみなすものは心なりけり」と続けると、「面白いのう」と言って、息を引き取ったと伝えられます。

龍馬も、この年一二月に暗殺されてしまいますが、晋作と龍馬の二人が今日なお、幕末のスターであり続けるのは、彗星《すいせい》のように現れ、独創的な発想で大業達成と自己実現に努めて早世してしまう、そんな「革命児」的な生き方のゆえかもしれません。

将軍・天皇の死去

少し時計の針を戻して、六六年八月、大坂城中で将軍家茂が病死します。将軍在職八年余、和宮《かずのみや》と結婚してからわずか四年半、享年二一歳でした。将軍の後継には、内政・外交にも通じた実力者である徳川慶喜のほかに、適格者は見あたりませんでした。ところが、慶喜は一か月後、徳川宗家は相続したものの、将軍職には就こうとしませんでした。

慶喜は後年、この頃すでに「政権奉還の志をもっていた」と語っていますが、実際のところ、悪評が残る徳川斉昭（前水戸藩主）の息子であることへの幕府内の反発や、かつて自分を将軍に推してくれた有力諸侯の「慶喜離れ」も気になっていたのではないか、と指摘されています。

それでも、慶喜は、天皇の命を受け、自ら長州征討に檄《げき》を飛ばします。しかし、幕府の拠点である小倉城落城を知ると、あっさりと出陣を取りやめます。幕府は休戦交渉に勝海舟を派遣して交戦を中止します。この慶喜の変わり身のはやさに朝廷は強い不満を示す一方、「一会桑」にもヒビが入ることになりました。

将軍の死と幕長戦争の敗北で痛手を受けた幕府の足元を見透かすように、反幕府勢力は、政局転換をねらって活動を本格化させます。大久保や西郷らは、実力将軍・慶喜の出現を阻止したいと考え、大久保は、京都郊外に隠棲《いんせい》していた岩倉具視《ともみ》との関係を緊密化させます。これ以降、岩倉は朝廷内に支持勢力を広げ、幕末政局に頭角を現すことになります。

慶喜は、六七年一月一〇日（慶応二年一二月五日）、征夷大将軍の座につき、大久保ら幕府壊滅派を失望させます。その二〇日後、孝明天皇が崩御★しました。攘夷論者でしたが、倒幕論者ではなかった天皇の死は、政局を揺さぶります。これには毒殺説があって、岩倉具視がかかわっていたという説がかつては有力でした。しかし、今日では痘《とう》

●街中にそびえる小倉城（北九州市小倉北区で）

◉孝明天皇の崩御

孝明天皇が亡くなったことを知った岩倉具視は、同志の国学者への手紙で、「仰天驚愕……千世万代の遺憾」と嘆き、「投身尽力と存じ候処、悉皆《しっかい》画餅《がべい》となり」と書いた。岩倉は、孝明天皇の力量・政治的能力に期待し、孝明天皇が万機を親裁する国家体制をイメージしており、岩倉が構想する「王政復古」は、孝明天皇を抜きにしては考えられないものであったという（佐々木克『幕末の天皇・明治の天皇』）。

瘡《そう》による病死であるとみられています。

　二月一三日、睦仁《むつひと》親王の践祚《せんそ》の儀がおこなわれ、新天皇が誕生します。のちの明治天皇です。満一四歳の幼い帝でした。

「ええじゃないか」の乱舞

　日本国内は、五八年に開港してから一〇年間、猛烈なインフレーションに見舞われました。物価は、全国的な米不足から大変な飢饉を招いた「天保の飢饉」（一八三三―三三年）の頃に上昇し、そのあとは緩やかなインフレが続いてきました。ところが、一八六〇年代に入ると、物価は急激に上がり始め、八〇年代前半にピークを迎えました。とくに米の不作も重なった七〇年頃、米の価格は開国前後と比べ五倍以上になったといわれます。

　こうした米価など諸物価の高騰は、江戸の庶民を直撃しました。幕府は六五年夏、江戸の町会所で困窮者に救助米・銭を配布。六六年一二月には、町奉行が貧民を収容していた救助小屋に新しい収容者を入れるため、すでに収容してから五〇日以上たった者に一時退去を要請。五〇日未満で自発的な出所者には米を支給する旨を通告した、という記録が残っています。

　このインフレの原因としては、外国との金銀比価の違いから金貨が流出し、改鋳《かいちゅう》によって安っぽい小判が増えてしまったこと、各藩が財政難から藩札を増し刷りしたこと、農産物価格の上昇などがありました。このため、実質賃金が目減りした職人や労

●「豊饒御蔭参之図」

働者たちが米屋などを襲う「打ち毀《こわ》し」や、凶作で小作料に苦しみ、食べられなくなった百姓たちの一揆が続発しました（中村隆英『明治大正史（上）』）。

大坂では、幕府の長州征討に動員された兵士たちの食糧需要の高まりから、米不足が生じて米価が急騰、打ち毀しが発生します。まもなく江戸でも打ち毀しが起き、その後、川越や秩父地方にも波及し、男たちは「世直し」を叫びました。そして、朝敵の長州征討の終わりが伝えられると、大坂では、多数の民衆が「ええじゃないか」と声を出して踊り始めました。

この「ええじゃないか」は、「お陰参り」★の流行と関連があり、伊勢神宮などの神々のお札が降ったとされたことをきっかけに、人々が各地で踊り狂いました。まず東海地方に始まり四国や東北にまで広がりましたが、幕府に対する民心の離反を象徴する現象でした。

◉お陰参り

江戸時代、伊勢信仰の普及に伴い、庶民の間では「一生に一度は伊勢参り」という慣習が広まった。六〇年を周期に大規模な集団参拝が盛んになり、一八三〇（天保元）年には、老若男女の参加者が約五〇〇万人にも達した。そこでは親や主人の許可を得ず、旅行手形もなく家を出てしまう「抜参《ぬけまいり》」がはやったという。

7　「最後の将軍」最後の選択

徳川慶喜の巻き返し

徳川第一五代将軍・慶喜《よしのぶ》は、一八六六年九月、長州藩と休戦協定を結んだ直後、兵器・軍艦など軍需品購入のため、フランスとの借款（六〇〇万ドル）契約を成立させます。

慶喜は、永井尚志を若年寄《わかどしより》（老中に次ぐ重職）に任命するなど抜擢《ばってき》人事で周辺を固める一方、内政改革、とりわけ軍制改革を進めました。フランス公使・ロッシュとも相談し、フランスから陸軍教官を招いて歩兵、騎兵、砲兵などの常備軍を創設します。老中たちに陸軍、海軍、会計、外務など事務分担制（内閣制）を敷きます。留学帰りの津田真道や西周《あまね》には、国際法に関する翻訳や、行政機構近代化のための二院制的会議体構想などを提出させました。

ロッシュは、天皇の許可を得なければ、何もできないというような現状はおかしいとし、「少年天皇を教育して天下統治の任は幕府にあることを知らせるべきだ」と、慶喜に進言したといわれます。外交団から慶喜は「私がこれまで見た日本人の中で最も貴族的な容貌をそなえた立派な紳士」（イギリス公使館通訳のアーネスト・サトウ）と見

●フランスの軍服姿の徳川慶喜

られ、イギリス公使のパークスも慶喜を評価し、期待感を抱きます。

幕府権力の強化を図る慶喜について、岩倉具視は「軽視すべからざる強敵」と受け止め、木戸孝允も「じつに家康の再生を見るようである」と語った。徳川初代将軍・家康のように、将軍自らが文字通り、幕府の指導者となったとみたのです。ただ、フランスの軍服に身を包んだ写真が残されているように、慶喜のフランス傾斜ぶりには、日本の半植民地化をもたらしかねないという批判も出ていました★。

六七年当時の政治争点は、これまで見送られてきた兵庫開港の勅許★と長州処分案でした。

慶喜は四月九日、兵庫開港の勅許を求めます。朝廷は、孝明天皇が存命中、拒み続

◉仏の対日政策変更

慶喜の攻勢は、フランスの援助にかかっていた。ところが、この時期、ロッシュを支持していた外相が辞職し、対日外交は大きく変更されることになる。新外相は、ロッシュの日本に対する露骨な内政干渉に懸念を示すとともに、雄藩が幕府に勝った場合の報復の恐れを指摘。諸藩に接近するイギリスのパークス公使の政策をほめあげて、ロッシュの幕府支持政策を否定。ロッシュは抵抗して新外相と対立する中で、本国政府の支持を失っていった（石井孝『明治維新の舞台裏』）。

◉兵庫開港問題

安政の五か国条約では兵庫の開港は一八六三年一月一日となっていた。六二年、幕府は遣欧使節を派遣し、イギリスとロンドン覚書で兵庫開港を五年間延長した。ところが、六五年、英仏米蘭の四か国代表が、軍艦で兵庫に来航し、条約の勅許と兵庫の早期開港を要求し、条約は勅許されたが、兵庫開港は不許可となった。慶喜は、六八年一月一日の開港期日が近づいたこと、強く反対していた孝明天皇が死去したこと、イギリスの要請など踏まえ、開港の勅許を要請した。

けていた政策であるとして拒否。同二六日、重ねて天皇の裁可を請いましたが、認められませんでした。岩倉具視や薩摩藩の大久保利通らが背後で勅許しないように働きかけていたといわれます。これに対して、慶喜は五月二日、大坂城でパークスやロッシュらと会見し、兵庫の開港を約束します。外交権は幕府にあることを改めてアピールしたのです。

六月二五日、島津久光、松平慶永、山内豊信、伊達宗城《むねなり》（伊予宇和島藩主）の四侯らが出席した朝議の席上、慶喜は、朝敵の長州藩に対する寛大な措置と、勅許による兵庫開港を求めました。慶喜は威嚇も交えつつ、朝廷側の抵抗をねじ伏せ、二六日、兵庫開港の勅許に持ち込みます。慶喜の勝利でしたが、その強引な手法と四侯会議の決裂は、薩摩、長州による武力倒幕の機運を高めることになります。

「船中八策」とデモクラシー

こうした中、将軍から朝廷に政権を奉還させる「大政奉還」の動きが本格化します。六七年七月、暗殺される前の坂本龍馬が編み出した「船中八策《せんちゅうはっさく》」が、その出発点でした。龍馬は京都に向かう船中で、土佐藩参政の後藤象二郎《しょうじろう》★（一八三八―九七年）に、この新しい国家構想を示したのです。それは次のようなものです。

一、天下の政権を朝廷に奉還せしめ、政令よろしく朝廷より出《い》づべき事

一、上下議政局を設け、議員を置き、万機を参賛せしめ、万機よろしく公論に決すべき事

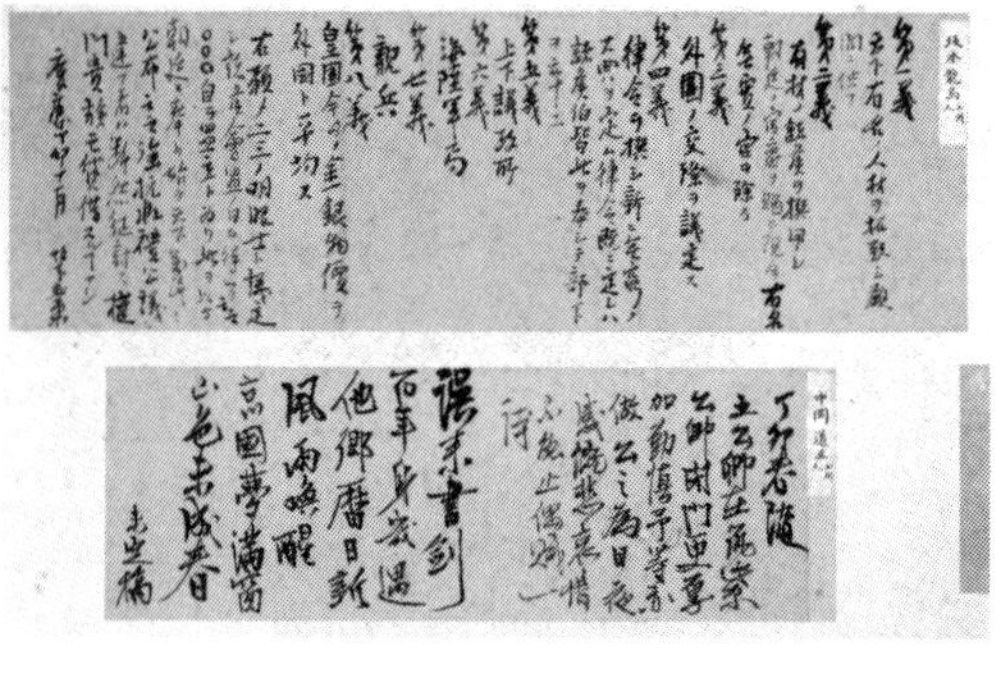

●船中八策覚書

一、有材の公卿《くぎょう》・諸侯および天下の人材を顧問に備へ、官爵《かんしゃく》を賜《たま》ひ、よろしく従来有名無実の官を除くべき事
一、外国の交際広く公議をとり、新に至当《しとう》の規約を立つべき事
一、古来の律令を折衷し、新に無窮《むきゅう》の大典（憲法）を撰定すべき事
一、海軍よろしく拡張すべき事
一、御親兵を置き、帝都を守衛せしむべき事
一、金銀物価よろしく外国と平均の法を設くべき事

この二番目にある「議政局」は、今日のような代議制の議会ではありません。幕府が朝廷に政権を委ねても、朝廷には政権担当能力がありませんから、新しい政権の受け皿として、諸侯会議に類似した「公議政体」を提案したわけです。ここでの「万機公論に決すべし」に、日本におけるデモクラシーの先駆的な思考を読みとる論者は少なくありません。

●後藤象二郎

◉後藤象二郎

土佐藩の出身。藩参政の吉田東洋の知遇を得て、開国進取論の影響を受け、江戸開成所で航海術を学んだ。やがて藩参政に昇進して藩の実権を握り、坂本龍馬らと公議政体論を唱えて、前藩主・山内豊信の名で大政奉還を建白した。維新政府が成立すると、参与・参議などを歴任。西郷隆盛らとともに征韓論に敗れると、参議を辞職して下野した。七四年、副島種臣、江藤新平らと、日本で最初の政党である愛国公党を組織。板垣退助らと民撰議院設立の建白書を提出し、八一年に板垣を党首とする自由党を結成する。八九年以降、逓信相、農商務相を務めた。

『竜馬がゆく』

さて、作家・司馬遼太郎のベストセラーに『竜馬がゆく』があります。司馬はこの小説の中で、「船中八策」について、マリアス・ジャンセン『坂本龍馬と明治維新』から以下の部分を引用しています。

坂本の草案には以後、二十年にわたり日本を風靡《ふうび》する近代的な諸観念がすべて盛りこまれていた。老いくちた愚劣な諸制度の一掃、統治形態と商業組織の合理的再編成、国防軍の創設などである。……それは武力を要せずして幕府転覆を可能ならしめようとする方策であった。……

明治維新の綱領が、ほとんどそっくりこの坂本の綱領中に含まれている。その用語はやがて一八六八年の『御誓文』にそのままこだまするし、その公約は、一八七四年に板垣、後藤が民撰議院設立運動を始めるときの請願の論拠となる。

「船中八策」は、このように明治の国家構想に生かされていくわけですが、この局面では、挙兵倒幕を抑止し、平和裏の政権交代を促す名案だったのです。

土佐藩は六七年七月二三日、倒幕の武力計画を練り始めた薩摩藩と会合を開きます。土佐藩から後藤や福岡孝弟《たかちか》ら四人、薩摩藩から小松帯刀、西郷隆盛、大久保利通が出席。会談を周旋した龍馬と中岡慎太郎も同席し、ここで生まれたのが「薩土盟約」です。

●高知市の桂浜に立つ坂本龍馬像

1989年11月創立　1990年4月創刊

月刊

機

2022
7
No. 364

発行所　株式会社 藤原書店©
〒一六二―〇〇四一　東京都新宿区早稲田鶴巻町五二三
電話　〇三・五二七二・〇三〇一（代）
ＦＡＸ　〇三・五二七二・〇四五〇
◎本冊子表示の価格は消費税込みの価格です。

編集兼発行人
藤原良雄
頒価 100円

脳溢血で斃れた後、「政治の倫理化」運動、対露交渉など、鬼気迫る最晩年の行動とは？

〈特別寄稿〉

生命を賭けた最晩年の後藤新平の活動
――プロジェクト型天才の本領発揮――

明治大学名誉教授
元東京都副知事
「後藤新平の会」代表幹事
青山 佾

後藤新平（1857-1929）

関東大震災（一九二三年）からの復興に心血を注いだ後の後藤新平は、二度の脳溢血に見舞われながらも、日本の未来を憂えて、様々な活動に邁進する。来るべき普通選挙権を行使できる若者たちに訴えた「政治の倫理化」運動で全国を行脚。日ソ関係が日本という国家の未来に重要であることを認識して、極寒の地モスクワにシベリア鉄道で行き、スターリン、カラハンらと会談して日ソ漁業条約の調印へ。後藤新平を知悉する青山佾氏に最晩年の後藤の行動について特別寄稿戴いた。

編集部

● 七月号 目次 ●

後藤新平は、一九二三年九月一日の関東大震災のあと内務大臣兼帝都復興院総裁として震災復興に邁進した。しかし十二月二七日、摂政宮（のちの昭和天皇）を男が銃で襲撃する虎ノ門事件が発生し、山本内閣は総辞職し後藤も野に下った。六六歳のときである。

その後も後藤は正力松太郎の読売新聞買収に協力したり、東京放送局（のちのNHK）初代総裁や次代を担う青少年の育成に励んだりしていた（少年団〔現・ボーイスカウト〕初代総裁）が、一九二六年二月、一回目の脳溢血の発作に見舞われる。

このとき死を現実のものとして強く意識したためもあってか、その二ヶ月後に立ち上げた普選準備のための全国遊説の「政治の倫理化」運動を始めとして、後藤の最晩年の活躍は鬼気せまるものがある。

「政治の倫理化」運動に邁進

「政治の倫理化」運動を始めたのは、既に法律が帝国議会を通っていて、二十五歳以上の男子のみを対象とする普通選挙が始まるからである。後藤は医師だから脳溢血の発作から自分の寿命の限界を知ったためもあるだろう。純粋に、「自分は後世に何を残すか」を考えた。無党派の後藤は、党利党略に走り大局観を欠く各政党の争いを見ていられなかった。特に「政治は力なり」として多数を獲得するために手段を選ばない政党政治家を糾弾して歩いた。

だから演説の最初には「**この政党政治革新運動の目的は政権獲得ではない。選挙の腐敗は、有権者に倫理の観念が乏しいからだ。**」私は一二〇〇万人の有権者、三〇〇万人の旧有権者合わせて一五〇〇万人の有権者に訴えて、政治道徳の徹底を期す」と強調した。

そして「今の政治家は政権欲にかられ、日本の国際間における地位の上下などは一切失念している」と訴え、拍手を浴びた。

演説の最後には、「**真の日本の建設者は、私らの倒れたあと屍を乗り越えて進む無名の青年たちであることを信じて今日の青年の奮起を絶叫しているの**であります」と結ぶのを常としていた。

自分の死期を悟っているからこれは本音である。娘婿の鶴見祐輔には、「**自分はこの新しい政治運動のために、財産も命も投げ出す決心だ**」と語っている。

後藤の「政治の倫理化」運動は結構人気があって、全国から講演依頼が来た。講演会にはずいぶん客が入った。

また、並行して大日本雄弁会講談社から発行した『政治の倫理化』という小冊子は、全国の新聞に一斉に出した広告も話題を呼んで、百万部も売れて、当時の日本でこの冊子を手にしたことのない人はいないと言われたほどだった（現代語訳は藤原書店刊）。

　この倫理化運動には阪谷芳郎、新渡戸稲造や永田秀次郎ら旧知の同志や後輩の多くが協力した。「**党派より国家全体を重んずべし**」そして、「**党利党略に長けているだけでなく、広い視野で将来を見通す、本当の指導者としての政治家を育成せよ**」という新平の考えにみな、賛同したのである。

▲青山佾氏（1943-）

　後藤の「政治の倫理化」運動は一年間の全国行脚、後藤自身の演説回数は一八三回に達し、普選準備会の会員は二十五万人を超えた。しかしこれは政党運動ではないので、一九二八年の普通選挙実施を機会にこの会は解散した。

　日本の民衆の政治意識を高めなければならないという後藤の思想は、人生を通じて一貫している。一九二二年九月、東京市長時代にニューヨークからチャールズ・A・ビーアドを招聘し、全国で講演会を開催して地域自治を中心とする民主主義の意義を説いて歩くことを依頼したのも、同じ発想である。そのとき、後藤は関西での演説会についてはすべてビーアドに同道している。

　政党の争いの弊害について後藤は身をもって体験してきていた。東京市長時代においてもそうである。関東大震災の復興計画を大幅縮小されたのもそうである。自身の経験から語るから後藤の「政治の倫理化」という訴えには迫力があった。「**政党の争いによって世界の中の日本が見失われる**」という後藤の主張は、まさにその後の日本の不吉な進路を暗示していた。

病いをおして訪ソしスターリンと会談

　後藤はこの間、一九二七年八月に二度目の脳溢血の発作で倒れた後、いったんは回復して、同年一二月ソ連を訪問した。せっかくの日ソ国交回復後も日ソ関係が実質的に好転しないことを、新平は「日本の将来を危うくする」と心配していた。

　明治・大正を通じて、日本はつねに大国ロシアに怯えながら発展してきた。そのロシアにおいて一九一七年、社会主義革命が起こり、内戦や各国の干渉を経て五年後にソヴィエト社会主義共和国連邦

▲アドルフ・ヨッフェと後藤新平
（奥州市立後藤新平記念館所蔵）

の成立が宣言されたことは、日本人にとってさらに大きな未知の恐怖が発生したことを意味していた。当時から後藤は「わが国にとってソ連との交渉は国家の大事である」と説いていた。東京市長当時の後藤がソ連の極東全権代表ヨッフェを、私的に日本に招請し交渉したことは世間の耳目を集め、新平の大衆的人気はますます高まった。

　これに対して右翼が強く批判し、内務省や外務省も冷淡な態度をとっていた。国際的孤立の中で民衆の生活や文化が逼塞状況にあり、一部には社会主義運動も起きていて、社会主義ソ連に対する不安感や拒否反応は政府にも国民一般にも強かった。

　だが後藤は、**「日本の安全と発展は日ソ国交回復によって確保するほかない」という確信をもっていた。**後藤は台湾総督府と満鉄の仕事を通じて日本の国際的地位を冷静に把握し、ソ連や中国との平和的関係の大切さを誰よりも体験的に実感していた。後藤の市長辞任後、ヨッフェの非公式ルートは政府間の正式ルートに変わり、結局は一九二五年の日ソ国交回復をもたらすことになる。

　しかしその後も日ソ関係は不安定で、日本はソ連におびえていた。そこでもともと日ソ国交の道を開いた後藤は、病いをおしてソ連に行ったのである。このとき後藤は中国観についてスターリンと有意義な会談をしている。スターリンは後藤に対して、「日本は支那の社会運動の真相を理解していない。この社会運動は基本的にナショナリズムに発している。かつて不平等条約に苦しんだ日本はこの運動を理解すべきだ」と指摘した。

　後藤は逆に、「ソ連はことを急ぎすぎる。特に支那の赤化運動がそうだ。支那には旧文明の根が深く、赤化に成功したと見えてもそれは表面的なものだ」と主張した。

　台湾や満鉄など植民地経営、東京の震災復興やソ連との外交交渉と、後藤の仕事は多岐にわたって一見脈絡がない。しかし、このころ、欧米列強と日本との関係は食うか食われるかだった。植民地の殖産興業・文明化と日本の都市の近代化、そして外交面で日・中・露三国提携の道を模索したことはいずれも、日本が欧米の植民地として呑み込まれないための生命線として一貫しているのである。

三度目の脳溢血で他界

しかし後藤には人生の残り時間がもうなかった。坂道を転げ落ちていくこれ以後の日本の外交や戦争を見届けることができなかったのは、後藤にとってむしろ幸いだったのかもしれない。

後藤は一九二九年四月三日、東京駅から岡山へ向かう夜行列車の中で迎えた朝、米原近辺で三度目の脳溢血の発作で倒れ、一三日早朝、京都府立病院で死んだ。

後藤には、維新の元勲たちと違って、天皇の呪縛がなかった。藩閥、学閥、閨閥の呪縛がなかった。功名や首相の座という呪縛がなかった。だから自由な発想ができたのである。

普通選挙が一九二八年ではなく、もっと早く行われていたら、大衆的人気のある後藤が首相になれたかもしれない。しかし首相の座をねらうという野望があればこれだけの仕事はできなかっただろう。仕事に専念したからこそ、後藤新平は、明治・大正を通じて日本の近代化の一翼を担うことができた。

後藤は脳溢血の発作により死を覚悟したことによって、晩年はすさまじいまでにプロジェクト型天才の本領を発揮した。

このとき、後藤には日本の未来がはっきり見えた。それは、日本が無謀な太平洋戦争に堕ちていく過程ではなく、そのあと敗戦の焼け跡から不死鳥のように立ち上がっていく姿だった。

享年七十一。遺骨は青山霊園に埋葬された。

（あおやま・やすし／自治体政策・都市政策）

体の左側だけに現れる「アシンメトリ現象」は、何を意味するか？

モナ・リザの左目——左右非対称化する人類のゆくえ

美術家　花山水清

人類の左半身に現れた異変「アシンメトリ現象」とは？

本書は私が数回にわたって武蔵野美術大学で講演した内容がベースになっている。私を講師として呼んでくださった関野吉晴先生は文化人類学者であり医師でもあるが、テレビ番組の『グレートジャーニー』シリーズの探検家としてご存じの方が多いだろう。

この講演は先生の研究室が主催する「地球永住計画」の連続講座の一貫として行われたもので、それまでにはさまざまな分野の専門家が登壇していた。そこで私は、美術家として長年人体を観察して発見した「アシンメトリ現象」の話をさせていただいたのである。

「アシンメトリ現象」とは、ある日突然、人体の左半身の形と知覚が変化してしまう異常な現象だ。本来なら左右対称であるはずの体が左右非対称になる。しかもそこには「左にだけ現れる」規則性まで存在している。単なる左右非対称な現象を扱った学問分野は多いが、その非対称性が左側だけという側性をもつと、それは全く別次元の話になる。まずはそのちがいをしっかりと認識していただきたい。

この現象は私が発見するまでだれにも知られていなかった。だがちょっとしたきっかけでだれにでも現れる。もちろん私の体にもある。SF映画でいえば、人類が全く気づかないうちに宇宙人によって刻印されたイニシエーションのようで、一旦これが体に刻みこまれてしまうと自然に消えることはない。またかんたんに取り去れるものでもない。

さまざまな疾患との関連

しかもこの現象は腰痛からがんに至るまで、驚くほど多くの疾患と密接に結びついていることがわかった。しかしそういった個々の疾患よりもさらに深刻なのは、この現象が人類にとって危機的な意味を持っている点だ。体が左右非対称になるのは単なる個性ではない。絶滅に向

から種に見られる特徴的な現象の一つなのである。

「アシンメトリ現象」そのものは太古の昔から世界各地に存在していた。ところが近年は急激にその割合が増加し、今や世界中で新生児にまで頻繁に見られるようになっている。これは**「アシンメトリ現象」の原因となっている有害物質がこの半世紀で環境中に急増した結果である。その影響がそろそろ閾値に近づいているのかもしれない**のだ。

花山水清氏（1956-）

この現象の存在に危機感をもった私は、二十五年以上にわたってあらゆる角度から調査と原因解明の研究を続けてきた。その範囲は私の専門である美術に始まり、医学や人類学、生物学、歴史、民俗学、果ては古病理学にまで至る。その全てを本書で網羅しようとすれば、内容が断片的にならざるを得ない。だがそこに通底するのは、この現象の影響力の途方もない大きさなのである。

ここでお伝えするのは、これまで私が調べ抜いてきたあらゆる事柄を、「アシンメトリ現象」というフィルターを通して再構築した結論だ。もちろんこの現象は新発見であるがゆえに、どの分野の教科書にも載っていない。これがすでに教科書に載っているようなことなら、そこから引用するだけですむからかんたんだろう。逆に全く未知の現象を一から説明するのはなかなか難しいものである。

美術の世界では、何よりも作品のオリジナリティが求められる。ところがゴッホやセザンヌのようにオリジナリティにあふれた作品は、同時代の人からは全く評価されなかった。時代が変わり、見る人の目が変わって初めて名作だと評価されるようになったのだ。

その点、本書の内容は私の発見であるから全てがオリジナルである。これは同時代の読者の目にはどのように映るだろう。そう考えるといささか心もとない気もする。しかし本書を通して美術家の目が捉えた世界を追体験していただければ、これまでとは全くちがう世界が見えてくるはずだ。

「アシンメトリ現象」の調査でペルーの国立考古学人類学歴史博物館を訪れた際にも、私の研究の概要を読んだ同館のイルダ・ヴィダル博士は、「私はこれまで、骨をそんな目で見たことがなかった」と

「ダ・ヴィンチ以来の快挙！
美術家の透徹した観察眼が、
人類の見方を、
根本から変える。」
探検家・医師
関野吉晴

いって興味を示してくださった。

本書を読み終えたとき、あなたにも「そんな目」を獲得していただけること、そして今後はその目を活かして、人類共通の問題である「アシンメトリ現象」に興味をもっていただけることを心から願っている。

宮本常一先生から学んだこと

私の専門は美術である。だが学生のころは、「旅する巨人」とうたわれた宮本常一の民俗学に傾倒していた。その宮本先生と二人で、吉祥寺にあった武蔵野美術大学の民俗学資料室から駅までの道を歩いて帰ったことがある。

資料室から駅までは二〇分くらいの距離だった。いつもは大きな道を二度ほど曲がれば駅に着く。しかし先生はそんな道は通らないで細い路地から路地へと曲がってゆく。そして古い民家の軒先に立ち止まっては、「この家の造りはどこそこの地方のもので」と楽しげに話し始める。それが終わるとまた少し歩いては立ち止まり、その場所ごとに過去の人間の移動と歴史について事細かに教えてくれる。さらに「この木は」「この草は」「この石は」と目につくもの全ての解説をしてくれた。

そうやって最後の路地を抜けたとき、いきなり目の前に見慣れた駅前の雑踏が現れた。時計を見ればほんのわずかな時間であるのに、どこか遠くの静かな町を旅して帰って来たようだった。この旅によって私は宮本先生から見ることと学ぶことの意味を教わった気がする。

今では自然科学の分野ですら、研究テーマは自然からではなく研究室から始まる。それでは研究のための研究だ。**宮本先生は**民俗学者であったが、民俗学を研究したわけではない。**目の前の事象に疑問をもち、とことん追究し続けた結果の蓄積が民俗学になった**のだ。

私が四半世紀を費やしてきた「アシンメトリ現象」の研究も、この宮本先生の手法を踏襲している。だから学問としてはどのカテゴリーにも属していない。美術だといえば美術界から異論が出る。医学だといえば異論どころか猛攻撃を受ける。自分としては小学生の自由研究の

延長みたいなものだから、どこにも何の利害関係もない。**子どものように「なぜ、どうして？」とひたすら知りたいことを追究してきただけである。**

幼いころは目に映るもの全てが新発見の連続だった。発見はすなわち驚きである。驚きは深く心に刻まれる。だから子どもの時分の記憶はいくつになっても鮮明なのだろう。

しかしいずれ何を見ても心が動くこともなく、淡々と時が過ぎるようになる。感動がないから、朝何を食べたのかも忘れてしまう。それが大人になるということかもしれない。

実は**美術も医学も発見の集積を分類した学問**なのである。**その発見の一つ一つには先人の感動があった。**ところがいつしか、発見はだれかが分類したカテゴリーのなかから見つけるものになった。様式を踏襲することに力点を置き、カテゴリーに属さない発見は発見だとはみなされなくなってしまっている。

そもそも新発見というのは同時代の人からは評価されにくいものである。発見は発見者一人で完結するものではない。その発見が新しい発見であることを、他のだれかに発見されなければならないのだ。できることなら本書がそのきっかけになってくれることを期待している。

（本文より抜粋／構成・編集部）

（はなやま・すいせい／美術家）

モナ・リザの左目

非対称化する人類

推薦＝関野吉晴

花山水清

四六上製　三一二頁　二四二〇円

■目　次

沖縄の"本土復帰"を、思想・文化・歴史から、今、多角的に問い直す。

絶対不戦の思想

――『復帰五〇年の記憶――沖縄からの声』刊行にあたって――

詩人 川満信一

節目の年に

復帰五〇年、沖縄戦後七七年の節目として、新聞や雑誌・出版物、テレビなどで様々な企画が展開されている。まず復帰については、生活水準の上昇に重きをおいて、「良かった」と肯定する層と、相変わらずの所得格差を不満として、「良くない」と答える層に分かれた。

しかし、戦後七七年という節目に関しては「戦争はしてはいけない」という意思表示が殆どである。ところが、政治が絡みだすと、自分を守る、家族や国を守るという本能的な保身の意識が刺激されて、日米安保体制を良しとし、場合によっては自衛隊の先制攻撃を良しとする意識へ分かれていく。

最先端に立たされる沖縄

沖縄がウクライナと同じく、情況の最先端に立たされていることは、皆が気づいているところである。こうした世界的潮流を、資本主義の第三次革命期と捉える意見がある。

その見方に従えば、第三次革命のバトルがハードランディングになるか、ソフトランディングになるかで、人類史規模の――例えばノアの箱舟のような決定的事態が生じるという。

終末史観は古代から繰り返されてきたが、人類は終末的事態を幾度もくぐってきたように思う。ただ、いままではその〈事態〉に地域差や時間差があり、それぞれの神話へ昇華されてきたのだった。ところが政治・経済・文化など、支配制度が国境を超えてスモーキーに相互浸透したグローバリズムの現代では、一蓮托生の共死的条件が強化されている。

（そのために、常民に過ぎない専門外のものでも、目撃している事態を分析し、その組織的矛盾を克服するイマジネーションを大いに発信する必要があると思う。）

人の性をめぐって、性善説と性悪説が唱えられてきたが、概念（言葉）の軸に己を縛るために結論は極端へ向かい、性善と性悪は分離したままだった。また戦争と平時の犯罪を同一レベルで考えるから、事態に対する判断が混乱する。

制度の矛盾としての戦争

戦争は制度の矛盾から結果する。クラウゼヴィッツの『戦争論』が、企業競争の戦術として応用されるのも、制度上の共通性である。軍人として戦争に参加することは、片方の制度に順応することである。どこの国でも旗印は正義であり、正義に準じて、国を守り、家族を守るという理屈になる。危害を加えるものを撃ち殺し、悪を懲らしめる。ここでは実存的性悪説と性善説が矛盾なく接ぎ木されている。

川満信一氏（1932-）

憲法は制度であり、それに従うことは制度を生き死にすることである。一方、子や孫が目の前で殺されるときの心的反応は実存である。制度を背中に事態に対処するか、実存的リアリティーで対処するかは、文化や宗教の違いなど事態は千差万別であり、次元の異なる問題を混同させてはならない。

吉本氏も言うように、日本の憲法九条は第二次世界大戦を潜って手に入れた宝であり、非戦を、実存的次元から制度的次元へ引き上げた人類史初の思想であった。

近代国民国家の病理として制度化された軍隊は、国家間の政治的交渉の課題を、結局は戦争で決着をつけるという方法しかもたない。しかし、技術の進化が戦争の在り方を変えてしまって、戦争を政治の延長と考えた時代から引き離してしまった。かつては、正義の片鱗もあったかも知れない戦争だが、いまはジェノサイドの悪でしかない。

白旗の思想

ウクライナ戦で気づくまでもなく、現代の戦争はにわか雨と同様、あるとき、いきなり空から襲ってくる。**平時においてもこうした危機的な心理の抑圧を耐えつつ、不条理を生かされている**のである。**そこから脱出するためには、**戦線から脱走する兵士のような、**ぎりぎりの意思が必要**だろう。その意思の支えとなるのが憲法九条であり、わたしが「**琉球共和社会憲法私案**」**で提起した〈白旗の思想〉**だった。インドのガンジーの、〈無抵抗の抵抗〉の思想をさらに未来へ発展させる構想である。

憲法九条は、こうした時代の変化において、人間が天寿を全うする唯一の制度規定だとみる。〈天寿全う〉とは制度死と実存死が限りなく近づいて矛盾しないことである。

憲法九条の〈**絶対不戦**〉の思想を、現実に引き据えて考えると、戦わずして降参することであろう。問題の解決手段として、戦備もしない、戦争という方法も取らない、と宣言しているのだから、相手が攻めてきても白旗を掲げ、一応は〈降参します〉と対応するしかない。

つまり、沖縄戦で震えながら白旗を掲げ、壕から出た少女の〈**負ける勇気**〉が必要とされる。少女の場合、自分の意思ではなく、日本軍や、壕で一緒の島の大人に脅迫されての行為だったことも考えられるが、未来構想の〈絶対不戦〉の思想では、白旗に託した〈負ける勇気〉として主体的、意志的に立て直す、ということである。この〈絶対不戦〉の白旗の思想を、どこまで忍耐強く世界に認識させるか、そこが勝負どころだったが、堪えきれずに失敗してしまった。いま、日本は〈不戦憲法〉という〈偽旗作戦〉で世界に対応している。自衛隊を国連軍に移して、九条の非武装を再度国是とするか、玉砕を覚悟の〈偽旗作戦〉を押し通すか、際どい政治選択の岐路に立たされている。

負けん気の強いヤマト民族が、白旗を掲げて、戦わずして降参するというのは、あり得ない話のようにも思える。過去の歴史事例を見ても、〈外交〉という問題解決には高度の知性と忍耐を要し、非知性的な感情的短気では失敗している。

向かって行くだけが勇気ではなく、負ける勇気を九条の理念は促している。スポーツと憲法は次元の違う問題だが、九条を背にした外交は、柔道のように相手の力に負けて、その力の赴く方へ〈負けるが勝ち〉の成果を得るのである。一六〇九年の島津侵攻以来、〈空道の思想〉*を活用して外交し、強さをはぐらかして、諸外国との不利な条約をも忍耐強く改正の時まで待つという、非武装の弱小国・琉球では九条の〈絶対不戦〉の理念は神様にも相当する。

*相手の政変を予想して、文書の宛名を空白にし、現場＝中国へ行ってから新皇帝名を書き入れて奏上する方法。

戦争と基地への抗議

アメリカの核の傘の下の安全から、さらに一歩踏み出して核共有を欲望する政権の下で、いよいよ空も海も島も戦禍の予兆を孕んでいる。かつて国境は、相互の軍隊がいたずらに衝突しないため、グレーゾーンとして懐をもっていた。それが尖閣列島などに見るように、神経筋のような線になって、一触即発の危険を孕んでいる。沖縄は大陸間弾道の標的にならないよう至るところに白旗を掲げ、厄払いをするしかない。

戦後七七年、復帰五〇年の記憶を洗い直しても、相変わらず戦争の危機と、日米の基地の重圧に対する抗議である。それでも執筆者たちは、政治・思想サイド、文化・思想サイドの各面から、情況の打開を試み、希望を摑もうと努力している。すでに他界された方々もいるが、本書の提言を遺言として、若い世代にバトンタッチしたい。

(本書より/構成・編集部)

(かわみつ・しんいち/詩人)

天草・島原の事件を描いた戯曲『沖宮』の初舞台を映像化。

天の億土——語り劇「沖宮」

石牟礼道子

キリシタン殉教事件である天草・島原の事件を舞台にした小説『春の城』の完成後、石牟礼道子は二〇一二年、同じ世界を描いた戯曲「沖宮《おきのみや》」を発表した。その「沖宮」を、佐々木愛を主役とする劇団文化座が、二〇一六年、初めて舞台化。この舞台を、金大偉監督で、この度、記録映像DVDとして作品化した。『春の城』についての石牟礼道子さんインタビュー、二〇一六年の舞台化に寄せられた石牟礼さんのメッセージ、「沖宮」の作品概要を掲載する。（編集部）

〈インタビュー〉「春の城」を語る

これは島原の乱なんです。日本が鎖国に入る原因となったと言われているキリシタンの乱、農民たちの反乱といいますか、一揆といいましょうか、そういう事件がございましたけれども、四百年前とはいえ、身近な天草、島原地方で起きていますもので。先祖たちもなだれをうって参加したんではないかと思っていたりして。

ほんとうに書こうと思ったのは、水俣の患者さんたちと、もう三十年ぐらい前、チッソ本社のあるビルの前の道端、東京駅の八重洲口のそばですが、そこで座りこみをしていた時から、いやいやさらにもっと前、前から事件が起きました天草・島原界隈に先祖たちはおりましたので、母がまた隠れキリシタンではないかと思われるふしもございまして、それを確かめないままに死にましたんです。まず物書きになる前に、もっとさらに若い時から関心があって、どういうことがあったんだろうって。幕府軍が十二、三万もこの辺土まで来て、原城に閉じこもった三万人のしかも女子供、老人たちを、なぜ皆殺ししたのか。あるいはまた、幕府軍に、武器も持たぬ百姓漁師が手向ってどうなるのか。いくら考えましても、勝ち目のない戦さに、地侍たちももちろんいるんですが、ふつうの百姓、漁師が、どうして戦さをする気になってゆくのか、非常に心惹かれておりまして、一体どういう世の中で、人々はどんな考えを一人一人がもっていて、どんな生き方をしていたんだろうって、思っておりました。

とくに文字なき人々の無意識界の中に踏みこんでみたい、広がってみたい気持があったんです。書こうと思ったのは、やっぱりあの座りこみでした。あれをしたことによって、原城で死んだ私の先祖たちの魂が来て乗り移ったんだろうと、いま思います。着のみ着のままでいって、鋪道の地べたに座って、雪の降る夜もあった。冬の寒い時に明日のあては何もないのに、食べ物もお金も何もないのに、チッソの前に座って、患者さんたちといっしょに、飢え死にしたって、あるいは機動隊にぶっ叩かれて、引きちぎられて死んだって、なんていうことはないなと思ってました。恐怖もありませんし、むしろ気持ちが高揚して、この世の見納めに、人の心のさまざまをなんでも見せていただきましょうという気がしてました。それは患者さんたちの長年の受難に対応する人々を見てのことですけれども。何もかも見た。平知盛でございましたか、有名な言葉が、いまちゃんとは思い出せないんですけれども、「見るべきほどのことは見つ」、見ちゃったという最期の言葉がありますけれど、そういう気持ちになったんです。

石牟礼道子（1927-2018）

人間の歴史というのは、自覚できるのは自分一代のことですけれども、先祖たちも生き代わり死に代わりして、その中にはいい人生、社会的にも位人臣《くらいじんしん》をきわめて死ぬ人たちも、もちろんいるわけですけれども、そうでない人生もあります。**私はどう生きたいかというと、位人臣をきわめる方にはいきたくない。日々、生きるということの意味を全面的に受けとって、よくわからなくとも受けとって、納得して、そのとき、いわゆる貧しい境涯であったとしても、下の方から庶民のことを全部受けとめていくことで、人が生きるということの意味を、悲しみや苦しみをふくめて、一番どん底のところで私は知りたいという想いが、ずっとありました。**むりにどん底になったりはしなくともいいんですけれど、日常の時点で最低ということは何を意味するのか、道徳や美の基準でいう最下位ではなくて存在の基底部。そこで人間は、ほんとうに社会的な地位において最下位にあることはいけないことなのか、悲しむべきことなのか。たとえば幻の出雲大社の、三本杉の太柱を摑んで離さなかったであろうあの大地の力、あの基底部は、何を語らずにいるのかと。ずっと思っていました。この世を存立させる存在の基底部はどこかと。柱をどこに定めるか、その深いところは、と思いながらみていたんです。**その語らない存在の基層部が、いま私たちの足もとの大地ですもの。**患者さんたちを見ていて、どん底の状態でいて、希望というものをもつことができる。**肉体がある限界に達した時に魂はどうなるのか、魂はむしろより高いもの、より美しいものをめざして、なお生きようとする**んだと。そこにおいて、人がつながりうる絆というのはしっかりあるんだということを、いまになれば、**いろんな体験の中で、魂の位がさだまってゆく**ことがわかりましてね。**私は魂の位において美しくなりたいと思っておりました。**チッソの前に座った時に、何もかも見たというのはそういう意味なんです。「ああ、原城に閉じこもって死んだ人たちが日夜見た夢・幻はどういう幻だったろう」と思いましたけれども、**どういう人の一生の中にも花という瞬間があると思える。**そういうものになりうる、そういう幻を見ることができる。できれば、**生きた意味がそこに読めるような、幻とともに睡れるような。**

そうすると原城には何か美しい魂がゆきかっていて、人々はただもう一途に、来し方を振り返って昇天したに違いない。そんな魂をはげます信仰があったんだろうと思います。何しろ落城前にも四郎の名で信徒たちへの法度書きが配られて、**礼拝と日々の懺悔を怠らぬよう、善事をなせ、字の読める者は読めない者に読んで聞かせよ**とあります。そういう物語にしたいなと思っておりました。具体的な物語にして、一人一人等身大の人々を描きたいなと。**子供からお年寄りから、人間が美しいということが信じられる、そういう魂になって、あの世に行くことができる。それをとても書きたい**と思って、ぼつぼつ資料を集めて、それで何とか書きました。いま現在も生きていてちっとも
おかしくない親しい人たちの姿を借りて、魂が高貴なものになっていくという過程を書けたら、私自身がものを書くという大変贅沢なことが成しとげられるのですけれども。

（後略、『春の城』所収）

〈メッセージ〉「もう一つのこの世」

今日ここにお集まり下さいました皆様方に、深く深く御礼申し上げます。

ここ十年近く私は、パーキンソン病の

ために歩行もできず、せっかくの催しものに参加できぬのが残念でございます。

「沖宮《おきのみや》」という作品は、私が数十年前、川本輝夫さんたちと一緒にチッソ本社に籠城《ろうじょう》していた時に、心に浮かんだ思いを、不十分ではありますが、表したつもりでございます。

その思いとは、「**もう一つのこの世**」という以外には、言い表し方がございません。

本日の舞台は、そういう私、というより、不知火海の悲劇に倒れた大勢の方々の思いを、天草四郎とあやに託して、美しい形に表して下さることと存じます。

二〇一六年四月六日

石牟礼道子

語り劇「沖宮」について

天草・島原事件を経た原城跡に、雷鳴が轟き、沖の小舟より天草四郎の霊が現れる。処刑された四郎の首は、乳母おもかの夫佐吉が盗み出して、四郎も度々遊んだおもかの生まれ島の沖宮あたりに沈め、佐吉も果てる。四郎とともに果てたおもかの霊も現れ、おもかの娘あやと再会する四郎——。

事件の後、島原は旱魃に見舞われる。孤児となっていたあやは、雨乞いの人柱となることが定められた。村の人々の祈りとともに小舟に乗り、緋色の衣をまとって沖に向かうあや。まもなく天から雨が降り注ぐが、稲光とともにあやは沖宮へ去った。

水俣事件によって水銀に冒された不知火海に生きる人々の魂の気高さを描き続ける石牟礼文学の中で、島原事件と水俣闘争という二つの闘いは重ねられている。

(編集部)

映画「大地よ――アイヌとして生きる」完成記念試写初上映

アイヌ力《ちから》――白老から世界へ

二〇二二年 五月二十一日(土)　於・白老町中央公民館 講堂

「アイヌ力」とは、詩人・古布絵作家・アイヌ文化伝承者の宇梶静江さんの詩「アイヌ力よ！」に着想を得て、名づけられた。

アイヌとは何か、アイヌ文化から何を学ぶべきかを考えることは、アイヌの人たちのみならず、現在を生きるわれわれすべての日本人にとって大切なことではないだろうか。未来に向けて考えるきっかけになれば、と、「アイヌ力」と名づけた運動を立ち上げるにあたり、北海道白老町で記念イベントが行われた。

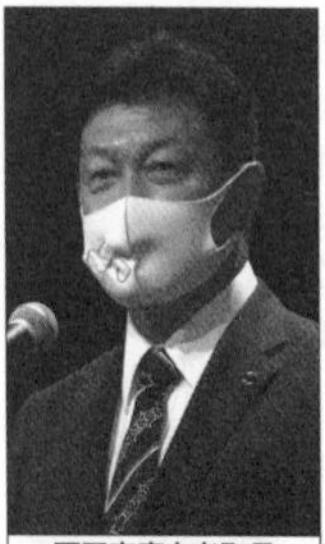
戸田安彦白老町長

最初に、白老町長で名誉実行委員の**戸田安彦氏**が挨拶。

そして第Ⅰ部として、映画「大地よ　アイヌとして生きる」（金大偉監督）が初上映され、**金大偉監督**も舞台挨拶。そして宇梶静江さんのご子息でもある俳優の**宇梶剛士氏**（映画ではナレーションを担当）も駆けつけられ、お言葉をいただいた。「母は、小さい時から非常に厳しい人だった。例えるなら〝火の玉〟のような人」。

金大偉監督

宇梶剛士氏

この映画は、宇梶静江さんへのロングインタビューを、北海道の自然の映像や音とともに構成し、自然とともにあったアイヌの暮らしと精神を、宇梶さんの言葉で綴ったものである。

宇梶静江氏

第Ⅱ部は、藤原良雄（藤原書店社主）を聞き手として、**宇梶静江**さんの講演。「アイヌは、困窮の中でも心を通わせてきた人種です。そのアイヌが分断され、今まで元気をなくしてきた中で、今ま

た新しい風がおこってきて、私の本をたくさん手にとって、読んでくれていることに、本当に感謝しています。」

続いて、山丸和幸氏（白老アイヌ協会理事長／実行委員長）が続くプログラムについて紹介。

まずは**ペナンペ・パナンペ**のコンビによる漫才。コンビ名はアイヌ語で川上《かわかみ》・川下《かわしも》の意。

山丸和幸氏

ムックリ演奏

ウポポイ（民族共生象徴空間）がムックリ演奏を披露。

そして**白老アイヌ協会**のメンバーが踊りを披露。

道内をはじめ道外からも多くの人々が来られ、会場は満員（三五〇名以上）で立ち見も出るほど。司会は山川建夫氏と金澤みゆき氏。写真撮影は山本桃子氏。

一般社団法人「アイヌ力」に、皆様のご支援・ご協力を何卒よろしくお願い申し上げます。お問い合わせは、左記の通り。

ペナンペ・パナンペ

一般社団法人アイヌ力ホームページ　https://www.ainugaku.com/

（編集部）

リレー連載　近代日本を作った100人　100

新島襄——キリスト教主義教育の父

石川健次郎

＊好評につき、次号以降も続きます。

同志社の目標

同志社は新島襄が創設経営したもので、アメリカン・ボード（北米最初の海外伝道組織）は金銭と人物を提供したが、他のミッション・スクールのように、外国伝道会社が創設し、経営するものとは一線を画す。新島は言う。「ただ単に神学や聖書だけを教えるのであれば、最も優秀な日本青年は、我々のもとに留まらないだろうと思います。彼等青年は、近代学術に対する知識を要求しているからです。」新島は、最初から高等専門の知識を授ける大学の設立を目標とし、その上でキリスト教主義による精神で学生を薫陶感化し、他日日本のために貢献すべき人物を養成しようとしたのである。

宿願の同志社創立

武士として成人したこと、キリスト教を信仰したこと、それに南北戦争直後のアメリカ、それもピューリタニズムの本場であるニューイングランド地方で勉学・生活し、自由と自立を実感したこと、この三要件が新島の独創的な宿願を生み、同志社創立を実現させたといえる。

新島は、一四歳の時、藩から抜擢されて蘭学を学ぶ。のち江戸の軍艦教授所（のち操練所）に入り、数学・航海術等を学び、私塾で兵学、測量、算数を学んだ。二〇歳の時、主君の本家筋に当たる松山藩所有の洋型帆船で浦賀から玉島（倉敷）への航海実習に参加し、その後二一歳の時に同じ帆船で函館へ航海する。その函館から多くの助力を得て、アメリカへ向け密出国に成功する。アメリカでは、奇特な保護者と出会い、その好意により、学業、生活一切の世話を享けた。その間、明治四（一八七一）年森有礼少弁務使の斡旋で「米国留学」の免許をうけ、かつての密出国は不問となった。翌年から六年にかけて岩倉具視遣外使節団の理事官田中不二麿と共にアメリカ・ヨーロッパ諸国の学校教育制度を調査し『理事功程』の編纂に尽力した。一八七四年ラットランドにおけるアメリカン・ボードの年会で日本でのキリスト教主義学校の設立を訴え、計五千ドルの寄付を受けて帰国し、明治八（一八七五）年一一月二九日京都府顧問山本覚馬、アメリカン・ボード宣教師デイヴィスの協力を得て京都に同志社英学校を創設した。

明治一三（一八八〇）年、二年生の上下二クラスの合併をめぐって、上級組が反発し、ストを敢行した。これに対し、一週間の謹慎処分としたが、途中で処分を解除した。新島は全校礼拝の席で、「すべては校長たる自分の責任である。よって校長を罰する。」と言い、持参した杖が折れるほど自分の掌を強打したという。また新島は遺言に「倜儻不羈《てきとうふき》」という言葉を残し、常軌では律しがたいほど独立心と才能に溢れる青年を徒に撓めず、本性を生かしながら導き、将来の「天下の人物」になるよう育成することを望んだのである。しかしその後自らの病軀を顧みず大学設立運動に奔走したが、同二三年一月二三日、神奈川県大磯で客死した。

個人と社会

脱国の際の福士卯之吉等、アメリカでのハーディー夫妻など新島は実に多くの人々から親身の好意と助力を得た。それらに応えて、同志社創設を実現し、多くの有能な人物を輩出したところに新島の偉大さ、近代日本への貢献がある。この意味から、新島は近代日本を作った偉人の一人に違いないが、他方近代日本社会によって作られた人物であるともいえる。新島も含めて近代日本を作った人々は、個人の能力もさることながら、それを周辺で支えた人々、施設、組織、法律など同時代の社会環境に大いに助けられた。

社会の中の個人、個人の中の社会、つまり「個人と社会の相互関係」という視点から彼らの足跡を見直すことによって、偉業の内実をより一層鮮明に描き出すことができよう。

（いしかわ・けんじろう／同志社大学名誉教授）

▲新島襄（1843-90）
明治時代のキリスト教の代表的教育者。天保14（1843）年1月14日、安中藩の江戸屋敷内で生まれた。前名は七五三太（しめた）。祐筆職の父民治の長男。元治元（1864）年函館から密出国。慶應元（1865）年ボストンに到着。その後アンドーヴァー神学校を卒業。明治7（1874）年帰国。翌8年11月29日京都に同志社英学校を創設。同10（1877）年には女学校を開校。同20（1887）年仙台に東華学校、京都に同志社病院・京都看病婦学校を開院・開校。21年には「同志社大学設立の旨意」を全国に公表、キリスト教主義を徳育の基本とする自由教育を標榜した。

■連載・「地域医療百年」から医療を考える　16

地域で共に認知症を衛《まも》る　2

方波見医院・北海道　方波見康雄

ふる里の奈井江町に「痴呆性老人の家庭介護セミナー」を開設したのは一九八三年（昭和五八年）、当初は私の個人的な塾のような形で発足をした。私のこの思い立ちを押したのは、認知症を患い、厳冬の深夜にわが家を出て凍死をした老女の悲しみの出来事だった。

セミナーの受講者は町民、自由な質疑や議論ができるよう定員二〇名限定の申し込み順とし、年度毎に受講メンバーを新たにすることにした。期間は農閑期の一二月から翌年の三月まで。「老年の医学――老人ぼけとは何か」、「老年の心理学――在宅ぼけ老人の接し方と介護の要領」、「老年の社会学――ぼけ老人と地域ボランティア」、「ぼけの予防学――家族からぼけ老人をださないために」の四つのテーマに分けて、それぞれ月一回の実施を試みた。講師は私一人、各テーマに添った資料やスライドの作成や費用を含め、すべて自分で負担した。このセミナーはやがて町も共催になったが、私はすべてを手弁当で通しておいた。たしか一九八五年度のキネマ旬報〈文化映画〉ベスト・ワンとなった羽田澄子監督「痴呆性老人の世界」をたまたま岩波ホールで見る機会があり、これをお借りして当セミナーメンバーだけで鑑賞・学習する手立てを講じたこともあった。名も知れぬ北国の小さな町の無名のセミナー主催の行事としては、奇跡みたいな催しごとであったように思う。

このセミナーが発足して一〇年後に、奈井江町で医療と老人福祉そして保健をつなぐ共同利用システムが誕生、たとい年老いて認知症になろうとも、生まれ故郷の奈井江を離れずに、さらには、長年にわたる主治医である町在住のお医者さんの医療をそのまま継続して受診できる仕組みが構築された。その下地は、このセミナーを共にした受講者つまり町民の方々との「地域で共に認知症者を衛る」熱意によって培われたと、思っている。さらにまた、このセミナー以降、厳冬の街をさまよい、雪に埋もれて孤独な死を迎えるという悲しい出来事は、この町から絶えてなくなっている。それだけでも良しとすべきと、私は思っている。

連載　歴史から中国を観る　31

梵語を音訳した漢字

宮脇淳子

中国大陸で漢字にルビ（読み音の表示）が誕生したのは一九一八年で、このとき中華民国教育部が公布した、日本語のカタカナをまねた注音字母《ちゅういんじぼ》は今も台湾で使われている。大陸ではアルファベットを拼音《ピンイン》と呼んで漢字の音を表す。

それまでは漢字に発音記号はなかったから、地方によって発音がまるで違った。知識人は、科《か》挙《きょ》の教科書に選ばれた「四書五経」を丸暗記し、その語彙を使って筆談した。だから、漢字は意味こそが重要で、音は軽視されてきたというのは事実である。

しかし例外はある。それが漢訳された仏典である。

仏典の漢訳は、後漢に始まり北宋までおよそ九百年つづいた。その後も元代や清代にも行なわれ、元代は、チベット語やモンゴル語からも漢訳されている。

漢訳には「旧訳《くやく》」と「新訳」がある。鳩摩羅什《くまらじゅう》（五世紀初頭）と玄奘《げんじょう》（七世紀）が、仏典漢訳史の二大巨頭で、それぞれ旧訳と新訳の代表である。

鳩摩羅什（クマーラジーヴァ）は、父はインド人、母は亀茲《きゅうじ》王の娘で、今の新疆クチャで生まれた。「自ら手に胡本（梵語《ぼんご》のテキスト）を持ち、口に秦の言葉（漢語）を述べた」と言われるほど二言語に通じていたが、翻訳とは「他人が嚙んではき出した食べ物のよう」だと言った。だから、達意の意訳をするとともに、あえて音訳や原文の語順も生かした。

玄奘も意訳すべきでない言葉を列挙しているが、漢訳仏典に見られる梵語からの音訳には、漢字それ自体の意味に囚われないため、意味の取れない文字のならびを意図的に選択したり、意味的には好ましくない字を使用する場合がある。

「仏」は元来、ぼんやりとした様を示し、「陀」は険しい様、崩れた様を示す。

漢人仏教徒が開祖を「仏陀《ぶっだ》」と書くことに何ら抵抗を示さない事実に鑑みれば、「仏」や「陀」は、元来の意味とは無関係に、単なる記号として使われたとみなすのが適切だろう、とは、船山徹『仏典はどう漢訳されたのか』（岩波書店）に拠る。（みやわき・じゅんこ／東洋史学者）

連載　今、日本は　39

下北核半島の空虚

ルポライター　鎌田　慧

六月中旬、久しぶりに本州最北端、下北半島をまわった。道の両側に新緑が輝いていて、東北の春を堪能できた。永い冬から解放された思いが溢れる、雪国育ちには心躍る季節の到来である。

半島を北へむかって走ると、ウラン濃縮工場、核再処理工場、MOX燃料加工工場などの核燃料サイクル、そして原発、核のゴミ中間貯蔵場と姿をあらわす。沖縄の嘉手納米軍基地に肩を並べる、巨大な米空軍三沢基地がすぐそばに拡がっている。日本が戦争に巻きこまれたらひとたまりもない。

わたしは「下北核半島」とよんでいるのだが、かつて「原子力開発のメッカ」と中曽根康弘元首相など、推進派がほめそやした。が、すべての施設が未完成、もしくは休止中。中心の再処理工場は着工から二九年、試運転中止から一三年がたっても稼働の気配はない。一般企業なら倒産、社長は引責辞任のはずだ。それでも、原発政策のアドバルーンのように存続しつづけている。

おもえば、下北半島での事業は挫折の歴史だった。戦時中、日本海軍の要港「大湊」から、半島先端の大間崎にむけて、軍用鉄道の建設がはじまった。しかし、敗色が濃くなって中断した。敗戦直後、強制連行されてきた朝鮮人たちは大湊から「浮島丸」に乗船、帰路に就いたが、舞鶴沖で爆発、沈没した。

戦後は軍港跡に三菱重工系の電気炉工場「むつ製鉄」の大計画。これも挫折して、同じ場所に原子力船「むつ」の母港が押しつけられた。ところが一回の航海で放射線漏れ事故を起こして、廃船。そしていま。プルトニウムを主要な原料とする大間原発は、建屋ができたものの、本体の原子炉は格納されずガラン洞。

六ヶ所村の虚大開発で土地を奪われ離散した家族や漁場を失った漁師など犠牲者は多い。が、何ももたらされなかった。これからの解体工事は膨大な核廃棄物を産みだすだけだ。大間原発に抵抗して土地を売らなかった熊谷あさ子さんの哲学は、「畑と海があれば、人間、食べていける」というものだった。

■連載・花満径　76

熊野と吉野

中西　進

皇統譜の中で神武とその次代までが「神」を名乗るとなると、もはやカミの前身だったクマは、その中で捨象され、神はカミのみとなった経過が、神武史のどこかに見とれないものか。

たしかに答は、神武の即位前史にある。ことに『古事記』に顕著で、神武は熊野村で神の毒気によって「をえ」(仮死)し、のち復活して吉野のウダの地に達したとあり、その途中で神武をよく助けたのは(吉野の)阿陀《あだ》の鵜養の祖や吉野の者、吉野の国巣《くす》の祖だという。

つまり熊野から吉野へと境界を越える過程に、大きな仮死とそこからの復活が語られるのである。

『書紀』でも、熊野の荒坂での「をえ」とそこからのウダへの踏破を語るだけで、吉野の者の助力を語らないけれども、変身談と別種ではない。

ここに同じ山中ながら、熊の毒気をもつ熊野と、その後の神としての吉野との両界構造をもつ、神話の世界図を見ることができる。

現在も熊野の本宮から吉野に入り、十津川渓谷を通って大きく迂回しながら吉野の宇陀へ出る道がある。

これが神における熊の通過儀礼《イニシエーション》の道だったと思われる。今でもこの道は、修験道の順(巡)峰とされているらしい。

その上で、この吉野と熊野との関係を熊野大社の九鬼宮司は、吉野を金剛界、熊野を胎蔵界だと考えるという(白洲正子・前登志夫『魂の居場所を求めて』)。

この両界説は神武の通過儀礼を、みごとに裏付けしてくれるではないか。

だからこそ、神話は神武を、すなおに難波から大和へ入れるわけにはいかなかった。神武は二人の兄をその祖のゆえに海に送った後、自らは身を熊野から大和へと運ばなければ、彼はカミとして大和に入ることができなかったのである。

「化熊が川から出る」とは、みごとに水をくぐる通過儀礼のパターンを、踏んだ表現であった。

やはり熊野とはクマの胎蔵界であった。熊野は正真の熊野で、隈野ではない。

(なかにし・すすむ／国際日本文化研究センター名誉教授)

Le Monde

■連載・『ル・モンド』から世界を読む［第II期］71

もうひとつの五月九日

加藤晴久

五月九日、ロシア大統領プーチンは対ナチス戦に勝利した偉大なるソ連を称え、自らのウクライナ侵攻を正当化するために利用した。

同じ日、フランス大統領マクロンはストラスブールの欧州連合（EU）議会で演説し、「確固たる主権を備え、堅く結束し、民主的かつ野心的な欧州の建設」を呼びかけ、このスピーチを「ストラスブールの誓い」と名付けた（五月一一日付）。

これ、実は、はなはだ大胆な、あるいは大それた所業である。八〇〇年、ローマ法王から皇帝に叙せられた際、向後、ほぼ今日の欧州をカバーする領域をみずから統治するとエクス＝ラ＝シャペル（アーヘン）の居城で誓った（それゆえに欧州統合の始祖と言われることもある）フランク王国のシャルルマーニュ（カール大帝）に自らを擬しているのである！

大欧州への思い入れは深く、「ウクライナ、モルドヴァ、ジョージア、さらにはバルカン半島西部をも緊急にEUに強く繋ぎ止めなければならない」と主張している。いずれもソ連の一部あるいは衛星国だった地域である。

EUの拡大だけでなく、条約を改正して全会一致の運営を多数決制にしようという提案も含まれている「ストラスブールの誓い」は、加盟二七カ国のうち、ポーランド、ルーマニア、スウェーデンを含む一三カ国の、唐突すぎる、時期尚早という反対で、当面お蔵入りになった。

その中で、ますます重みを帯びているのが独仏の連携。五月一〇日付社説のタイトルは「独仏＝無二のカップル」。

「六カ月前のことだが、ショルツ首相が打ち出した《三色の火の同盟》契約、すなわち社会民主党・エコロジスト・自由党を糾合し、いまだかつてなかったようなフランスとの一致点を備えた政策である。欧州統合の推進を最優先の課題とし、欧州の《戦略的自立》の概念を重視し、共通の産業政策の必要性を認める、要するに従来、マクロン大統領が提唱してきた構想を全面的に受け入れている」

独仏の五月九日は、第二次大戦の終結と独仏の和解の始まりを祝う記念日である。

（かとう・はるひさ／東京大学名誉教授）

六月新刊

中国の「今」を激論した往復書簡

「ハイテク専制」国家・中国

内側からの警告

王力雄（作家）
王　柯（神戸大学教授）

国民一人当り二台近い大量の監視カメラ、メディアおよびネットの統制、警察権力の濫用にもとづく言論・行動の支配の数々、そして、民族主義の扇動による「戦狼外交」と少数民族弾圧――ディストピアSF『セレモニー』に限りなく接近しつつある中国の「今」を激論した往復書簡。

四六変並製　二四八頁　**二四二〇円**

「ゆたかな生（ウェルビーイング）」をめざして！

ウェルビーイングの経済

山田鋭夫

岸田政権の「新しい資本主義」ビジョンに触発され、「めざすべき経済社会とは何か」（前編）と、「資本主義はどういう仕組みで変化するのか」（後編）を分析、「市民社会」と「ゆたかな生（ウェルビーイング）」をキーワードに、来るべき新しい社会の構築を企図する渾身作！

四六上製　二八八頁　**二八六〇円**

天草・島原の事件を描いた戯曲『沖宮』

藤原映像ライブラリー

天の億土　DVD

石牟礼道子の世界
語りと音楽と映像の世界

（監督）**金大偉**　（主演）**佐々木愛**
（原作）**石牟礼道子**

第1部『道行』から『花を奉る』へ
第2部　戯曲『沖宮』より（初公演）

語り劇としての初舞台を映像化。人間社会の深層を描く石牟礼文学を、語り・音楽・映像の神秘的融合で表現。

九一分　四頁パンフレット付　**三〇八〇円**

8月新版刊行！

久々の復刊！　宝塚で舞台化！

新しい女　新版

一九世紀パリ文化界の女王
マリー・ダグー伯爵夫人

D・デザンティ　持田明子訳

リストの愛人でありヴァーグナーの義母、パリ社交界の輝ける星、文筆家ダニエル・ステルンとしても活躍したマリー・ダグー。約五百人（ユゴー、バルザック、ミシュレ、ハイネ、プルードン他多数）との交流《サロン》など、百花繚乱咲き誇る一九世紀パリ文化界群像を鮮やかに浮彫る。ソフトカバーで復刊！〈新版序〉持田明子

読者の声

6/17 石牟礼道子「天の億土」「海霊の宮」特別映画上映会 アンケートより■

▼ドキュメンタリー『天の億土』すばらしかったです。音楽と映像と朗読によいしれました。

（千葉 **斉田容子**）

▼直接、今回映像でみた音楽と朗読の世界にいたかったと思いました。映像でもとてもひきこまれました。又、石牟礼作品を扱ったステージの企画もして下さるといいなと思います。

（東京 **川口恭子**）

▼同じ時代を生きて来まして、久しぶりに、佐々木愛様（劇団文化座代表）の朗読を拝聴。素晴らしかったです。益々のご活躍祈ります。

第一部を終えて、金大偉氏の演出、音楽、映像、素晴らしかったです。ひきこまれました。

お話（トーク）で、〝見えない世界〟を音楽と映像でどう表現するか考えた、とのこと。お話伺ってから〝なる程〟と共感、腑におちました。

本日は有難うございました。これからも又、このような石牟礼道子作品に出会いたいと思います。石牟礼様の言葉、思想を、音楽、映像と共に私達に届けて下さり、深く感謝を申し上げげます。

（東京 **望月総子**）

▼映像、音と石牟礼さんの世界。お能「沖宮（おきのみや）」の映像よかったです。（匿名）

▼石牟礼さんの「世界」にこのような形で接することができ、大変感謝！

見えない世界を、見える形で、そして音声にして、しかも「自然体」の具現化にも挑戦している。

金さんのピアノも即興の概念を越えるもの。

（匿名）

人薬（ひとぐすり）■

▼映画「精神」「精神0」から、山本昌知医師、想田和弘監督を知り、尊敬していました。

半年前、息子（総合失調症）を失い、認知症気味の夫との今の生活ですが、自分を振り返り、又、今をどう生きるか？ この本は私の中に自然に入る言葉が沢山ありました。繰返し読み、自分の中に入れたいと思います。

ありがとうございました。

（東京 **梨木久實子** 76歳）

全著作〈森繁久彌コレクション〉（全5巻）■

▼すばらしい企画。ますます「森繁通り」（世田谷区）を歩くのが好きになった。

（東京 **加藤哲司** 69歳）

▼知床観光船のつらい事故が起こり、歌手の加藤登紀子さんが新聞で、森繁さんが自費でつくられたという映画「地の涯に生きるもの」のことを話しておられた。ぜひこの映画を見たいと思って書店に問

い合わせたが、ＤＶＤの情報などわからないとのこと、代わりと言っては何であるが、森繁さんのコレクションが出ているということなので、一冊、目を通してみた。

　森繁さんの書かれたものを読んだこともあったけれど、改めて、博識なのに驚いた。そして、その行間にあふれる詩情というか……。凡百の俳優とは違う。涙が出てきた。再会させていただき、加藤さんにも感謝したい。

（匿名）

葭《よし》の渚■
▼石牟礼道子女史の名前は、知っていましたが、彼女の本は、（恥ずかしながら）一冊も読んでいませんでした。
　先日『橙（だいだい）書店にて』（田尻久子著、晶文社）の中で、『葭の渚』を、田尻氏が紹介していたので、この本を知り購入して読みました。

　なお、田尻氏は、熊本で書店を開いていて、石牟礼道子女史関係の本を多数扱っているそうです。

（神奈川　**崔洙政**　77歳）

地中海Ⅰ■
▼ひじょうに興味深い内容で、勉強しながら少しずつ読み進んでいきたいと思います。
（愛知　**山縣年光**　68歳）

※みなさまのご感想・お便りをお待ちしています。お気軽に小社「読者の声」係まで、お送り下さい。掲載の方には粗品を進呈いたします。

書評日誌（五・二五〜七・七）

(書) **書評**　(紹) **紹介**　(記) **関連記事**
(イ) **インタビュー**　(TV) **テレビ**　(ラ) **ラジオ**

五・二五　(紹)琉球新報「後藤新平賞」（「短信」／「後藤新平賞に日本フィル」）
五・二七　(紹)東京新聞（夕刊）「後藤新平賞」（「後藤新平賞に日本フィル　7月に都内で授賞式」）
五・二九　(紹)現代女性文化研究所ニュース「生きている不思議を見つめて」
六・四　(紹)産経新聞「後藤新平賞」（「日本フィルハーモニーに後藤新平賞」）
六・一一　(書)毎日新聞「九千年の森をつくろう！」（「地球と人の未来　命を守るため木を植える」／中村桂子）
六・一四　(記)読売新聞「石牟礼道子『天の億土』『海霊の宮』特別映画上映会」（「石牟礼さん　舞台化作品上映」）
六・一七　(記)週刊金曜日「竹内浩三全作品集　日本が見えない」／「定本　竹内浩三全集　戦死やあはれ」／「骨のうたう」（「今を〝新たな戦前〟にしないために　竹内浩三を語り継ぐ」／永澄憲史）
六・一八　(紹)西日本新聞「高群逸枝　別冊㉖」（「くらし　郷土の本」）
六・二三　(書)毎日新聞「梅は匂ひよ　桜は花よ　人は心よ」（「人となりから来る芸の香り」／渡辺保）
七・七号　(記)文藝春秋「旅館おかみの誕生」（「私の読書日記」／「母と女、おかみと観光」／酒井順子）

八月新刊予定

＊タイトルは仮題

「世界の中の日本」をわかりやすく捉える

高校生のための「歴史総合」入門

世界の中の日本・近代史（全3巻）

1　開国から文明開化

浅海伸夫

世界―日本関係が急速に深化した開国・維新期以降の歴史を、立体的かつダイナミックに描いた「読売新聞オンライン」大好評連載を大幅修正のうえ単行本化。

今春より高校で必修となった日本史・世界史の統合科目「歴史総合」への必携のシリーズ発刊！

アイヌが主体となる新しい学を提唱

「新しいアイヌ学」のすすめ

アイヌ力《ちから》をもとめて

小野有五

アイヌの人びととの交流から、先住民族としての権利回復をめざす運動に尽力してきた地理学者が提唱する「アイヌ学」は、和人が対象化するものではなく、アイヌ自らが行うもの。『アイヌ神謡集』の知里幸恵没百年の今年、アイヌ語地名の平等な併記を求め、アイヌの歴史を取り戻すことに向けてまとめた画期作。

気象現象を愛し、振り回される私たち

雨、太陽、風

天候にたいする感性の歴史

アラン・コルバン編

小倉孝誠監訳

足立和彦・小倉孝誠・高橋愛・野田農訳

雨、太陽、風、雪、霧、雷雨といった天候を対象とした感情は、歴史上いつごろ出現したのか。歴史学、文学、地理学、社会学、民族学の論者が集い、さまざまな天候への感情の様式の誕生と変化、芸術作品における描写、そして日々の「天気予報」に一喜一憂する現代の私たちの感性までを問いかける。

歴史を断面で切る、初の画期的企画！

別冊『環』27

1937年の世界史

倉山満・宮脇淳子編

■総論　倉山満「一九三七年の世界史」／宮脇淳子（満蒙）

■各論　樋泉克夫（中国）／グレンコ・アンドリー（東欧）／福井義高（ソ連）／小野義典（ハンガリー）／宮田昌明（イギリス）／ポール・ド・ラクビビエ（フランス）／柏原竜一（ドイツ）／峯崎恭輔（バチカンとイタリア）／内藤陽介（スペイン）／江崎道朗（アメリカ）／内藤陽介（パレスチナ）

三つの立場の交錯から描かれる近代日本

加賀百万石の養子　陸軍大将・前田利為

1885-1942

村上紀史郎

加賀前田家の歴代当主で唯一の養子であり、更に侯爵、そして陸軍軍人という立場を背負って明治から昭和を生きた前田利為《としなり》。その驚くべき交友関係と異色の業績に初めて迫る。

7月の新刊

タイトルは仮題、定価は予価。

モナ・リザの左目 ＊
非対称化する人類
花山水清
四六上製　三一二頁　二四二〇円

復帰五〇年の記憶 ＊
沖縄からの声
川満信一編
Ｂ６変並製　二九六頁　二四二〇円

8月以降新刊予定

高校生のための「歴史総合」入門
――世界の中の日本・近代史（全3巻）　発刊
1開国から文明開化 ＊
浅海伸夫

「新しいアイヌ学」のすすめ ＊
アイヌカをもとめて
小野有五

別冊『環』㉗
1937年の世界史 ＊
倉山満・宮脇淳子編

雨、太陽、風 ＊
天候にたいする感性の歴史
A・コルバン編　小倉孝誠監訳
足立和彦・小倉孝誠・高橋愛・野田農訳

加賀百万石の養子
陸軍大将・前田利為 *1885-1942* ＊
村上紀史郎

新しい女 新版 ＊
一九世紀パリ文化界の女王
マリー・ダグー伯爵夫人
D・デザンティ　持田明子訳

女性がみた二月革命
ダニエル・ステルン
杉村和子・志賀亮一訳

日本とアジア
経済発展と国づくり
市村真一

金時鐘コレクション（全12巻）内容見本呈
11 **歴史の証言者として**［第8回配本］
「記憶せよ、和合せよ」ほか　講演集Ⅱ
〈解説〉姜信子　〈解題〉細見和之

奇跡の対話
鮫島純子・宇梶静江

好評既刊書

「ハイテク専制」国家・中国 ＊
内側からの警告
王力雄・王柯
四六変並製　二四八頁　二四二〇円

ウェルビーイングの経済 ＊
山田鋭夫
四六上製　二八八頁　二八六〇円

〈藤原映像ライブラリー〉
天の億土 DVD ＊
石牟礼道子の世界
出演＝佐々木愛ほか／原作＝石牟礼道子／監督・音楽・映像＝金大偉
九一分　三〇八〇円

人薬（ひとぐすり）
精神科医と映画監督の対話
山本昌知・想田和弘
Ｂ６変上製　一八〇頁　二二〇〇円

戦争とフォーディズム
戦間期日本の政治・経済・社会・文化
竹村民郎
四六上製　五一二頁　五二八〇円　口絵8頁

パリ日記（全5巻）
特派員が見た現代史記録1990-2021
山口昌子
4 **サルコジの時代** 2007.5-2011.9
Ａ５並製　四八〇頁　五二八〇円　口絵4頁

旅館おかみの誕生
後藤知美
四六上製　四一六頁　四一八〇円

＊の商品は今号に紹介記事を掲載しております。併せてご覧戴ければ幸いです。

書店様へ

▼6／11(土)『毎日』読書欄にて、『**九千年の森をつくろう！**』大書評（中村桂子さん評）。植物生態学者で森づくりのパイオニア、宮脇昭さん（1928-2021）の思想と行動がまとめられた書籍です。『**見えないものを見る力**　「潜在自然植生」の思想と実践』ほか関連書多数。合わせてご展開を。▼6／24(土)『毎日』読書欄にて、野村幻雪さん『**梅は匂ひよ　桜は花よ　人は心よ**』絶賛書評（渡辺保さん評）。▼哲学者・評論家の鶴見俊輔さん（1922-2015）が今年生誕百年となり、著作の刊行・再刊が相次いでおります。小社では『**まなざし**』（絶筆を収録）、『**まごころ**』（岡部伊都子さんとの対談）等関連書多数。大きくご展開を。▼詩人・作家の森崎和江さんが6月15日、呼吸不全のため亡くなられました。95歳。小社では『**森崎和江コレクション**　精神史の旅』（全五巻）をはじめ、『**いのち、響きあう**』『**愛することは待つことよ**』等刊行させていただきました。ご冥福をお祈りいたします。（営業部）

人間国宝・観世流能楽師

野村幻雪（四郎改）追悼公演

伝統の継承と創造的革新のために

新作能舞『空と海と光―空海の能』ほか

【日時】8月18日（木）18時開演

【場所】国立能楽堂（千駄ヶ谷）

【入場料】A八千円　B七千円　C六千円

＊お申込みはアトリエ花習 090-9676-3798

金時鐘コレクション

Ⅲ長篇詩集『新潟』刊行記念

阪田清子展オープニングイベント

ゆきかよう舟に乗って

～詩人金時鐘とともに

【日時】8月11日（木・祝）14時開会

【場所】大阪文学学校（大阪・「谷町六丁目」駅）

◆8月12日～21日　阪田清子展「ゆきかよう舟」於・スペースふうら（大阪・深江橋）

●〈藤原書店ブッククラブ〉ご案内●

▼会員特典は、①本誌『機』を発行の都度ご送付／②（小社への直接注文に限り）小社商品購入時に10％のポイント還元／③送料のサービス。その他小社催しへのご優待等。詳細は小社営業部まで問い合せ下さい。

▼年会費二〇〇〇円。ご希望の方はその旨お書添えの上、左記口座までご送金下さい。

振替・00160-4-17013　藤原書店

出版随想

▼沖縄は日本か？　沖縄に行くと、ウチナンチュー、ヤマトンチューという言葉が頻繁に飛び交う。区別していると同時に、差別もしているのだろう。明治維新以降をとってみても、一六〇九年からの薩摩藩による琉球支配の下、明治五年、新政府は琉球藩を設置、一二年には、沖縄県になった（琉球処分）。

▼一九四五年三月、日米戦争の中、米軍が上陸したのが沖縄戦のはじまり。六月二三日戦闘終了。五一年九月、サンフランシスコ講和会議で、日米安保条約が締結される。翌五二年米軍支配下における琉球政府発足。その後六〇年の安保改定時に、「地位協定」を含む日米協定が締結する。七〇年には、有名な反米騒動がコザ市で。七一年、沖縄返還協定が締結され、翌七二年、沖縄が本土復帰され、沖縄県となる。これが、手短かな日本と沖縄との関係史だが、その「本土復帰」をめぐって、当時沖縄で大論争があったことは本土では意外と知られていない。七〇年前後の大学闘争のデモでも、〝沖縄を返せ〟というシュプレヒコールが何の疑いもなく、サヨク陣営から声高に叫ばれていた。

▼己れにとって沖縄とは、何か？を考え始めたのは、八二年に初めて沖縄の地を訪れてからだ。玉野井芳郎さんの出版記念会に招ばれた時だ。主催は、「沖縄平和百人委員会」。その二次会で、海勢頭豊の店パピリオンに連れて行かれた。十二時を過ぎたので、お暇しようと思った矢先、下駄履きの男達が五、六人ドカドカと入ってくるや踊り始めたのだ。「彼らは、明日休みの方ですか？」「いやあー、彼ら八時から働きますよ」と。本当にビックリした。ここに、本土との異文化を最初に感じた。その二〇年後に、宜野湾市で、本土と沖縄の知識人とで熱論を交わす大シンポジウムの機会をもった。その夜海勢頭豊氏と再会した。それ以降、毎年のように沖縄を訪ね、二〇〇七年春から、「ゆいまーる琉球の自治」を松島泰勝氏と起ち上げた。約十年、琉球文化圏の大小二〇余りの島民と車座で夜通し三日間、本音で議論した。その時感じたことは、琉球文化圏の島々で文化が違うのだということだ。

▼本当に多様な島嶼である。その多様さが豊かさの顕れである。翻ってみると、わが島国日本も、多様な文化を各々の土地〳〵で育んできたということ。その多様な文化を今こそ取り戻すようにしなければいけないのではないか、この「復帰五十年」にあたって黙考した。（亮）

これは「船中八策」がベースになっていました。「王政復古の要は論ずるまでもない。国に二帝はありえず、家に二主はありえない」と明確に打ち出したうえでこう続きます。

天下の大政を議定する全権は朝廷にあり、皇国の諸規則・制度は、上下両院からなる議事院で決する。議事官は、上公卿から下陪臣まで公正廉直のものを選挙し、封建諸侯は上院の任にあてる。将軍職を廃止して将軍は封建諸侯の列に復せしめる。

慶喜から政権を朝廷に返させ、徳川は一大名になり、朝廷の下に新たな上下両院を置くというものです。つまり、王政復古と公議政体の考え方がないまぜになっていました。土佐藩には、徳川武力討伐の考えはありませんでした。逆に薩摩藩は、幕府打倒・慶喜追放を目ざしており、土佐藩を倒幕クーデターに巻き込むことが盟約の狙いだったようです。

小説『竜馬がゆく』の中で、「船中八策」の内容に後藤が驚嘆し、「竜馬、おぬしはどこでその智恵がついた?」と尋ね、龍馬が「いろいろさ」と答えるシーンがあります。小説では、龍馬は勝海舟を知ったあと、外国の憲法に興味をもち、「勝の友人である大久保忠寛や横井小楠《しょうなん》などにはしつこいほどきいた」とあります。

ここで龍馬の「知恵袋」を探ってみましょう。

まず、同郷のジョン万次郎から情報を仕入れていたという土佐の画家・河田小龍《しょうりょう》

●中岡慎太郎

に海外事情を聞き、勝海舟からは「海軍」を学びます。幕政返上論と公議会制度については、大久保忠寛に教えられたようです。また、勝がその思想性の高さに感服したという横井小楠★からも多くの知識を得ました。小楠は、開明的な経世家として知られ、『国是三論』が代表的著作です。

龍馬の国家構想には、「アメリカ彦蔵」こと浜田彦蔵（ジョセフ・ヒコ、一八三七―九七年）が絡んでいた可能性も指摘されています。乗っていた船が遠州灘を漂流中、アメリカ船に助けられ、アメリカで教育を受けた浜田は、帰国して米駐日公使ハリスの通訳になります。リンカーン大統領にも謁見したという逸話をもつ彦蔵は、アメリカ合衆国憲法をベースにした統一国家構想を幕府に提出しています。

政治家・龍馬は、幅広い人脈で仕入れた欧米思想や国家構想のエッセンスを「船中八策」の中に盛り込んだといえそうです。

慶喜の大政奉還

土佐、越前などの公議政体派の攻勢に対し、薩摩、長州の対幕府強硬派は戦争準備を加速させます。

六七年一〇月一五日、長州を訪問した薩摩の大久保利通らは、長州藩主や木戸孝允らと会談。大久保は京都での「政変決行」ため、長州藩兵の派遣を要請。さらに芸《げい》州《しゅう》（現広島県の西部）藩とも協議し、薩長芸出兵協定を結びます。他方、木戸はこのころ、倒幕を能の「大舞台」にたとえ、大政奉還のため、土佐藩兵の京都への出兵を促す旨

●横井小楠

●木戸孝允（一八六九年撮影）

の手紙を龍馬にあてて出していました。★

ところが、ここで慶喜が、誰もが驚く決断を下します。大政奉還です。

慶喜は、土佐藩主・山内豊信（一八二七―七二年）による大政奉還建白書（一〇月二九日）を受けると、政権を朝廷に返上する意向を固めたのです。勝海舟や永井尚志らも建白書の趣旨に賛成していました。慶喜は六七年一一月八日（慶応三年一〇月一三日）、二条

◉木戸の手紙

手紙は倒幕派の政略を示したものとされる。「上方《かみかた》の『芝居』（政変劇）はそろそろ始まるのか。このたびの『狂言』（大政奉還）は是非とも成功させなければならない」とし、「舞台のつとまる者は、仲間に引き込む工夫がいる」と、公儀政体派を引き入れることが必要と述べる。そして土佐藩で武力倒幕論者の「乾（板垣退助）頭取（興行総括者）の役割が最も肝要」で、「芝居を成功させるためには、乾と『西吉（西郷吉之助・隆盛）座元（興行主）』がよく打ちあわせて手順を決めることが急務」と強調。この狂言が食い違うと、「大舞台」が崩れてしまう結果となって、芝居は失敗に終わると記していた。手紙の原本が二〇一八年四月、高知県立坂本龍馬記念館で公開された。

◉横井小楠

肥後藩士。実学（政治・経済の実際に役立つ学問）の祖としての名声が他藩にも聞こえ、福井藩主・松平慶永に招かれて越前藩政を指導した。慶永が幕府の政事総裁職に就任すると、その補佐を務めた。『国是三論』は、富国論、強兵論、士道の三つからなり、富国論では、民間で生産されるすべての産物を、「民に利益があり、藩庁も損をしない」価格で藩が買い上げることを提唱。実際、福井藩は生糸などの殖産交易で莫大な利益を得た。強兵論では、陸兵よりも海軍の強化を主張し、士道では、文武両道の大切さを説いた。とくに、幕府について「御一家の私事を経営するのみ」と批判し、いわゆる「公論」にもとづく政治の重要性を強調した。漢訳書を通じて西洋の民主主義思想にも触れるなど、最も開明的な思想の持ち主だった。

城二の丸御殿の大広間に在京四〇藩の大名や重臣を集め、「最後の将軍」としてこの「決断」を伝えます。

慶喜はいったいなぜ、大政奉還に踏み切ったのでしょうか。統治能力に限界のきた幕府は退場し、天皇を頂点とする新しい政府にすっかり道を譲るべき時だと考えたのか。それとも、薩摩、長州の画策の機先を制して政権を返上し、「倒幕」の大義名分を奪い、薩長政権を阻もうとしたのか。

あるいは、将軍職を手放したとしても、土佐藩のいう公議政体の下、徳川の大領地と伝統的権威によって権力中枢の座は維持できると踏んだのか。慶喜は、後年の回顧録『昔夢会筆記《せきむかいひっき》』で、これを強く否定していますが、この言葉はどこまで信じられるでしょうか。

慶喜が朝廷に提出した大政奉還の上表文にはこうありました。

当今、外国の交際、日に盛んになるにより、いよいよ朝権（朝廷の権力・権威）一途に出でずしては紀綱《きこう》（国家の統治）立ち難きをもって、従来の旧習を改め、政権を朝廷に帰《き》したてまつり、広く天下の公議を尽し、聖断を仰ぎ、同心・協力、共に皇国を保護せば、必ず海外万国と並立するを得ん。

「公議」の尊重と「皇国の保護」、「万国との並立」がキーワードで、当時の政治諸勢力のコンセンサスといえる内容ですが、結局、誰がこの変革を推し進めるかをめぐって、激しい権力闘争──内戦が引き起こされることになります。

8　クーデターで政権樹立

討幕の密勅

徳川慶喜が大政奉還を朝廷に申し出た一八六七年一一月九日、「討幕の密勅」が出されていました。これは公家の岩倉具視《ともみ》らが画策した、「賊臣慶喜」を「殄戮《てんりく》」（殺害）せよと命じる詔書です。朝廷の会議も天皇の裁可も得ていない「偽勅」とされています。天皇側近である議奏《ぎそう》（宮中の業務を統括する職務）の正親町三条《おおぎまちさんじょう》実愛《さねなる》から、長州藩の広沢真臣《さねおみ》と薩摩藩の大久保利通に手渡されました。京都出兵をためらっていた薩摩藩主と重臣たちに出兵を促す狙いがあったとされます。

朝廷は、大政奉還を受けながら、これまで通り、慶喜に「庶政を一切委任」します。慶喜は、一九日には征夷大将軍の辞表も提出しました。しかし、混乱をきたした朝廷は、諸侯が上京するまで待つよう指示するだけです。諸侯会議はなかなか開かれず、政治に空白が生じます。一方、幕府内では「政権返上」の取り消し要求が噴出し、会津・桑名など佐幕諸藩は、薩摩藩への反感を募らせます。

そうした中、坂本龍馬は、慶喜の大政奉還に「よくも断じ給《たま》へるものかな。余は誓っ

●徳川慶喜

て此《この》公の為に一命を捨てん」（渋沢栄一『徳川慶喜公伝』）と語ったと伝えられています。慶喜に対する見方が好転し、諸侯会議で指導力を回復する可能性も出てきました。龍馬は、新政府のために八か条からなる「新政府綱領案」をまとめあげます。

ところが一二月一〇日（慶応三年一一月一五日）、龍馬は、中岡慎太郎とともに京都河原町の近江屋にいたところを襲撃されて絶命。中岡も二日後に死亡します。龍馬数え年三三歳、中岡三〇歳。犯人たちは「ええじゃないか」の踊りに紛れて逃走しました。当初は新選組の犯行とみられましたが、京都守護職配下の見廻組《みまわりぐみ》の仕業であることがわかりました。明治維新後、新政府に捕まった今井信郎によると、その理由は「伏見において同心三名を銃撃し、逃走したる問罪《もんざい》のため」ということでした★。

慶喜に「辞官納地」命令

逆風にさらされた薩長両藩は、倒幕へ態勢の立て直しを急ぎます。西郷と大久保は、長州藩の品川弥二郎らと協議し、六八年一月初めにクーデターによって政権を転覆させることを決定します。土佐藩の後藤の抱き込みをはかり、クーデターの手順・段取りを整えます。慶喜はその動きを事前に知らされましたが、反撃に出ようとはしませんでした。

一月二日夜、岩倉具視は、自邸に薩摩、芸州、土佐、越前、尾張の計五藩の重臣を招き、政変によって新政府を発足させる計画を告げ、協力を求めました。同日深夜の朝議で、長州藩主父子や公家の三条実美★らの官位復活・入京許可、岩倉らの蟄居《ちっきょ》解除

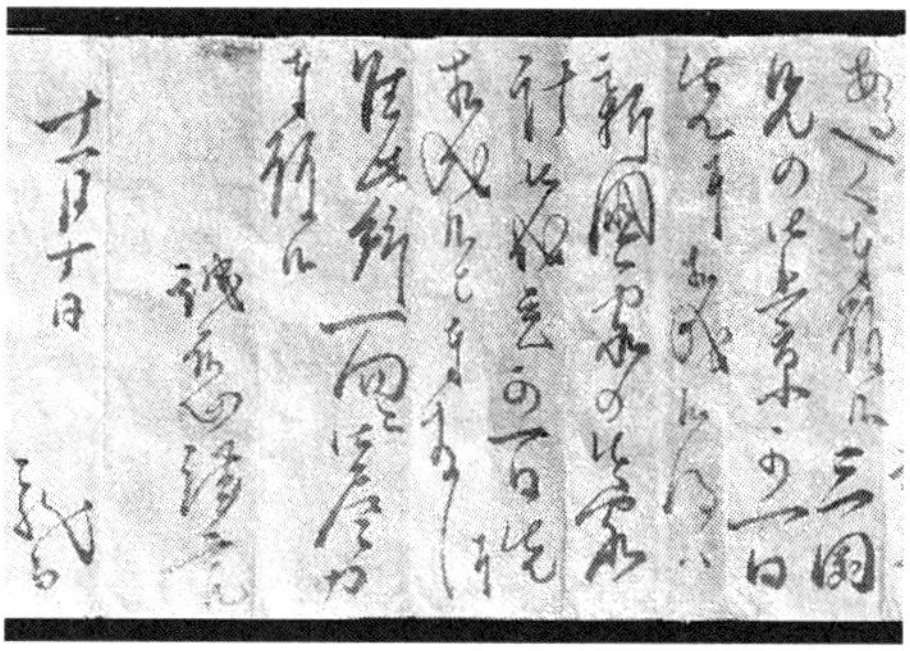

●暗殺の五日前に書かれた龍馬の手紙

などが決まりました。

翌三日午前、西郷隆盛指揮のもと、五藩の兵士が御所のすべての門を固めます。朝廷に復帰を許されたばかりの岩倉が、「王政復古の大号令」案をもって参内します。岩倉は、中山忠能《ただやす》（明治天皇の外祖父）、正親町三条実愛、中御門経之《なかみかどつねゆき》とともに明治天皇に上奏。天皇は、小御所に集まった重臣や公家を前に、王政復古を宣しました。大きな混乱はなく、ここに新政府が樹立されました。

同日夜、小御所《こごしょ》で開かれた新政府初の会議では、土佐の山内豊信《とよしげ》が、この会議に慶喜を参加させるべきだと主張し、「二三の公卿、幼沖《ようちゅう》の天子を擁し、陰険の挙を行はんとし、全く慶喜の功を没せんとするは何ぞや」と大声で抗議★しました。

これに対して、岩倉が「今日の挙は一に皆、聖断に出《い》でざるはなし、何ぞ、その言

◉龍馬の手紙

坂本龍馬が暗殺される五日前に書いた手紙が発見された。高知県が二〇一七年一月発表したもので、龍馬は、福井藩士の三岡《みつおか》八郎（後の由利公正《ゆりきみまさ》）を新政府の財政担当として参加させるよう福井藩重臣の中根雪江に懇願していた。三岡の上京が一日先になれば、「新国家」の財政成立も一日先になってしまうと訴えており、龍馬は新政府に「国内有能の人士」を招くため、力を尽くしていたことがわかる。

◉三条実美

尊攘派公家の中心人物として、一八六二年、朝廷の勅使として第一四代将軍・家茂に対して、攘夷督促の勅命を伝えた。ところが、六三年の公武合体派によるクーデター（八月一八日の政変）で失脚、七卿落ちの一人として長州に逃れ、その後、太宰府に移された。王政復古とともに帰京し、新政府の議定となり、さらに岩倉具視と並んで副総裁に就くなど、新政府で要職を重ねた。

を慎まざるや」と反駁《はんばく》。さらに「（慶喜に）反省自責の念があらば、速やかに官位を辞退し、土地人民を還納」すべきなのに、「今や政権の空名をのみ奉還し、土地人民の実権は擁し」たままである、と責めたてました（宮内庁編『明治天皇紀（第一）』）。

会議では、山内豊信と松平慶永のいわゆる公議政体論者と、慶喜追放を譲らない岩倉、大久保の倒幕派が対立しました。休憩に入ると、会議には出ていなかった西郷は、「唯《ただ》、これあるのみ」と短刀を示し、強行突破の姿勢を示したと言われています。結局、会議は、慶喜に対し、内大臣の辞職と領地・領民の返還という「辞官納地」を命ずることに決しました。

王政復古の大号令

六八年一月三日（慶応三年一二月九日）に出された「王政復古の大号令」には何が書かれていたのでしょうか。それを読んでみましょう。

徳川内府（内大臣慶喜）、前より御委任せし大政返上、将軍職辞退の両条、今般、断然、聞こしめされ候《そうろう》、抑《そもそも》癸丑《きちゅう》（一八五三年・嘉永六年の黒船来航）以来、未曽有《みぞう》の国難、先帝（孝明天皇）頻年《ひんねん》（毎年）宸襟《しんきん》（天子の心）を悩ませられ候御次第、衆庶《しゅうしょ》（庶民）の知るところに候

これにより叡慮《えいりょ》（天子のお考え）を決せられ、王政復古、国威挽回《こくいばんかい》の御基《おんもとい》立てさせられ候間《あいだ》、自今《じこん》（今後）、摂関幕府等廃絶、即今《そっこん》（ただいま）先《ま》ず仮に総裁、

●「王政復古」（島田墨仙画）

議定《ぎじょう》、参与の三職を置かれ、万機（天下の政治）行わせらるべく、諸事、神武《じんむ》創業の始《はじめ》に原《もと》づき、縉紳《しんしん》（公家）、武弁《ぶべん》（武家）、堂上《とうしょう》（昇殿を許された五位以上の人）、地下《じげ》（六位以下の人）の別なく、至当の公議を竭《つく》し、天下と休戚《きゅうせき》（喜びと悲しみ）を同じく遊ばさるべき叡念に付き、各《おのおの》勉励、旧来驕惰《きょうだ》（おごりおこたる）の汚習を洗い、尽忠報国《じんちゅうほうこく》（忠義を尽くし国に報いること）の誠をもって奉公致すべく候事

まず、慶喜による大政奉還を受け入れたうえで、ペリー来航以来の「国難」解決のため、摂関も幕府も廃絶すると明言しています。これにより「摂政」「関白」「征夷大将軍」「議奏」「武家伝奏」（朝廷と幕府の交渉にあたる役職）「国事御用掛」「京都守護職」「京都所司代」などの官職もすべて廃止されることになりました。

それは、九〇〇年以上続いていた摂関制度や、徳川だけでも二六〇年以上にわたる幕府の政治組織を解体するという、徹底的かつ過激な組織改革でした。そして新たに、

◉山内豊信の憤怒

二〇歳で土佐藩主となった山内豊信は、号の容堂のほかに鯨海酔侯《げいかいすいこう》とも名乗った。吉田東洋らを登用して藩政改革を断行し、武市瑞山らの尊攘派を弾圧した。一八六七年、倒幕派の先手をうつ形で慶喜の大政奉還にこぎつけた豊信は、この先は、天皇を元首とし、その下に諸侯と公卿の上院と、藩士・平民らの下院という公議政体をつくる、そして徳川将軍を上院議長兼執政権者とし有能の諸侯で政府を組織する、と考えていた。ところが、将軍職廃止はまだしも、将軍の官位一等を減じ、その領地まで取り上げたうえで、朝廷が全権を握ることが「小御所」会議で決められる、と聞いて、豊信は憤激したのである（井上清『明治維新』）。

「総裁」「議定」「参与」の三職を設置し、ここで「万機」を決するとしました。さらに、朝廷や幕府以前の「神武創業の始」、つまり天皇統治の原点に戻るとし、ここに新政府の正統性を求めて、すべてを一新すると強調したのでした。

人事も驚くべきものでした。総裁には皇族の有栖川宮熾仁《ありすがわのみやたるひと》親王、議定には二人の皇族と、公家の中山、正親町三条、中御門と、武家の徳川慶勝《よしかつ》（尾張）、松平慶永（越前）、浅野茂勲《もちこと》（芸州）、山内豊信（土佐）、島津茂久《もちひさ》（薩摩）ら計一〇人が就任。参与には大原重徳《しげとみ》、岩倉具視ら五人の公家がつきました。参与はのちに西郷、大久保、木戸、後藤らが任命されます。いわゆる佐幕派は、公家・武家ともに、いっさい排除されていました。

大号令は続いて新政権の施政方針のようなものを示しました。★

天皇の位置上昇

幕末政治の流動化は、ペリー来航に始まりました。幕府はこれを「国家の一大事」ととらえて天皇・朝廷に報告して協力を求めました。幕府は日米修好通商条約の調印でも、事前に朝廷の裁可を得ようと、老中の堀田正睦《まさよし》を上京させました。本来、天皇から政治・軍事・外交の権限は幕府に委任されているという「大政委任論」に立てば、幕府は自らの責任で決めたあと、朝廷に事後報告すれば済むことでした。

にもかかわらず、幕府が天皇の同意を得る必要があるとして勅許を求めたことは、天皇を政治決定の場に呼び込むことになりました。六三年一月、第一四代将軍家茂は、

●岩倉具視

孝明天皇の勅使を上座に迎えて勅書を受領し、これに続いて決行した、第三代家光以来の将軍上洛も、朝廷の権威を高めました。

そして四月に孝明天皇が「攘夷成功」祈願のため賀茂社に行幸した際には、各藩の藩主らが先陣をつとめ、将軍が後陣をつとめました。これまで「近世社会の常識では、天皇・朝廷は、幕府の政治的支配下」にありましたが、この行幸の光景は「天皇は将軍と大名を従えて、日本国家の最上位に位置する存在であることを、無言のうちに誇示」することになったのです（佐々木克『幕末史』）。

これとは別に、天皇・朝廷の権威を高める役割を果たしたのが、日本古来の道を説く「国学《こくがく》」★の賀茂真淵《かものまぶち》や本居宣長《もとおりのりなが》らの思想でした。また、万世一系の天皇を日本の象

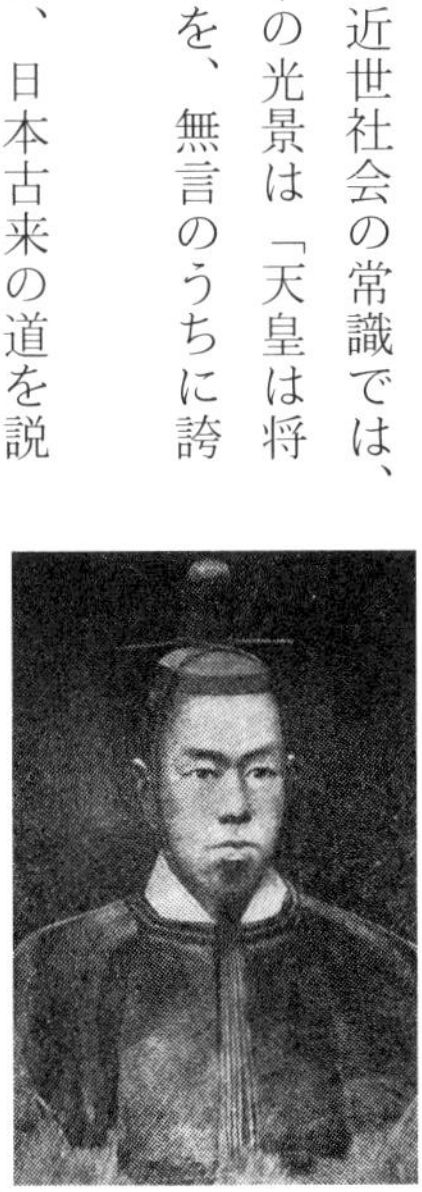

●孝明天皇

◉「王政復古の大号令」の後半

大号令には後半部分があり、そこでは「言語洞開《とうかい》」の道を開くので、国政について「貴賤にかかわらず、忌憚《きたん》なく献言」すること、また、「人材登用第一の急務」であるから、心当たりがあれば早々に言上すること。さらに近年、物価が「格外に騰貴」し、「富者ますます富を累《かさ》ね、貧者はますます窘窮《きんきゅう》に致」って貧富の差が拡大しており、「百事一新」の折、「知謀遠識、救弊の策」があるならば、申し出てもらいたいとしていた。

◉国学

江戸時代中期から後期にかけて発達した古典研究の一学派またはその学問。契沖を祖とし、荷田春満《かだのあずままろ》、賀茂真淵を経て本居宣長にいたって完成され、平田篤胤《あつたね》らに引き継がれた。儒教、仏教渡来以前の日本固有の精神、文化を明らかにすることを主たる目的とする。国学は学問、研究の範囲内にとどまらず実践とも結びつき、ことに篤胤にいたって復古思想が強調され、尊皇攘夷運動の思想的根拠となった（『ブリタニカ国際大百科事典』）。

徴と位置づける「水戸学」は、「尊皇攘夷」に大きな影響を与えました。大政奉還や王政復古の政変は、こうした幕府と朝廷の力関係の変化、天皇の位置の上昇という流れの中で起きたのでした。

一方、倒幕派の間で、天皇は隠語で「玉」（ギョクあるいはタマ）と表現されていたそうです。クーデター直前、木戸孝允は手紙に「うまく『玉』をわがほうへだきこむことが、何にもましてもっともたいじなこと」と書いていました。幕末の権力闘争は、まさに天皇の奪い合いであったといえ、それだけ中核に位置する天皇の政治的価値は大きかったといえます。

慶喜、大坂城入り

クーデターによる政権樹立によっても、政局はおさまりませんでした。慶喜の「辞官納地」に、二条城にいた旧幕府の将兵はいきり立ちます。暴発を恐れた慶喜は、約一万人に上る旗本兵・会津兵・桑名兵らの外出禁止措置をとります。六八年一月初め、慶喜は二条城を去って、大坂城に入ります。

慶喜は大坂で、イギリス、フランス、オランダ、アメリカ、プロシア、イタリア六か国の代表と会見し、「政体が定まるまでは、私が責任をもって条約を履行する」旨を述べて、外交権が自らにあることを宣言しました。こうした動きと並行して、新政府内で議定の松平慶永、参与の後藤象二郎ら土佐、越前藩などの公議政体派によって、慶喜の処分を見直し、慶喜を議定職に充てるという妥協案がまとまります。加えて、

●幕末の大坂城（本丸東側諸櫓）

経済的、軍事的に要所である大坂の町に、旧幕府勢が続々と結集してきます。

この公議政体派の逆襲に、薩摩・大久保や長州・木戸らは焦りの色を濃くし、徳川幕府打倒の決意を固めます。

そんなとき、江戸で一騒動が持ちあがりました。旧幕府側が一月一九日、薩摩藩邸を焼き打ちしたのです。実は、薩摩藩邸の浪士たちが前年の一二月中旬から市中で御用金強盗を働いたり放火したりと、攪乱《かくらん》工作を展開していました。西郷が薩摩藩士の益満休之助《ますみつきゅうのすけ》らに指示していたといわれます。

薩摩藩邸焼き打ちは、当時、江戸市中の取り締まりにあたっていた庄内藩の屯所《とんしょ》が襲撃されたことに対する報復行動でした。薩摩の挑発に乗ったとも言え、西郷は「これで倒幕の名目がたちもうした」と言ったといわれます。そしてこの薩摩の攪乱戦術は、旧幕府の主戦論を刺激し、憤激した将兵が慶喜を突き上げます。

このころ、慶喜は、老中の板倉勝静《かつきよ》を相手にこのようなやりとりをしています。「徳川の譜代・旗本の中に西郷隆盛や大久保利通に匹敵すべき人材ありや」。慶喜の問いかけに、板倉が「さる人は候わず」と答えると、慶喜は「薩州と開戦すとも、最後には勝てぬ」と言いました。慶喜には、このまま戦争は避け、新政府の議定の一人になる道もありました。しかし、六八年一月二五日、慶喜は薩摩藩征討の文書（「討薩の表」）を朝廷に提出します。旧幕府軍の主戦派は隊列を組んで武力上洛へと進みます。

9　その頃、朝鮮半島では

李氏朝鮮の時代

日本に攘夷運動が吹き荒れていた一八六三年、朝鮮では国王が死去し、わずか一二歳の高宗《こうそう》（一八五二―一九一九年）が即位しました。李氏《りし》朝鮮第二六代の王です。

李氏朝鮮（李朝）は一三九二年、李成桂《りせいけい》（一三三五―一四〇八年）が高麗を倒して建てた王朝です。李朝と、当時日本の室町幕府との関係は、倭寇《わこう》（日本の海賊集団）の禁圧をめぐる交渉で始まり、一五世紀初頭には国交が結ばれます。

一四一九年、朝鮮が、倭寇の本拠地である対馬《つしま》に遠征軍を派遣して征討に出たため、活発化していた貿易も一時中断されます。その後、朝鮮は日本との交易のため、富山《ふざん》浦《ほ》（釜山）など三港を開き、この三港と首都の漢城《かんじょう》（ソウル）に窓口機関として「倭《わ》館《かん》」を設置しました。日本からは鉱産物（銅・硫黄・銀）や染料・香料、工芸品が輸出され、朝鮮からは木綿をはじめ仏具、青磁などが輸入されました。ところが、一五一〇年、三港の在留日本人が貿易縮小などへの不満から暴動を起こし、日朝貿易は不振に陥ります。

●一四世紀末に倭寇の侵入を防ぐため土の城壁がめぐらされた集落（韓国・順天市で）

一五九二（文禄元）年、豊臣秀吉が一五万人余の兵力を動員して朝鮮侵略を開始します。小西行長が率いる第一軍が釜山に上陸したあと、加藤清正らの第二軍、黒田長政らの第三軍が続き、漢城を陥落させ、平壌《ピョンヤン》も占領、各地に侵入しました。これに対して、李舜臣《りしゅんしん》★（一五四五―九八年）指揮下の朝鮮水軍や義兵が抵抗をみせ、中国・明軍の支援も受けて劣勢を盛り返し、休戦に持ち込みます。

秀吉は一五九七（慶長二）年、ふたたび一四万人余りの軍隊を送りますが、朝鮮・明軍の反撃にあい、秀吉の病死を機に日本軍は撤兵しました。この「文禄・慶長の役」と呼ばれる朝鮮出兵は、朝鮮の人々に多大の被害をもたらし、日本に対する怨念《おんねん》や警戒心を植え付けるなど、大失敗に終わりました。

朝鮮通信使との交流

徳川幕府は、秀吉のような対外征服は考えませんでした。一六〇七年、一七年、二四年には、「回答兼刷還使《かいとうけんさっかんし》」と呼ばれる朝鮮からの使節が来日しました。使節の名目は、

●韓国・麗水市に立つ将軍・李舜臣の像

◉李舜臣

全羅左道水軍節度使として亀甲船《きっこうぶね》（船体の上面を厚板で装甲した船）を建造するなど軍備強化に努めた。豊臣秀吉の朝鮮侵略が始まると、水軍を率いて玉浦や釜山浦の海戦などで日本水軍を撃破し、制海権を掌握した。慶尚右道水軍節度使・元均に讒訴《ざんそ》されて失脚するが、秀吉の慶長の役では三道水軍統制使として水軍を立て直し、明の水軍と協力して戦った。最後は流弾により戦死。朝鮮水軍の名将として称えられる。

徳川将軍からの国書に対する「回答」と、文禄・慶長の役の朝鮮人捕虜の帰還でした。徳川幕府が朝鮮との講和を成立させると、対馬藩主・宗《そう》氏が、朝鮮外交の実務と貿易の独占を許されます。

四回目の一六三六年以降、使節は「通信使」と呼ばれ、徳川将軍が代わる時の祝賀が主目的になります。李朝は同年末、清軍の侵入を受け、降伏して属国になりますが、清からの圧力に抗するためにも、日本との関係改善をはかる必要があったとも言われています。

使節一行は、釜山から対馬を経て瀬戸内海を東に向かって大坂に入り、京都から東海道を江戸に下りました。コースに当たる諸藩は、約五〇〇人にも上る一行をもてなしました。江戸城では使節から国書や進物が献上され、将軍が一行を慰労しました。また、朝鮮使節が、徳川家康をまつった日光東照宮を参詣することもありました。通信使の来日は計九回に及びました。★

いずれの来日でも、日朝の学者や文人たちが交歓しあい、日本側は先進的な朝鮮文化を学び、中国の文物にも触れる機会をもちました。一七一九年に来日した通信使のメンバーの一人は、李朝の代表的朱子学者である李退渓《りたいけい》の著作が、当時の日本でいかにもてはやされていたかを記録に残しています。

通信使は、日朝両国の財政悪化などにより、一八一一年をもって終わりますが、対馬藩による貿易は継続されます。

大院君の政治

西洋から遠く離れた日本と朝鮮は、ともに国を閉ざしてきました。しかし、すでにインドを植民地化し、中国の半植民地化を図る欧米列強によって、いよいよ開国を迫られます。

日本が一七九二年、ロシア使節・ラクスマンから初めて通商を求められたのに対して、朝鮮の場合は一八三一年、イギリス商船が黄海沿岸に来航したのが、そのさきがけのようです。その後、四六年にはフランス軍艦、五四年には日本に再来航したロシアのプチャーチンが、朝鮮半島南端の巨文島《コムンド》にやってきます。

とくに清国が六〇年、満州の沿海部をロシアに譲った結果、朝鮮とロシアは国境を接することになり、ロシア側の通商要求が強まります。

こうした中、国王高宗の実父・大院君《たいいんくん》（一八二〇―九八年）が摂政として、朝鮮の国防強化をはかります。同時に、王妃の一族などが政権を独占する「勢道《せいどう》政治」で弱体化した王権を立て直すため、国内改革にも乗り出します。

●大院君

◉雨森芳洲の朝鮮外交

対馬藩に仕え、対朝鮮外交を長らく担当した儒者に雨森《あめのもり》芳洲《ほうしゅう》（一六六八―一七五五年）がいる。滋賀県に生まれた。

朝鮮語にも中国語にも通じた芳洲は、対馬藩の「朝鮮方」として最前線に立ち、釜山の倭館（在外公館）に再三滞在して外交折衝にあたる一方、一七一一年と一九年の二度にわたり朝鮮通信使を応接した。

大院君は一〇年間にわたり国政の実権を握り、李朝の王宮として創建され、豊臣秀吉の侵略の際に焼失した「景福宮」★を再建します。さらに両班《ヤンバン》と呼ばれる特権的な支配層の不正をただし、経済的な特権を廃止して税収増をはかりました。

攘夷戦争の勝利

大院君の対外政策をみると、「攘夷《じょうい》」そのものでした。キリスト教の布教を警戒した大院君は六六年初め、朝鮮に潜入していたフランス人の宣教師九人を殺害し、国内のキリスト教徒を大弾圧します。北京駐在のフランス代理公使は、その知らせを受けると、朝鮮に宣戦を布告。フランス艦隊七隻が陸戦隊を乗せて朝鮮に出動しました。

フランス軍は、宣教師殺害に対する補償や処罰・通商条約の締結を要求して、漢江の河口にある「江華島《こうかとう》」に上陸。武器や金銀、書籍などを強奪しました。陸戦隊はソウルに侵攻しようとしましたが、朝鮮軍の反撃の前に果たせず、撤退しました。

同年七月、大砲を装備したアメリカ商船が大同江をさかのぼって平壌近くまで侵入し、通商を要求しました。その乱暴な態度に憤った群衆によって商船は焼き払われます。また六八年、ドイツ商人が、フランス宣教師とアメリカ人らと組んで大院君の父の墓を盗掘しようとして失敗、大院君を怒らせました。

アメリカは七一年、五隻の軍艦に大砲を装備して朝鮮遠征艦隊を派遣しました。その上陸部隊は、江華島への水路を北上し砲台を占拠しますが、朝鮮軍は頑強に抵抗し、清国駐在のロー公使による通商条約締結要求も受け入れませんでした。

●景福宮正門

当時、朝鮮の全国各地には、「洋夷侵犯　非戦則和　主和売国（洋夷侵犯するに、戦いを非とするは則《すなわ》ち和なり、和を主とするは売国なり）」と刻んだ「斥和碑《せきわひ》」が建てられました。日本を開国させたアメリカも、朝鮮では成功しませんでした。ロー公使は「朝鮮はペリー提督出向前の日本よりも、いっそう厳鎖したる国土である」と、朝鮮の厳しい鎖国攘夷の実情を本国に報告しています。

朝鮮の排外主義は、「衛正斥邪《えいせいせきじゃ》」と呼ばれます。朱子学の解釈に基づいて、「正を衛《まも》り、邪を斥《しりぞ》ける」という思想です。

政治学者の佐藤誠三郎・元東大教授は、「近代化への分岐――李朝朝鮮と徳川日本」と題した論考で、西欧列強への対応をめぐって朝鮮と日本とを比較しています。

それによりますと、日本では「尊皇攘夷」、朝鮮では「衛正斥邪」という名の排外主義は、「自国の道徳的優越性を強調し、世界情勢を戦国時代との類比で理解し、西洋列強にたいしてはげしい敵意と警戒心をいだき、内政改革として人材登用・人心の一致・軍備の強化・経費節減などを主張する点で、きわめてよく似て」いました。

他方、違いもありました。日本では、中国のアヘン戦争に大きなショックを受けたのに対し、朝鮮は、中国に毎年朝貢使を送りながら関心が希薄でした。一八六〇年の

◉景福宮

朝鮮王朝（李朝）の王宮で、一三九四年に創建された。秀吉の文禄の役の一五九二年に焼失し、以後二七〇余年間、廃墟になっていたのを大院君が再建した。景福宮の正門は韓国併合（一九一〇年）後、朝鮮総督府を建てるため移築され、一九五〇年からの朝鮮戦争では木造部分を焼失するなど曲折を経て、二〇一〇年、当初の位置に復元された。

英仏軍による北京占領こそ、さすがに衝撃を受けていますが、それによって採られた政策は排外主義の強化でした。朝鮮の攘夷戦争は、日本のように「雄藩対列国」ではなく、国家同士の戦争になります。さらに日本は短期間で終戦し、薩摩・長州の雄藩でも、幕府に続いて開国路線が強まります。これに対して、朝鮮は、戦争の勝利によって日本とは対照的な道を選択したのでした。

西太后の登場

さて、アジアの大国・中国に目を転じますと、清を苦しめた第二次アヘン戦争の際、清朝の咸豊帝《かんぽうてい》★（一八三一―六一年）は、北京を脱出して熱河《ねっか》の離宮に逃げ込みました。残された弟の恭親王《きょうしんのう》（一八三三―九八年）が、和平交渉にあたりますが、イギリス、フランスの要求を受け入れざるを得ず、屈辱的な北京条約を結びました。このため、恭親王は国内から売国奴を意味する「鬼子六《グイズリュウ》」の汚名を着せられました。

咸豊帝は六一年八月、熱河で病死し、六歳の息子が帝位に就きます。同治帝《どうちてい》です。咸豊帝に仕えていた粛順《しゅくじゅん》の一派が新帝の後見にあたろうとしますが、一一月、新帝の生母である西太后《せいたいこう》（一八三五―一九〇八年）と恭親王が協力してクーデターを起こし、政権を掌握。粛順一派は追放され、粛順は処刑されます。

西太后は満州人エホナラ氏の出身で、二七歳の若さでしたが、「垂簾聴政《すいれんちょうせい》」（すだれを垂らして姿を隠し、幼帝にかわって政治を行うこと）によって、国政の中枢に入ります。内乱の平定や外交は、もっぱら漢人官僚らにゆだね、恭親王を上回る政治的手腕を発

●西太后

揮した西太后は、以後、甥《おい》の光緒帝《こうしょてい》の治世も含めて、半世紀にわたって独裁的にこの国を支配することになります。

清朝は六一年一月、外務省にあたる「総理衙門《そうりがもん》」を新設します。対外交渉で欺かれないために、との思いを込め、外国語教育や洋書の翻訳などに熱を入れます。さらに「西洋人にならうことは恥ではない」として科学技術の導入が唱えられました。

一方、太平天国鎮圧などで西洋武器の優秀さを知った曽国藩《そうこくはん》★（一八一一―七二年）は、西洋の軍事・科学技術に着目しました。曽国藩とともに太平軍と戦った李鴻章（一八二三―一九〇一年）は、上海に兵器工場や中国で初めての汽船会社を発足させたり、紡織工場を作ったりします。また、同じく反乱の鎮圧にあたった左宗棠《さそうとう》（一八一二―八五

●曽国藩

◉咸豊帝

清朝の第九代皇帝。道光帝の死により即位し、在位は一八五〇―六一年。五〇年一月の即位後間もない一〇月に太平天国の乱が起き、五三年三月、太平天国軍が南京を占領し、反乱はほぼ全国に拡大した。五六年一〇月にはアロー号事件が起き、第二次アヘン戦争が勃発。六〇年九月、咸豊帝は熱河に逃れ、北京条約締結後、英仏軍が撤退しても北京に帰らず、この地で病没した。皇后の東太后《とうたいこう》は政治に関係することを好まず、同治帝の実母で皇后に次ぐ地位にあった才気煥発の西太后が事実上、政権を継承した。

◉曽国藩

曽国藩は、湖南省の農家に生まれ、一八三八年に進士に及第した。太平天国の乱で、清朝側は、漢人官僚らが郷里で義勇軍（郷勇）の結成を進めたが、曽国藩は、湖南省で湘軍結成を命じられた。江蘇省など四省の軍務を統括するようになると、李鴻章が率いる淮軍《わいぐん》（安徽省）や左宗棠の楚軍《そぐん》（湖南省）に対して、浙江などの奪回を命じた。五九年、李鴻章は曽国藩の幕僚になった。一八六四年、清軍は南京を占領し、太平天国は崩壊、その軍功により、曽国藩は公爵に叙された。

年）は六六年七月、福建省に船政局を設立し、軍艦の製造を進めます。これらの一連の中国の動きは「洋務運動」と言われています。

第3章　万機公論と万国公法

第3章関連年表

1868（慶応4・明治元）	
1月	旧幕府側が江戸薩摩藩邸を焼き打ち 慶喜は「討薩の表」で宣戦布告 鳥羽・伏見の戦い、戊辰戦争起こる 新政府、慶喜追討令を出す 慶喜は会津藩主、老中らを引き連れて大坂城を脱出、大坂を出帆し江戸着 仏公使ロッシュ、慶喜に再起を促す。慶喜拒絶 英米仏伊蘭普の6か国が局外中立宣言
2月	天皇、親征の詔を発布 新政府、官制改め三職八局の制とする 新政府、仙台藩に「会津藩追討令」出す 大久保利通、朝廷に「大坂遷都」を建白
3月	東征大総督に総裁熾仁親王。錦旗を掲げ東海・東山・北陸三道の軍を指揮 慶喜、江戸城を出て上野寛永寺に閉居 旧幕臣ら、彰義隊を結成し上野を占拠 英公使パークス、京都で刺客に襲われる 大総督府、江戸城総攻撃命令 幕臣山岡鉄舟、大総督府参謀西郷隆盛と面会 英公使パークス、東海道先鋒総督参謀と会見 西郷隆盛と勝海舟が江戸開城交渉で合意。西郷、総攻撃中止を指示
4月	政府、神祇官の再興を布告 天皇、紫宸殿で公卿・諸侯を率い五箇条の御誓文。億兆安撫・国威宣揚の宸翰

1868（慶応4・明治元）	
	「五榜の掲示」で切支丹邪宗門を厳禁 神仏分離令。排仏毀釈運動起こる
5月	江戸城開城。慶喜、水戸へ退去
6月	新政府、長崎で浦上キリシタン弾圧 政府、政体書を出す。太政官制導入 奥羽、北越の諸藩が官軍に抗戦するため奥羽越列藩同盟を結成
8月	輪王寺宮公現法親王、奥羽越列藩同盟軍事総督になる
9月	天皇、江戸を東京と定める詔書 河井継之助率いる長岡藩兵ら長岡城を奪回。5日後、政府軍に敗退
10月	旧幕府海軍副総裁榎本武揚、8艦を率いて品川を脱走 新政府軍、会津若松城を包囲。会津藩白虎隊、飯盛山で自刃。翌月、藩主松平容保、降伏 天長節（天皇誕生の祝日）を定める 天皇、即位の大礼をあげる。明治と改元し一世一元の制を定める 米大統領選で共和党グラント当選 新政府、スウェーデン＝ノルウェーと修好通商条約などに調印（新政府初の条約締結）
11月	北会津郡などで農民蜂起、名主を襲撃 清水次郎長、「朝敵」の兵士の遺体弔う

年	月	事項
1869（明治2）	1月	榎本軍、各国領事に蝦夷地の領有を宣言
	2月	米英蘭仏独伊の6か国公使は、局外中立解除を布告
	3月	薩長土肥の4藩主が連署して版籍奉還を建白
	4月	公議所開院式、版籍奉還を諮問し議論
	6月	新政府海陸軍、箱館総攻撃を開始、榎本軍の土方歳三戦死。政府軍参謀黒田清隆、榎本に降伏勧告。五稜郭開城、戊辰戦争終わる
	7月	諸藩の版籍奉還を勅許。藩知事を任命。公卿・諸侯は華族、各藩士は士族と称する
	8月	東京招魂社創建。のち靖国神社に改称
	9月	高崎藩（群馬）で年貢減免を求める農民4300人が蜂起
	10月	兵部大輔大村益次郎が、兵制改革反対浪士の襲撃を受け、のち死亡
1870（明治3）	2月	大教宣布の詔出る 奇兵隊など長州諸隊で脱退騒動起こる
	6月	会津藩、青森下北半島の斗南に移封される 困窮の長岡藩に支藩から見舞米。小林虎三郎の「米百俵」の逸話
	9月	イタリア王国軍がローマに入城。翌月、ローマを併合しイタリア統一完成
	10月	政府、海軍はイギリス式、陸軍はフランス式と定める
1871（明治4）	1月	普仏戦争でパリ陥落。ドイツ皇帝ヴィルヘルム1世がヴェルサイユ宮殿で即位式
	4月	薩摩・長州・土佐3藩で親兵編成を決定

年	月	事項
1871（明治4）	8月	天皇、廃藩置県の詔書を出す
	9月	文部省を置く 政府、太政官制を改め、正院、左院、右院の三院制とする 太政大臣三条実美、右大臣岩倉具視、参議に西郷隆盛・木戸孝允・板垣退助・大隈重信が就任。「薩長土肥」の藩閥政府形成
	11月	岩倉具視使節団を欧米に派遣。特命全権大使岩倉具視、副使は木戸孝允、大久保利通（大蔵卿）、伊藤博文（工部大輔）、山口尚芳（外務少輔）の4人
1872（明治5）	9月	学制公布
1873（明治6）	1月	徴兵令
	2月	切支丹禁止の高札を撤去
	3月	岩倉ら、ドイツ宰相ビスマルクの招宴に出席
	7月	地租改正条例布告
	9月	岩倉具視帰国
	10月	明治六年の政変

1 「万機公論に決すべし」

明治維新はいつまで？

本書では、これまで、ペリーの来航（一八五三年）から徳川幕府の滅亡、そして維新政府の発足までの動きを追ってきました。この間わずか一五年しかたっていません。

ふつう「明治維新★」というと、ペリー来航に始まるとされますが、それがいつ終わったのかとなると、諸説あるようです。歴史学者の田中彰・元北海道大学教授は、著書『明治維新』で七つの見解を列挙しています。

第一は、一八七一（明治四）年です。全国の藩を廃止して府県を設置した「廃藩置県《はいはんちけん》」によって幕藩体制が一掃され、新政府による統一国家が成立し、維新は終了したとする見方です。右大臣・岩倉具視を大使とする米欧回覧使節団（岩倉使節団）が派遣されたのもこの年です。明治日本の文明開化★、富国強兵が本格始動します。

第二は、七三（明治六）年です。この年の前後、学制公布・国立銀行条例（七二年）や徴兵令・地租改正条例（七三年）などの諸改革令が出されます。さらに征韓論をきっかけに明治政府の内部に亀裂が入り、西郷隆盛、板垣退助、後藤象二郎、江藤新平、副島種臣の五参議がいっせいに辞職する「明治六年の政変」が起きました。

第三は、西郷隆盛ら鹿児島県士族が決起し、徴兵中心の政府軍を相手に「西南戦争」を戦った七七（明治一〇）年です。この「最大にして最後」と形容される士族の反乱は、政府軍の勝利に終わり、西郷は自刃します。西南戦争のさなか、木戸孝允は病死し、翌七八年には大久保利通が暗殺され、いわゆる「維新の三傑《さんけつ》」（西郷・木戸・大久保）の時代が終焉を迎えます。

第四は、政府が「琉球処分」を完了した七九（明治一二）年。日本政府は七二年に琉球王国を琉球藩に、国王を藩王に改称したのち、七九年、廃藩置県を宣言して琉球藩を廃し、沖縄県の設置を強行しました。

●キヨソネ筆「西郷隆盛肖像画」

◉「維新」の出典

「維新」は、『詩経』の「周は旧邦と雖《いえど》も、其の命維《こ》れ新たなり」とされ、あらゆるものを一新する、という意味。当時の人々は、政府が次々に繰り出す政治の変革や時流の変化を「一新」と呼んだが、これを『詩経』中の洗練された言葉に置き換えたものが「維新」だとされる。

◉文明開化

明治の初め、日本政府は、西洋文明を積極的に摂取して近代化（西欧化）を推進した。鉄道が敷かれ、郵便・電信が開始され、新聞の創刊が相次いだ。西洋の文物も流入した。東京・銀座では、煉瓦《れんが》造りの建物、舗道にガス灯がともり、鉄道馬車・人力車が走った。こうした風景は、次第に全国の都市部にも広がった。さらに洋装、牛鍋、散切り頭など、続々と新風俗が登場した。「開化」の言葉の意味は、「発展途上国が先進国の文化・文明に接して、そのまねをしたり追いついたりしようとすること」（『新明解国語辞典』）で、「文明開化」の四字熟語の用例の始まりは、福沢諭吉の『西洋事情』だといわれる。

第五は、「明治一四年の政変」が起きた八一（明治一四）年です。自由民権派の国会開設要求が高まるなかで、政府は、参議の大隈重信を罷免する一方、欽定《きんてい》（天皇が定める）憲法の制定と「九〇年国会開設」を公約しました。

第六は、「秩父事件」が発生した八四（明治一七）年。埼玉県の秩父地方で貧しい農民たちが負債の返済緩和などを要求して立ちあがった大蜂起です。

そして第七は、大日本帝国憲法（八九年）と教育勅語（九〇年）がそれぞれ発布された八九―九〇（明治二二―二三）年が挙げられています。これによって「明治天皇制の法的な枠組みとイデオロギーの支柱が形づくられ」、ようやく維新にピリオドが打たれたという見方です。

このどれを取るかは、明治維新をどう性格づけるかによって判断が分かれそうですが、いずれにしても「日本近代国家成立の出発点に明治維新をおき、その維新のプロセスこそが、その後の明治国家や近代天皇制の性格や構造を決定づけた、とみる点では共通している」（同書）ということです。

「一世一元の制」

では、この「明治」という元号★は、どこに由来しているのでしょうか。その出典は、「五経《ごきょう》」（儒教で尊重される五種の教典）の一つ、『易経《えききょう》』の中にある、「聖人南面して天下を聴き、明に嚮《むか》いて治む」です。

六八年一〇月二三日（明治元年九月八日）、宮中の賢所《かしこどころ》で、儒者に選定させたいくつかの元号候補から、天皇が御籤《みくじ》をひいて「明治」と決まりました。この日に布告された「改元詔書」には、天皇一代の間は、ただ一つの元号を用いるという「一世一元《いっせいいちげん》、以て永式となせ」とあります。

日本では、六四五年に「大化」と号したのが最初で、元号が制度として確立するのは七〇一年の「大宝」からです。その後は、天皇即位（代始め）や祥瑞《しょうずい》（吉兆）、災害・異変、干支六〇年にあたる辛酉《しんゆう》年と甲子《こうし》年に革命が起こるという説などを理由として、元号はしばしば改められてきました。

徳川家康は一六一五年、禁中 並 公家諸法度《きんちゅうならびにくげしょはっと》を制定して「改元の基準」を定め、幕府は改元についても干渉しました。しかし、一八世紀末になると、天皇を尊ぶ水戸学の藤田幽谷《ゆうこく》らが「一世一元」論を提唱するようになります。そして明治の改元では、岩倉具視が、これまで改元の際に繰り返されてきた「難陳《なんちん》（互いに論難・陳弁しあうこと）」論議は煩わしいならわしなので、今後は簡略にして「一世一元」とするよう提案、明

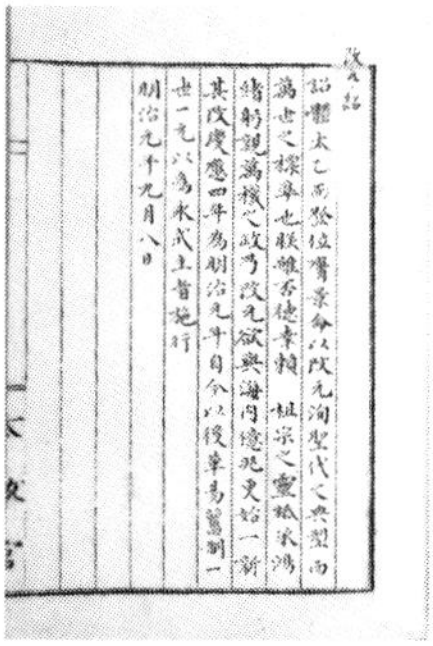
改元詔

詔體太乙而登位膺景命以改元洵聖代之典型而
萬世之標準也朕雖否德幸賴祖宗之靈祗承鴻
緒躬親萬機之政乃改元欲與海內億兆更始一新
其改慶應四年爲明治元年自今以後革易舊制一
世一元以爲永式主者施行
明治元年九月八日

●一世一元を定めた「明治改元の詔」（国立公文書館蔵）

◉元号

元号とは、年に付ける称号のこと。世界初の元号は、中国・前漢の武帝が紀元前二世紀に定めた「建元」とされる。元号制度は漢字や儒教などの文化とともに近隣諸国に伝わり、かつては朝鮮半島やベトナムでも使われていた。現在は世界で日本だけに残っている。徳川末期の孝明天皇の時代の元号は、嘉永（一八四八年）、安政（一八五四年）、万延（一八六〇年）、文久（一八六一年）元治（一八六四年）、慶応（一八六五年）で、明治以降は、明治（一八六八年）、大正（一九一二年）、昭和（一九二六年）、平成（一九八九年）、令和（二〇一九年）と続く。「平成」までの元号は、確認できる限り、すべて中国の古典（漢籍）から引用しているが、令和は初めて日本の古典（国書）から引用した。

治天皇の裁可をえて導入されました。

もっとも「一世一元」は、これが初めてではなく、平安前期には少なからずありました。その後、「一世一元」は一八八九年制定の旧皇室典範に明文化され、大正、昭和改元に適用されました。現在の元号法（一九七九年施行）でも「一世一元」は存続し、「平成」は同法に基づいて政府が政令で決めました。なお「令和」は、大化から数えて二四八番目の元号です。

鳥羽・伏見の戦い

さて、明治新政府は、六八年一月三日（慶応三年一二月九日）に発足しました。しかし、これに旧幕府勢力が立ちふさがります。

徳川慶喜が同月二五日に発した文書「討薩（薩摩藩征討）の表」は、薩摩の「奸臣《かんしん》」（主君に対して悪事をたくらむ家臣）どもを「誅戮《ちゅうりく》」（罪をただして殺害）しなければならない、という荒々しいもので、宣戦布告にひとしいものでした。薩摩側の江戸での挑発行動に乗った形でしたが、この「表」で旧幕府主戦派は勢いづきました。これに対して、慶喜をつぶしたい薩摩・長州両藩は、ここで雌雄を決しようと京都郊外で火ぶたを切ります。これが「鳥羽・伏見の戦い★」でした。

京都から大坂城に退いた慶喜のもとに集結した旧幕府軍はおよそ一万五〇〇〇人でした。これに対して薩長軍は五〇〇〇人程度にすぎず、兵の数では旧幕府側がはるかに勝っていました。一月二七日、鳥羽・伏見街道を北上した旧幕府軍は、緒戦から手

●鳥羽・伏見の戦いを描いた絵巻

痛い敗北を喫します。戦いの二日目、新政府議定の仁和寺宮嘉彰《にんなじのみやよしあきら》親王が征討大将軍に就任し、天皇から「錦旗《きんき》」（錦の御旗《みはた》）が渡されました。これによって新政府軍は「官軍」となり、旧幕府軍を「賊軍」の立場に追い込みます。

戦いの三日目、慶喜は大坂城で「この城、たとい焦土になるとも死をもって守るべし」と大演説を行い、将兵を奮い立たせました。ところが、開戦から四日目の夜、会津藩主・松平容保《かたもり》、桑名藩主・松平定敬《さだあき》、老中・板倉勝静《かつきよ》★（一八二三―八九年）らを引き連れて大坂城を脱出、船で江戸に向かってしまいます。最高指揮官の「逃亡」でした。これは慶喜にとって、後世まで語り継がれる大失態でした。なぜ、家臣たちをだましてまで不名誉な遁走《とんそう》をはかったのか。

◉鳥羽・伏見の戦い

京都南の郊外にある鳥羽・伏見で、薩摩藩を中心とする新政府軍と徳川慶喜を擁する旧幕府軍との戦いは、一八六八年一月二七日（慶応四年一月三日）から三〇日までの四日間にわたって行われ、武力討幕派の圧勝に終わった。明治のジャーナリスト川崎紫山《しこう》は、「徳川氏が、天下に覇たるは、関ヶ原の一役《いちえき》にあり、而して徳川氏が覇業を滅ぼしたるは、伏見鳥羽の一敗にあり」と喝破したという（野口武彦『鳥羽伏見の戦い』）。

◉板倉勝静

一八四九年、備中（岡山）松山藩主となる。陽明学者の山田方谷《ほうこく》を抜擢して藩政・財政改革を実行した。幕府の寺社奉行を経て六二年に老中に。いったん辞職後、六五年、老中に再登板して会計総裁を兼務。鳥羽・伏見の戦いで江戸に帰る慶喜に従ったが、船での帰路、慶喜から、江戸に帰投後は「抗戦せず恭順する」と初めて聞かされて強く抗議したという。板倉は辞職し、戊辰戦争では官軍に抗って奥羽越列藩同盟の参謀を務め、箱館にまで転戦した。

『会津戊辰戦史』（山川健次郎監修）は、「例の変節病」として、慶喜が急に臆病風に吹かれたのではないかとみています。また、慶喜は、「逆賊」「朝敵」になることをとくに恐れていたという見方もありますし、この内戦が収束できなくなるのを憂慮したという分析もあります。大政奉還した時と同様、その真意をはかりかねるところがあって、慶喜の政治的人格の不可思議さを思います。

旧幕府軍は四日間の戦いに敗れました。敗因は、はじめ戦闘態勢をとっていなかったこと、幕府陣営の淀藩、津藩が寝返ったこと、装備や士気、指揮官が劣っていたことが指摘されています。鳥羽・伏見の戦いにおける旧幕府軍の敗北は、徳川幕府の事実上の滅亡を意味しました。ただ、この戦争のあとも上野戦争、北越・東北戦争、そして箱館（函館）戦争――これを総称して「戊辰《ぼしん》戦争」という――が続くことになります。

五箇条の御誓文

さて、維新政府の成立宣言と言うべきものが、有名な「五箇条《ごかじょう》の御誓文《ごせいもん》」です。六八年四月六日（慶応四年三月一四日）、御所の紫宸殿《ししんでん》に「天神地祇《てんじんちぎ》」（日本国土の固有の神々）がまつられ、天皇が、公家と諸侯とともに「御誓文」の趣旨を誓約する儀式が行われました。それは以下の五か条です。

一、広く会議を興《おこ》し、万機《ばんき》（あらゆる重要な政治課題）公論に決すべし
一、上下心《しょうかしん》を一《いつ》にして、盛《さかん》に経綸《けいりん》（国を治めること）を行うべし

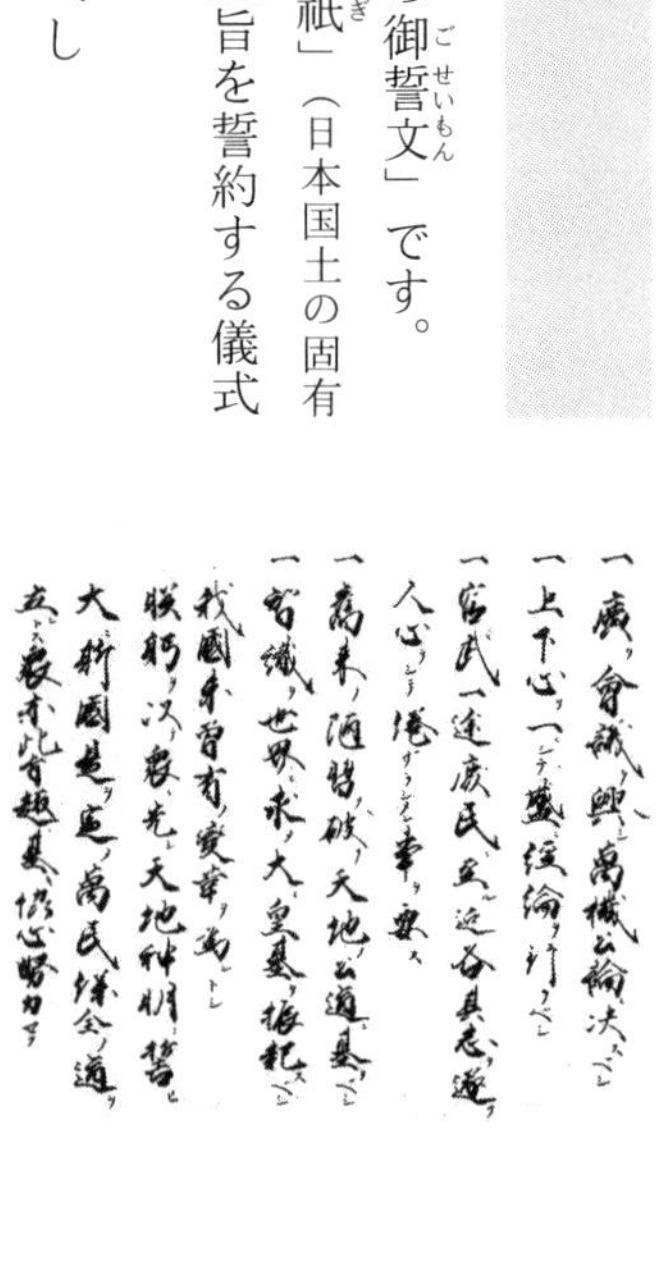
一 広ク会議ヲ興シ万機公論ニ決スヘシ
一 上下心ヲ一ニシテ盛ニ経綸ヲ行フヘシ
一 官武一途庶民ニ至ル迄各其志ヲ遂ケ
人心ヲシテ倦マサラシメン事ヲ要ス
一 旧来ノ陋習ヲ破リ天地ノ公道ニ基クヘシ
一 智識ヲ世界ニ求メ大ニ皇基ヲ振起スヘシ
我国未曾有ノ変革ヲ為ントシ
朕躬ヲ以テ衆ニ先シ天地神明ニ誓ヒ
大ニ斯国是ヲ定メ万民保全ノ道ヲ
立ントス衆亦此趣旨ニ基キ協心努力セヨ

●明治天皇の勅命によって有栖川宮熾仁親王が揮毫した五箇条の御誓文の原本

一、官武《かんぶ》（公卿と武家）一途《いっと》庶民に至る迄まで、各其《おのおのその》志を遂《と》げ、人心をして倦《う》まざらしめん事を要す

一、旧来の陋習《ろうしゅう》を破り、天地の公道に基《もと》づくべし

一、智識を世界に求め、大《おおい》に皇基《こうき》を振起《しんき》（ふるいおこす）すべし

この「御誓文」の原案は、越前藩士の由利公正《ゆりきみまさ》★（一八二九―一九〇九年）が作り、土佐藩士の福岡孝弟《たかちか》★（一八三五―一九一九年）の手で修正されたといわれています。徳川慶喜は大政奉還で、天皇親政《しんせい》と公議輿論《よろん》の両立をうたっていました。これを受けて朝廷が宣言した王政復古の大号令では、天皇親政とともに「公議をつくす」ことが盛り込まれました。そしてこの五箇条の御誓文でも、第一条に公議輿論を施政の基本とす

●五箇条の御誓文の原案を作成したとされる由利公正

◉由利公正

幕末～明治維新期の財政家として活躍した。越前藩士の子として生まれ、父業を継いで砲術練兵方教授などを務めた。横井小楠の教えを踏まえ、長崎に越前蔵屋敷を建てるなどして殖産興業を推進し、福井藩の財政再建に努めた。王政復古とともに新政府の参与となり、五箇条の御誓文の原案を起草するとともに、新政府初期の財政を担当。岩倉使節団にも随行した。のち東京府知事、元老院議官、貴族院議員などを務めた。

◉福岡孝弟

土佐藩士。吉田東洋に学び、一八六七年、山内豊信の命を受け、後藤象二郎らとともに徳川慶喜に大政奉還を献策した。「五箇条の御誓文」の福岡案では「列侯会議を興し」とあったが、木戸孝允によって「広く会議を興し」と修正された。「列侯会議」という表現では、公議政体派の諸侯会議と受け止められる可能性があるうえ、公家も排除されてしまうことに配慮したためといわれる。後に文部卿や枢密顧問官などを歴任した。

ることが打ち出されたのでした。

「天皇親政」と「公議輿論」

ところで、天皇が政治を行う「天皇親政」と「公議輿論」は矛盾することはないのでしょうか。それにはこんな答があります。

この御誓文の第一条は「公議の尊重」をうたっていますが、これは天皇親政を前提に、「天皇自らが『公論に決する』旨を誓っているのであり、言いかえれば、天皇が『公論』を自らの意思すなわち『宸断《しんだん》』（天皇の裁断）とするという宣言にほかならない」（坂本多加雄『明治国家の建設』）というのです。つまり、天皇が衆議を尽くしてのちの結論に基づいて裁断し、結論が出ない場合にのみ「聖断」するというのであれば、天皇親政と公議輿論の両立は可能だということでしょう。

また、第二・三条は、身分の上下にかかわらず、心を通わせて一致協力し、人材の登用もはかって国民の心が離れないようにすべし、としています。これは議会制度の設置につながる公約とも言え、のちに自由民権派の人々が民撰議院設立要求★の根拠とします。

第四条の「旧来の陋習」とは、封建社会の悪習という意味ですが、幕末に吹き荒れた攘夷の活動もその一つとされます。今後は「天地の公道」、すなわち「万国公法」（国際法）に基づいて諸外国との和親に努めるというわけです。第五条は、積極的な開国で富強化する「開国攘夷」によって、「皇基」（天皇の国家統治の基礎）を、いわば天皇中心の国家をもり立てていくという意味です。

「誓文」と同時に、木戸孝允起草の「国威宣揚《こくいせんよう》の宸翰《しんかん》（天皇直筆の文書）」も告示されました。この中で天皇は、武家政権の長きにわたり、敬して遠ざけられてきた朝廷は、「億兆（万民）の父母として赤子の情（民の心）」を知ることができなかったと述べています。そのうえで、「今後は、億兆を安撫《あんぶ》し、萬里《ばんり》の波濤《はとう》を拓開し、国威を四方（世界）に宣布したい（あまねく行き渡らせたい）」と強調し、この私の志をしっかりと体得して共に進もうではないか、と国民に訴えています。

新政府は四月七日、旧幕府の高札を撤去し、改めて禁令五条の太政官高札を掲示（五榜《ごぼう》の掲示）しました。最初の三札は、五倫を勧め、キリシタン邪宗門を禁じるなど幕府の禁令をほぼ継承し、残る二札は臨機応変の処置でした。特に第四札は「王政茲《ここ》に一新す、乃《すなわ》ち朝廷条理に循《したが》ひ、外国と交際し、万国公法に由《よ》りて条約を履行するを以て、外国人に危害を加ふべからず。之れに背く者は……至当の典刑に処すべし」としていました（ドナルド・キーン『明治天皇（一）』）。

◉民撰議院設立要求

五箇条の御誓文が発表されて以降、明治政府は、立憲政治・議会制度創設を試みたものの、なかなか実を結ばなかった。一八七四年、征韓論に敗れた板垣退助や後藤象二郎らは、政府の「有司専制」政治が国家崩壊の危機を招いているとして、「天下ノ公議ヲ張ル」ため、民撰議院設立を求める建白書を左院に提出した。

2 「万国公法」って何だ？

「錦旗」と「宮さん」

「鳥羽・伏見の戦い」の硝煙とともにスタートした維新政府は、一八六八年一月三一日、将軍・慶喜の追討令を出します。大坂城から「敵前逃亡」した慶喜は、大坂湾から旧幕府軍艦「開陽丸」に乗って江戸（東京）に到着。江戸城中は主戦派と恭順派に二分されていました。

慶喜は、勝海舟を陸軍総裁に、大久保忠寛を会計総裁にそれぞれ任命し、三月五日、謝罪・謹慎の意を示すため、江戸城を出て上野寛永寺・大慈院に移りました。

これに対し、薩長両藩を主流とする維新政府は、東海道・東山道・北陸道の三道から江戸に向けて軍隊を進めます。兵力は両藩兵を中心に総計約五万。有栖川宮熾仁《ありすがわのみやたるひと》親王★（一八三五―九五年）が総裁在職のまま東征大総督に就き、「錦旗《きんき》★」（錦の御旗《みはた》）を押し立てての行軍です。この「錦の御旗」が世間に広まったのは、俗謡「トコトンヤレ節」の流行が一つのきっかけだったようです。

●戊辰戦争の際に用いられた錦旗の図（浮田可成・画）

●有栖川宮熾仁親王

〽宮さん宮さん　お馬の前に　ちらちらするのは何じゃいな　トコトンヤレ　トンヤレナ
あれは朝敵　征伐せよとの　錦の御旗を知らないか　トコトンヤレ　トンヤレナ

『明治天皇紀★』は、この歌は、品川弥二郎★（一八四三―一九〇〇年）が作詞して官軍に

●品川弥二郎

◉有栖川宮熾仁親王

尊攘派に擁立されて国事御用掛を務めたが、禁門の変後、罷免された。王政復古とともに新政府の総裁職に就任。鳥羽・伏見の戦いでは、東征大総督として出陣した。兵部卿となり、陸海軍の創設に力を尽くし、西南戦争では征討総督として陸海軍の諸隊を指揮した。陸軍大将、元老院議長、左大臣として天皇を補佐し、内閣制度の発足とともに、新設の参謀本部長となり、参謀総長に進んだ。日清戦争中に病没した。

◉錦旗

赤地の錦の上部に日月を金銀の糸で刺しゅうしたもの。鎌倉時代の頃から、朝敵を討伐する官軍の標章として用いられた。鳥羽・伏見の戦いで戦場に翻った錦旗は、一八六七年に大久保利通と品川弥二郎が、岩倉具視を訪ねた際、岩倉が国学者・玉松操《たままつみさお》に描かせた錦旗の図を見せ、旗の製作を大久保らに頼んだ。京都の仁和寺が所蔵している「錦の御旗」は縦約三〇〇センチ、横六五センチ。

◉『明治天皇紀』

宮内省が一九一四（大正三）年から編修を始めた明治天皇の伝記（実録）。明治天皇の事績を重要な事件とともに編年体で記述。国史としての性格ももたせる方針のもと、一九三三（昭和八）年に編修を完了した。長い期間、公開されなかったが、明治一〇〇年にあたり公刊が決まり、吉川弘文館から全一三巻が刊行された。明治の歴史研究の根本資料として活用されている。

歌わせ、速やかに広まったとしたうえで、「我が国における近世軍歌の嚆矢《こうし》」にして士気を鼓舞すること少なくなかった、と書いています。松下村塾に学び、尊皇攘夷の活動家だった品川は、薩長同盟締結では連絡役を務め、明治政府においては藩閥政治家として内務相などを歴任します。

官軍まつる東京招魂社

鳥羽・伏見の戦いでは、新政府軍（官軍）は約一〇〇〇人、反政府軍（旧幕府軍）は約二九〇人が死亡したといわれます。そのうちの官軍の戦死者を弔うため、六八年二月、薩摩、長州藩に各五〇〇両、芸州（広島）、因州（鳥取）、土佐藩に各三〇〇両が下賜《かし》されるとともに「招魂社《しょうこんしゃ》」の創建が命じられました。

さらに戊辰《ぼしん》戦争が続いている同年六月末、新政府は維新前後の殉難者と戦死者に対して、慰霊と顕彰をおこなう方針を打ち出し、とくに戦死者は「朝命を奉じ奮戦死亡」した者として「官軍」に限定しました。

八月には最初の「招魂祭《しょうこんさい》」が京都の河東《かわひがし》操練場でおこなわれ、各地で戦死した官軍兵士三三二藩三七四人（『明治天皇紀』）の霊がまつられました。

天皇が京都の東山に建立を希望したとされる「招魂社」は、東京遷都によって九段の地に建てられることになります。戊辰戦争終結後の六九年八月、東京招魂社が創建され、この戦争での官軍側の死者三三五八八人が合祀《ごうし》されました。七九（明治一二）年六月、同社は「靖国神社★」と改称されます。

●九段に創建された東京招魂社

列強の「局外中立」

駿府（今の静岡市）に進出した大総督府は六八年三月二九日、江戸城を「四月七日」に総攻撃する旨を発令します。その日は五箇条の御誓文発出の翌日にあたっていました。

イギリス公使のパークスは二月一八日、「万国公法」に基づいて「局外中立」を宣言します。外国側も、「ミカド（天皇）と大君（将軍）との戦争」によって日本市場や居留地が混乱することは避けたいと考えていました。また、日本側の兵員輸送のため、

◉品川弥二郎

長州藩士の子として生まれ、松下村塾で学んだ。尊攘派の志士としてイギリス公使館焼き打ちに参画し、蛤御門の変に従軍した。戊辰戦争でも東北各地を転戦した。維新後の一八七〇年、ヨーロッパに留学し、駐ドイツ日本公使館の代理公使などを務め、七六年に帰国。農商務大輔に就任し、殖産興業政策を進めた。松方正義内閣の内務相として、第二回総選挙（九二年）で、大がかりな選挙干渉を行って批判を浴び、辞職した。のちに西郷従道らとともに国民協会を設立し、国権論を主張した。

◉靖国神社

靖国神社の社名は、中国の史書『春秋左氏伝』の一節、「吾国を靖んずるなり」から、明治天皇が命名した。戊辰戦争、西南戦争の内乱や日清、日露戦争、アジア・太平洋戦争に至る対外戦争を経て、合祀の合計は二四六万六千余柱に上る。なお、西南戦争で賊軍だった西郷隆盛は合祀されていない。戦後の一九四六年、宗教法人令に基づき、一般の宗教法人になった。その後、同神社をめぐっては、その国営化をめざす靖国神社法案、首相の公式参拝、A級戦犯の合祀問題などにより、しばしば政治的論争が起きている。

外国船がチャーターされると、内戦に巻き込まれる懸念もありました。他方、戦争当事者の新政府も旧幕府も、諸外国が武器・艦船などを敵方に売却しないよう各国公使に働きかけていました。

このイギリスの「局外中立」にアメリカ、フランス、イタリア、オランダ、プロイセンが追随します。これにより戊辰戦争は、国際法上の「内戦」と認定され、各国とも中立の立場をとることになります。いずれの国も戦争当事者に軍艦を用意したり、兵器・弾薬を輸送したりすることが禁止され、旧幕府側は、アメリカから購入を予定していた甲鉄艦「ストーン・ウォール」号を入手できなくなりました。この強力艦が封じられたことは、新政府側に有利に働きました。

三月二三日、天皇に謁見する予定だったイギリスのパークスが京都で攘夷論者に襲われ、負傷する事件が起こりました。

パークスは事件について、妻への手紙でこのように書いています。

「二人の日本人が狂気のようにあたりかまわず斬りかかりながら、私たちのそばを駆け去った。私は大声で、犯人を斬り倒せと部下に命じた。襲撃があった時、（同行の日本の高官）後藤象二郎は直ちに馬から飛び降りて駆け出し、刀を抜いて町角を曲がった。すぐ後をついてゆくと、彼は、一人を斬り倒していた」。

このパークス襲撃事件については、イギリスの日本研究の先駆者であるG・B・サンソム★（一八八三―一九六五年）が自著で言及しています。この事件に衝撃を受けた新政府は四月七日、再発防止のため、「五榜《ごぼう》の掲示」（太政官から民衆向けに出された五枚の立札）で、「万国公法」の順守や条約の履行、外国人殺傷の禁止などを広く周知します。

●ウィリアム・マーティン

知らなかった国際法

この「五榜の掲示」で言う「万国公法」とは、近代国際法のことです。一八六四年にアメリカ人宣教師ウィリアム・マーティン★（一八二七―一九一六年）がアメリカの国際法学者ヘンリー・ホイートンの国際法のテキストを漢文に訳し、その『万国公法』が日本に輸入されて知られるようになりました。その後、法学者の箕作麟祥《みつくりりんしょう》★（一八四

●箕作麟祥

◉G・B・サンソム

サンソムは自著『西欧世界と日本』（一九四九年）で、次のように書いている。大久保利通や木戸孝允らは、「ただの理論上の革命家ではなく、藩の政治で鍛えられ、行政上の仕事に精通し、強い専制官僚の感覚を身につけた旧封建官吏」である。例えば、パークス襲撃事件でみせた後藤象二郎の「離れ業」は、「ふだんの修練と尚武の気質なしにはできない。そして新政府の閣僚と役人の大半は、いくらでも似たような武勲をあげうるひとたちだった」と。サンソムは、イギリスの外交官、日本史研究者。一九〇四年、英公使館の日本語研修生として来日。四〇年まで日本で生活し、『徒然草』の英訳や『日本文化小史』を発表し、高い評価を受けた。第二次世界大戦後、連合国極東委員会英国代表などを歴任。四八年、米コロンビア大学に招かれ、アメリカの日本研究の促進に努めた。

◉ウィリアム・マーティン

プロテスタント宣教師として一八五〇年に清国の寧波《ニンボー》に到着、伝道を始めるとともに、外交界でも活躍した。清国政府の国際法の顧問となり、九八年には京師大学堂（北京大学の前身）の学長となったが、清朝保守派の圧力により離任した。キリスト教、語学、科学、哲学、教育、法律の各分野で多数の中国語著作があり、相当数は日本に流入。中でも国際法を解説した『万国公法』は幕末明治の外交界の指針となった（『国史大辞典』）。

六―九七年）が「万国公法」にかえて「国際法」という名称を使い始め、八一（明治一四）年に東京大学の学科目に「国際法」の言葉が使われて以降、「国際法」が次第に一般化します。

そもそも国際法は、ドイツを舞台にした三〇年戦争（一六一八―四八年）を終結させたウェストファリア条約や、「国際法の父」といわれるグロティウスの著作『戦争と平和の法』（一六二五年）などが源流とされています。一八世紀まで、国際法は、もっぱら欧州だけにしかあてはまりませんでした。しかし、欧州諸国がアメリカ、アジア、オセアニア、アフリカ大陸に進出するにつれて、世界に広まっていきます。

一七世紀から鎖国を続けてきた日本人が、国際法を知らないのは無理もないことでした。

幕末に来日した駐日アメリカ総領事・ハリスは、箱根の関所通過の際、「国際法上の特権（外交官特権）」を申し立てて検査を受けることを拒んで、日本の役人を困惑させました。また、日米修好通商条約の幕府側の担当者は、ハリスに対して、万国公法に関し「全く無知識なることは小児と同じなので、貴使が忍耐して私らに教えられることを望む」と、率直に教えを請うたというエピソードも残されています。

幕末の大政変は、外交問題に端を発しており、国際法と密接にかかわっていました。そして幕末から明治にかけての指導層は、列強との接触を通じて、今後、日本が国際社会で生きていくには、欧米諸国間で作られた基本的なルールを受け入れるほかはないと考えました。

ロシア軍艦が対馬を不法占拠した事件（一八六一年）処理などで外交経験を積んだ幕

●グロティウス

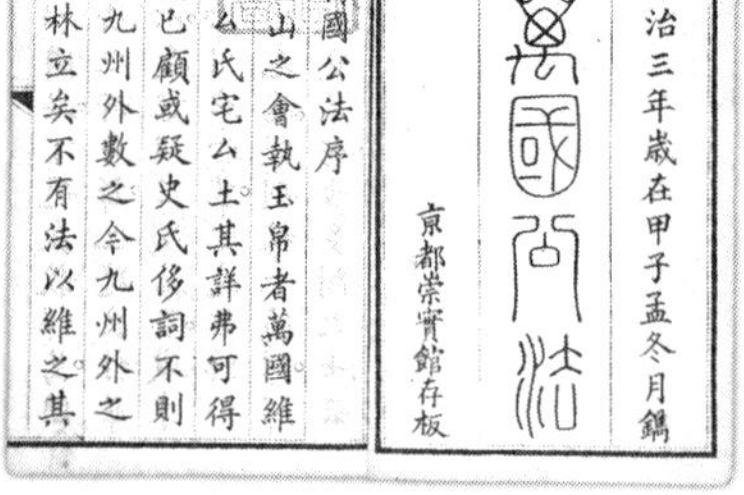

慶應元年開成所繙刻
同治三年歳在甲子孟冬月鐫
萬國公法
京都崇實館存板

萬國公法序
塗山之會執玉帛者萬國維
時ム氏宅ム土其詳弗可得
聞已顧威疑史氏侈詞不則
通九州外數之令九州外之
國林立矣不有法以維之其

●幕府（開成所）が中国から取り寄せたものをもとに出版した「万国公法」（国立公文書館蔵）

臣・勝海舟は、マーティン訳の『万国公法』を私費で重版し、各藩諸侯や弟子たちにも配布していました。

中でも勝の弟子であった坂本龍馬は、この万国公法に強い関心を示した一人でした。とくに海難事件や貿易取引のトラブルを近代法によって解決すべきだと考え、「いろは丸事件★」でこれを適用しようとしました。

他方、西周《あまね》がオランダでの留学から帰国後、万国公法について翻訳書を出したり講義をしたりしたことは、日本国内における国際法の認識を広めることになりました。

◉箕作麟祥

祖父が津山藩（岡山県）の藩医で蘭学者だった箕作阮甫《げんぽ》。蕃書調所（徳川幕府が一八五六年に設立した洋学の教育研究機関）の教授をつとめた阮甫に養育され、蘭学などを修め、徳川昭武のパリ万国博覧会行きに随行した。仏語を習得して帰国後、私塾を開き、中江兆民や大井憲太郎を教えた。政府入りして、フランスの諸法律の翻訳・紹介を行うとともに、日本の法典整備に貢献した。

◉いろは丸事件

一八六七年、龍馬の「海援隊」が伊予大洲《おおず》藩から借用していた「いろは丸」が、武器弾薬類を長崎から大坂へ運ぶ途中、紀州藩の船に衝突されて沈没した。事件処理にあたって、徳川御三家のひとつ、紀州藩が、幕府の長崎奉行を使って圧力をかけてきたのに対し、土佐藩は事実審理を重視し、紀州側に過ちがあることを認めさせたという（池田敬正『坂本龍馬』）。

「半未開国」の日本

万国公法の使われ方は、それに限りませんでした。

司法官で歴史学者の尾佐竹猛《おさたけたけき》★（一八八〇―一九四六年）は、こんなことを書いています。

「在野党時代に盛んに無責任なる鎖港攘夷説をもって幕府を攻撃したる西南諸藩が、一度政権に有りつくや、翻然《ほんぜん》としてその持論を捨てて開港を宣し、その理由として、これ万国の公法に拠ると声明したのである」。つまり、新政府は、攘夷から開国へと手のひらを返したことへの釈明に、なんと万国公法を使ったというわけです。

尾佐竹と同時代の政治学者で民本主義を唱えた吉野作造《よしのさくぞう》★（一八七八―一九三三年）も、同じようなことを言っています。吉野によれば、京都（新）政府は、自分たちの態度豹変《ひょうへん》を天下に何と説明したらよいものか、はたと当惑してこう考えたというのです。

> われわれは外人を夷狄禽獣《いてききんじゅう》と思っていた、だから交わるのを快しとしなかったのだ、しかるによく聞いてみると、彼らは天地の公道をもって交わろうと言っているそうで、われわれもまた公法をもってすべきではないか、みだりにこれを排斥するは、古来の仁義の道にそむくのみならず、またおそらくは彼らの侮りを受くるだろう。

新政府の要人は、「公道」の観念を使って態度豹変を弁解したわけですが、この「公

●尾佐竹猛

●吉野作造

道」とは万国公法のことです。しかし、世間ではそうは受け取らず、「人間交際の道というくらいに理解」していたのですが、西洋から新たに入って来た「公法」こそが、「先王の道」に代わるべき「天地の大道」であるとして、人心はこれをもてはやしたと吉野は書いています（「わが国近代史における政治意識の発生」）。

そのため、当時は、「公法」や「公論」、「公道」という文字が大変、流行したのでした。

マーティン訳の『万国公法』には、国家の基本権や平等権、国際儀礼、外交特権のほか、領海の範囲や公海自由の原則、条約批准手続き、宣戦布告や捕虜交換、停戦と休戦、局外中立などが盛り込まれていました。ただ、現代の国際法とは異なり、征服

◉尾佐竹猛

明治法律学校（現明治大学）を卒業した後、東京控訴院判事や大審院判事を歴任した。その間、一九二三年の関東大震災によって明治時代の大量の文化財が失われることに危機感を抱いた政治学者・吉野作造、ジャーナリスト・宮《みや》武外骨《たけがいこつ》らとともに「明治文化研究会」をおこした。研究会は、一九二七年から、明治初期以来の政治、経済、思想、文芸、風俗、科学などの資料や文献を収録した『明治文化全集』全二四巻を刊行した。

◉吉野作造

政治学者・思想家として大正時代に論壇に登場し、その諸論文は、大正デモクラシー運動に理論的な基礎を与えた。そのほぼ同時期に、尾佐竹猛らと始めた明治文化研究で吉野は、明治文化の形成に及ぼした西洋文化の影響、明治憲法制定史、自由民権運動史を扱った。論文「わが国近代史における政治意識の発生」は、吉野の明治文化研究の集大成だったという（三谷太一郎「思想家としての吉野作造」、『日本の名著　吉野作造』所収）。

や発見、移民などによる領有を正当と認めていました。

井上勝生『幕末・維新』によりますと、近代の欧米では、世界の民族と国家を「三つの群」――文明国（欧米諸国）、半未開国（トルコ、ペルシャ、タイ、中国、朝鮮、日本など）、未開（それ以外の諸民族）――に分けていました。このうち、『未開』は国と認められず、近代国際法のまったくの妥当範囲外」でした。日本などの半未開国は、国法の存在は認められましたが、「欧米であれば認められる外国人への国法の適用が認められず、領事裁判権など各種の特例が設けられた」のでした。

3　江戸無血開城の裏側で

「幕末の三舟」

東海・東山《とうさん》・北陸の三道に分かれて進軍してきた新政府軍は、一八六八年四月七日（旧暦三月一五日）に設定された「江戸城総攻撃」をにらんで、着々と準備を整えます。新政府軍にとって「最大の朝敵」である徳川慶喜は、静寛院宮《せいかんいんのみや》（もと和宮、故・徳川家茂夫人）や天璋院《てんしょういん》（故・徳川家定夫人）、輪王寺宮公現法親王《りんのうじのみやこうげんほうしんのう》（上野寛永寺貫主）、徳川茂《もち》栄《はる》（一橋家当主）らに「免罪」の周旋を頼み、上野・寛永寺★に閉じこもります。

幕臣では、山岡鉄太郎★（鉄舟《てっしゅう》、一八三六―八八年）、勝海舟、大久保忠寛らが、慶喜救

●山岡鉄舟が建立した全生庵（東京都台東区谷中）

◉寛永寺

東京都台東区上野にある天台宗の寺院。一六二五年、天《てん》海《かい》によって創建された。徳川幕府の安泰と万民の平安を祈願するため、江戸城の鬼門（東北）にあたる上野の台地に建立されたという。最盛期には、現在の上野公園を中心とする広大な敷地の中に三六堂を建設、九八年には壮大な根本中堂が完成し、歴代将軍の霊廟も造営された。幕末の戊辰戦争で戦場と化し、全山の伽藍の大部分が灰燼《かいじん》に帰したが、一八七九年になって寺の復興が認められた。

済のために動きます。鉄舟は、堂々たる体軀《たいく》の剣の達人で、慶喜の警固にあたる「精鋭隊」のリーダーでした。槍術《そうじゅつ》家で幕府「講武所《こうぶしょ》」教授・高橋泥舟《でいしゅう》★（一八三五—一九〇三年）の妹を妻にしており、鉄舟と泥舟と海舟は、「幕末の三舟」と称されました。

慶喜はある日、鉄舟に対し、自分は「朝命に背《そむ》かざる無二《むに》の赤心《せきしん》があるだけ」と語りかけ、この真意を朝廷側にじかに伝えて、疑念の解消を図ることを鉄舟に託します。鉄舟は、初めて訪問した勝海舟に、捕縛・斬首を覚悟のうえで官軍との折衝に臨む考えを説明。勝も同意し、西郷隆盛あての書状をしたためます。

鉄舟は三月二九日、駿府《すんぷ》（静岡市）へと出発します。鉄舟には、薩摩藩邸焼き打ち事件で捕らえられ、勝が身柄を預かっていた薩摩藩士・益満休之助《ますみつきゅうのすけ》が同行しました。二人が六郷川（多摩川）を渡ると、官軍の先鋒《せんぽう》がすでに布陣しています。案内を請わずに宿営に入り、「朝敵・徳川慶喜の家来、山岡鉄太郎、大総督府に行く」と断ると、その迫力に気圧《けお》されてか、誰も何も言わず、警戒線を難なく突破します。

「命もいらず、名もいらず」

鉄舟は後年、駿府行の経緯を「大総督府ニ於《おい》テ西郷隆盛氏ト談判筆記」と題する文書に残しています。それによりますと、東征大総督府参謀の西郷との面会が実現したのは四月一日でした。席上、西郷が示した慶喜処分案は、「徳川慶喜を備前（岡山）藩に御預け」、「城明け渡し」、「軍艦は残らず・軍器は一切を渡すこと」、「家臣は向島に移す」などからなっていました。

●山岡鉄舟

これに対して、鉄舟は「慶喜の備前預かり」では徳川の家臣たちが承服せず、合戦が起きて数万の生命が失われると説き、撤回を求めました。しかし、西郷は「朝命です」とはねつけます。そこで、鉄舟はこう迫りました。

先生の主人の島津侯が間違って朝敵の汚名を着せられ、先生が今の私の任にあるならば、朝命を奉戴《ほうたい》し速やかに主君を差し出し、安閑としていられますか。君臣の情、先生の義からみてどうお考えか。

しばらく黙っていた西郷は、「先生の説はもっともなことです。慶喜殿の件は私が

◉山岡鉄舟

明治に入り、鉄舟は静岡藩の権大参事《ごんだいさんじ》などを歴任したあと、一〇年間にわたり宮内省に出仕し、明治天皇の側近として宮内大書記官などをつとめた。剣と同じく禅や書にも通じた鉄舟は、東京・谷中に禅寺「全生庵《ぜんしょうあん》」を開基した。「怪談牡丹燈籠《ぼたんどうろう》」など多くの名作を生んだ明治落語界の巨匠・三遊亭圓朝《えんちょう》も、鉄舟の弟子の一人で、鉄舟によって禅に開眼したという。全生庵には鉄舟の墓があり、圓朝はそのすぐそばで眠っている。

◉高橋泥舟

江戸末期の幕臣で、山岡鉄舟の義理の兄。槍術家で「槍一筋の伊勢守」と呼ばれた。旗本や御家人の子弟に剣術、砲術などを教えた講武所師範役。清川八郎が率いる浪士組が上洛した際、浪士取扱をつとめた。大政奉還後は遊撃隊を統率して徳川慶喜の警護にあたった。『幕末の三舟』を著した頭山満によれば、「海舟は智のひと、鉄舟は情のひと、泥舟は意のひと」という（圓山牧田・平井正修編『最後のサムライ　山岡鐵舟』）。

引き受け、取りはからう」と述べました。先の東征軍出発前、慶喜厳罰論に立っていた西郷は、ここで大きく方向転換したわけです。芝居の一幕を見るようなこの会談で、西郷は鉄舟の無私の精神に心打たれたようです。

命もいらず、名もいらず、官位も金もいらぬ人は、始末に困るものなり。この始末に困る人ならでは、艱難《かんなん》を共にして国家の大業は成し得られぬなり。
（『南洲翁遺訓』）

西郷はこんな格言を残しましたが、これは鉄舟を評したものにほかならない、と勝が証言しています（安部正人編述『鉄舟随感録』）。江戸に戻った鉄舟から報告を受けた勝海舟は、鉄舟の「沈勇」と高い見識を評価しました。

●全生庵にある山岡鉄舟の墓

西郷「総攻撃を中止」

さて、六八年四月五日（慶応三月一三日）、旧幕府の最高実力者である勝海舟は、江戸高輪の薩摩藩邸に西郷隆盛を訪問しました。事実上の両トップ会談です。

勝は、一か月ほど前、西郷に書簡を送り、「徳川家は今なお一二隻《せき》の軍艦を所有している」と、海軍力を誇示して官軍の動きを牽制《けんせい》し、兵力は箱根以西にとどめおくよう求めていました。もしも、政府軍が、徳川側の嘆願を聞かずに進撃してくるなら、先手を打って江戸市街を焼き払い、官軍の進軍を妨げて「一戦焦土を期す」作戦も考えていました。五日の会談は短時間に終わり、和戦の決定は、すべて翌六日に持ち越されます。

六日の第二回会談で、勝は、鉄舟がもたらした徳川処分案について、大久保忠寛らと協議してまとめた「嘆願書」(対案)を示し、「御寛典(寛大)の処置」を求めました。対案は、慶喜は「水戸での謹慎」とする、「城明け渡し」はいったんその手続きをした後、田安家が保管する、軍艦・兵器の没収も、ひとまず全て政府が没収し、いずれ相当数を返還する、などとなっていました。

幕府の対案を示した際、海舟は慶喜の生命の安全と、徳川家臣団を養うに足る収入の確保を主張したとされます。海舟は、軍門投降につながる「慶喜の備前預かり」は、あまりに屈辱的な処分であり、慶喜が自発的に「隠居の上、水戸で謹慎する」としたのです。また、単なる「城明け渡し」要求も押し返し、徳川一門の田安家が保管することを求め、徳川の自主性を確保しようとしました。軍艦・武器についても、徳川側に一定程度残すことを要求しました。

つまり、西郷が提示した処分案が、「無条件降伏」を意味したのに対して、幕府の嘆願書は「『徳川藩』の再建を含む条件付き降伏の線」を訴えていました(石井孝『勝海舟』)。

会談の中で、勝はこのように力説しました。「インド、中国の轍《てつ》をふみ、天下の首府(江戸)で一戦を交えて国民を殺すようなことは、決して考えていない。ここで公平至当の処置がとられるならば、海外諸国はその正しさを見聞きし、国信一洗、和親ますます固まりましょう」。

●「江戸開城談判」(結城素明画)

これに対して、西郷は「一人で決めることはできない」と語り、直ちに大総督府へ言上すると表明。そのうえで、「明日侵撃《しんげき》の令あり」と述べて軍事担当を呼ぶや、その中止を命じました。勝の『断腸之記』によりますと、西郷は、少しも大事に臨むようなそぶりはみせず、「面色温和」で、「襟度《きんど》(度量)寛大」でした。

一方、単騎《たんき》、会談先に赴いた勝は、その帰途、何者かの狙撃にあい、辛うじて命拾いしています。それだけ江戸市中は殺気立っていました。勝は、その日の『日記』に、「かれ(西郷)が傑出果決《けっしゅつかけつ》を見るに足れり」と記し、「薩藩一、二の小臣、上《かみ》天子を挟《はさ》み、列藩に令して、出師《すいし》迅速、猛虎の群羊《ぐんよう》を駆るに類せり。何ぞ其《それ》、雄なる哉《かな》」とも書いています。

このあと、西郷は駿府の大総督宮に復命したあと、京都へと急ぎ、そこでの三職(総裁・議定・参与)会議は、勝の嘆願書をおおむね認めた処分を決めます。

協議では、西郷とともに木戸孝允が寛典を主張したと伝えられています。最終的に勅使から徳川方に朝旨が伝えられましたが、そこでは「祖宗以来二百余年、治国の功業少なからず。殊に水戸贈大納言(斉昭)積年勤王の志業浅からず」として、徳川の家名は立てるとともに、慶喜の死罪一等をゆるすとしていました。ただ、「城明渡し、尾張藩へ相渡すべきこと」とあり、引き渡し先は田安家から、徳川一門からは裏切り者と目されていた尾張藩に変わっていました。結局、勝と西郷との政治折衝で、家名存続を許された慶喜は、五月三日、江戸城を官軍に明け渡し★、水戸に向かって江戸を去ることになります。

郵便はがき

料金受取人払郵便

牛込局承認

7587

差出有効期間
令和5年3月
31日まで

162-8790

東京都新宿区
早稲田鶴巻町五二三番地

（受取人）

株式会社 藤原書店 行

ご購入ありがとうございました。このカードは小社の今後の刊行計画および新刊等のご案内の資料といたします。ご記入のうえ、ご投函ください。

お名前	年齢
ご住所 〒 TEL　E-mail	
ご職業（または学校・学年、できるだけくわしくお書き下さい）	
所属グループ・団体名　連絡先	
本書をお買い求めの書店 市区郡町　書店	■新刊案内のご希望 □ある □ない ■図書目録のご希望 □ある □ない ■小社主催の催し物案内のご希望 □ある □ない

書名		読者カード

●本書のご感想および今後の出版へのご意見・ご希望など、お書きください。
（小社PR誌『機』「読者の声」欄及びホームページに掲載させて戴く場合もございます。）

■本書をお求めの動機。広告・書評には新聞・雑誌名もお書き添えください。
□店頭でみて　□広告　　　　□書評・紹介記事　　　　□その他
□小社の案内で　（　　　　）　（　　　　）　（　　　　）

■ご購読の新聞・雑誌名

■小社の出版案内を送って欲しい友人・知人のお名前・ご住所

お名前　　　　ご住所 〒

□購入申込書（小社刊行物のご注文にご利用ください。その際書店名を必ずご記入ください。）

書名　　冊	書名　　冊
書名　　冊	書名　　冊

ご指定書店名　　　　住所

都道府県　　　　市区郡町

列強からの圧力

イギリスとフランスは当時、横浜に駐留軍を置いていました。イギリス海軍は、日本近海に日本の海軍力を上回る艦隊力をもち、フランスもアメリカも、日本海域で軍事プレゼンスを維持していました。その意味では、「戊辰戦争は列強の監視下」にありました。

江戸城が開城されるまで、横浜港には不測の事態に備えて、イギリス、アメリカ、フランス、プロイセン、オランダの五か国、計一四艦（砲二一一門）の軍艦が集結していました（保谷徹『戊辰戦争』）。

イギリス公使のパークスは、西郷の意を受けた東海道先鋒総督参謀の木梨精一郎と四月五日（あるいは六日）、横浜で会見します。そこで木梨が江戸攻撃に伴う負傷者用の病院の確保を求めたのに対し、パークスは怒り出し、このような厳しい意見を口に

●木梨精一郎

◉江戸城明け渡し

六八年四月二六日、西郷隆盛は、勅使の東海道先鋒《せんぽう》総督・長谷川実梁《さねやな》、同副総督・柳原前光《さきみつ》とともに江戸城に乗り込み、勅使から旧幕府側に朝旨が伝えられた。西郷は、兵士を引率せず、海江田信義らわずか数人を伴っていただけだった。多くの旧幕府方の将兵が居並ぶ中での少人数での入城は、西郷がいつ殺されてもおかしくない状況をあえて選択したことを意味した。西郷は、官軍が兵威を示せば、旧幕府側の猛反発を招くと考え、その選択をした。五月三日、江戸城は新政府側に接収された（家近良樹『西郷隆盛』）。

します。

　恭順の意を表して謹慎している相手に戦争を仕掛け、慶喜を死に陥れる道理はない。助命されたい。……

　戦端を開くならば、居留地をもつ外国の領事に通知がなければならない。それが一つもない。仕方がないので、我が海軍兵を上陸させている。今日、貴国に政府はない。

　さらに木梨が「慶喜の亡命」について質《ただ》すと、パークスは「亡命を受け入れるのが万国公法」と答えました。この一連のパークス発言は西郷に報告されます。それは、西郷―勝の第二回会談以前のことで、西郷はこの「パークスの圧力」を受けて総攻撃を取りやめた、という説があります。これに対して、パークス発言が西郷に伝えられたのは会談後のことであり、それを否定する論者もいます。

　ただ、いずれにせよ、木梨の報告を受けた西郷は、パークスの忠告に愕然《がくぜん》としながらも、「かえって幸い」と言ったそうです。総攻撃中止にいきりたつ将兵らに対して、「パークスがそう言う以上、仕方がない」と言えば説得しやすくなる、というしたたかな計算からです。実際、東山道先鋒総督参謀・板垣退助も、そう聞かされて引き下がったといわれます。

●西郷と勝が会談したとされる場所

ロシアの政略

勝海舟の回顧談『氷川清話《ひかわせいわ》』（江藤淳・松浦玲編）は、よく知られています。

その中で勝は、官軍が江戸に攻め上ってくる当時を思い起こして、「オロシヤ（ロシア）などが、是非金を貸すから、それで存分戦争をして内国の始末をつけなさい、その間は我々も黙って箱館でみていましょうと言って、（ロシア公使が）しきりに迫ってくる」という話を明かしています。その時、勝は「一時しのぎに外国から金を借りるということは、たとえ死んでもやるまいと決心」して、「借金政略」は拒み通した、と強調しています。

勝も、その弟子の坂本龍馬も、そして西郷も、外国勢力の介入にはかなり神経を使っていました。また、木戸孝允にしても、幕長戦争の際、ロッシュ仏公使とパークス英公使に対して「私は外国の援助を求めなかったし、今後も外国の介入が全く差し控えられることを信頼するのみだ」と語っています。

幕末から明治初期の激動期、イギリス、フランス、ロシアが日本の植民地化をねらって侵略する可能性は、当時の国際情勢から、そう大きくはなかったとみられています。とはいっても、旧幕府、雄藩のリーダーらが、独立の気概を失わず、金銭的援助の誘惑も断ち、列強の対日干渉に立ち向かっていたことが、日本の植民地化回避に役立ったことは事実のようです。

4 「東京」が生まれるまで

一年半の戊辰戦争

江戸城は無血開城されたものの、内戦は収まりませんでした。しかし、新政府は、再発するに至る戊辰戦争を戦いながら、制度改革や政策を推し進めます★。

旧幕府の将兵は、一八六八年の江戸城明け渡しに伴う武器・艦船の引き渡しに猛反発し、大量脱走を図りました。開城当日の五月三日夜、旧幕府海軍副総裁の榎本武揚《えのもとたけあき》が、艦船ともども房州（千葉県）館山方面へ逃れます。また、歩兵奉行・大鳥圭介《おおとりけいすけ》★（一八三三―一九一一年）は、二〇〇余人、一説には二〇〇〇人とも言われる兵を引き連れて、徳川宗廟《そうびょう》の地・日光をめざします。それだけでなく、各地で百姓一揆やゲリラ戦も頻《ひん》発《ぱつ》し、関東一帯は、騒然とした空気に包まれました。

一方、江戸開城後の六月一一日、京都の新政府は「政体書《せいたいしょ》」を定め、政府組織の整備を図ります。それによると、「太政官《だじょうかん》」と称する中央政府に国家権力を集中させ、それを立法・行政・司法の三権に分け、それぞれ議政官・行政官・司法官という名の組織を置きました。この太政官制度★は、五箇条の御誓文の趣旨に基づいて、米欧の三

●榎本武揚

◉明治新政府始動（一八六八―六九年）

六八年　1月　王政復古の大号令。徳川慶喜に辞官・納地を命ずることを決定。新政府発足
鳥羽・伏見の戦い。戊辰戦争起こる
2月　新政府、各国に王政復古と外国との和親方針を告知
英米仏伊蘭普六か国が内戦に局外中立を宣言
3月　大総督府、江戸城総攻撃を命令
4月　西郷隆盛―勝海舟会談
天皇による五箇条の御誓文
5月　新政府軍、江戸入城。徳川慶喜、水戸へ退去
6月　新政府、政体書を出し、太政官制度発足
奥羽越列藩同盟成立
7月　新政府軍、上野の彰義隊を討伐
9月　江戸を東京と改称
10月　新政府軍、会津若松城を攻撃（11月、会津藩降伏）
明治天皇、即位の大礼、明治と改元
11月　天皇、京都出発（69年1月、京都に帰る）
江戸城を皇居とし東京城と改称
六九年　1月　旧幕府海軍副総裁・榎本武揚ら蝦夷地領有を宣言
2月　米英蘭仏独伊の六か国、局外中立を解除
3月　薩長土肥四藩主、版籍奉還を上奏
4月　公議所開院式
神仏分離令
5月　天皇、太政官を東京に移設（東京遷都）
6月　箱館（函館）総攻撃、五稜郭開城。戊辰戦争終わる
7月　政府官制改革（二官六省の制）

◉大鳥圭介

播磨（兵庫県南西部）赤穂の医師の家に生まれた。緒方洪庵について蘭学を学んだあと、江川太郎左衛門に師事して兵学を修めた。幕臣になり、六八年に歩兵奉行に進んだ。江戸開城後、不満の兵士らを引き連れて脱走し、宇都宮、日光、会津を転戦し、五稜郭に拠ったが、降伏して投獄された。出獄後、陸軍省、工部省などに出仕し、学習院長や華族女学校長のあと、駐清国公使を務めた。

権分立を参考に、副島種臣《そえじまたねおみ》と福岡孝弟《ふくおかたかちか》らが考案しました。

議政官（立法官）は、議定《ぎじょう》・参与からなる「上局」と、貢士《こうし》（諸藩からの出仕者）からなる「下局」で構成し、行政官には、神祇官《じんぎかん》、会計官、軍務官、外国官、刑法官が置かれて知事・判事らが任命されました。「官員の任期は四年で公選」（実際の実施は一度だけ）するとしていました。

議定は、公卿六人と諸侯四人で、公卿のうち二人は、天皇を補佐する輔相《ほそう》の三条実美と岩倉具視が就きました。参与には、木戸孝允、小松帯刀、大久保利通、広沢真臣《さねおみ》、後藤象二郎、福岡や副島、由利公正《きみまさ》、横井小楠《しょうなん》ら九人が就任します。行政官では補充人事が行われ、会計官に江藤新平、軍務官に大村益次郎《ますじろう》、外国官に伊藤博文、井上馨《かおる》、大隈重信らが命じられ、彼らが維新政府の一線で政策を主導していくことになります。

ただし、明治初めの官制は、その後も目まぐるしく変わり、人事の動きもあわただしいものがあります。

上野・彰義隊の戦い

江戸城下では、六八年三月一六日、慶喜を支持する旧幕臣らが「薩賊討滅」を合言葉に「彰義隊《しょうぎたい》★」を結成します。その後、江戸開城に憤る兵たちが続々と参集し、慶喜守衛を目的に上野寛永寺に入り込みました。隊員数は二〇〇〇人以上に膨れあがります。

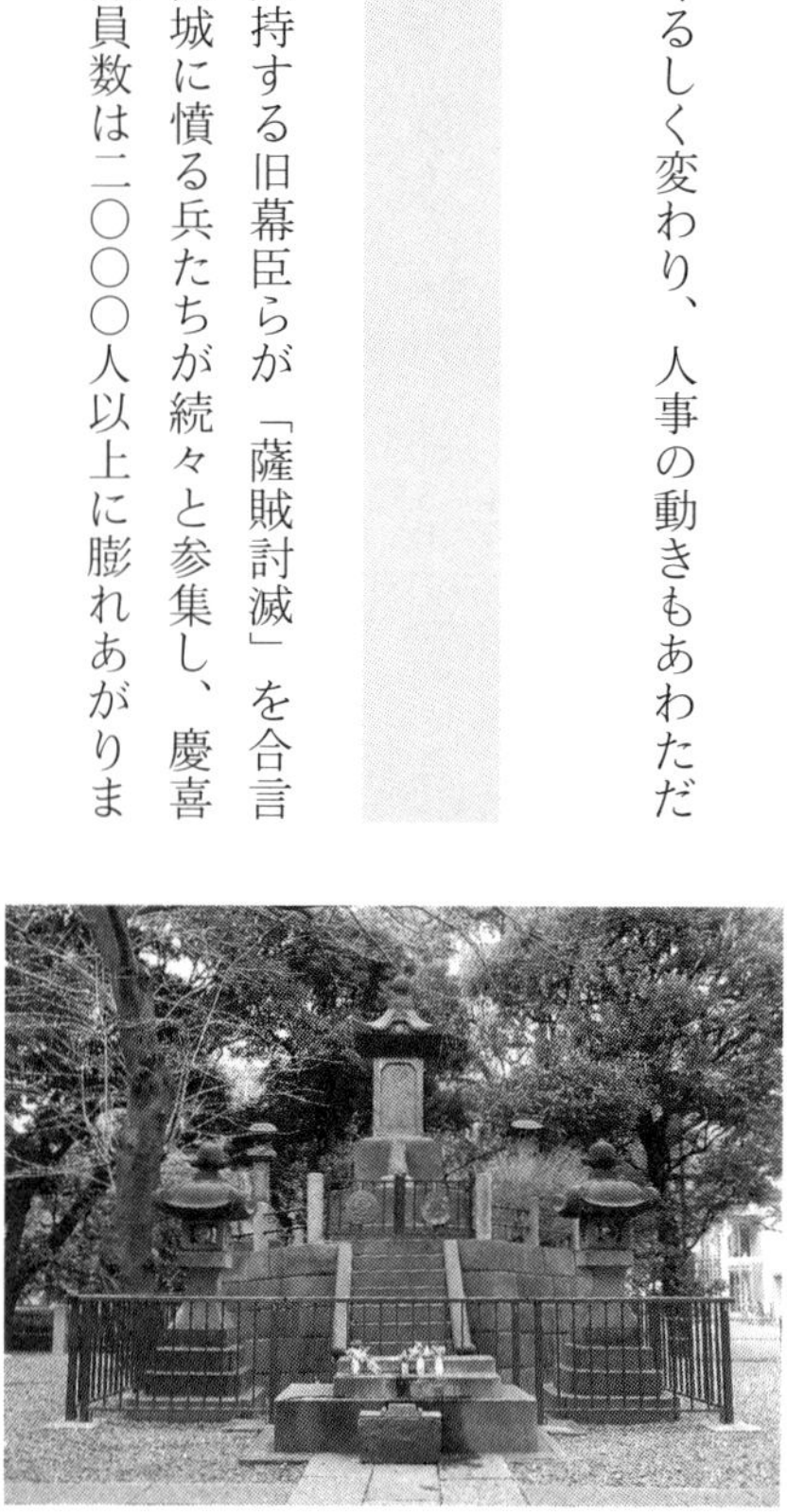

●上野公園内に建てられた彰義隊墓所（東京都台東区）

彼らは、輪王寺《りんのうじ》門主の公現法親王《こうげんほうしんのう》★（一八四七―九五年）に接近します。同寺執当の覚《かく》王院義観《おういんぎかん》が彰義隊の熱心な支援者でした。彰義隊は、市中を巡回し、官軍と小競り合いを繰り返します。慶喜は懸念を示し、山岡鉄舟や勝海舟らが隊員の暴走を諫《いさ》めますが、聞き入れられません。

これに対し、新政府側は五月、長州藩の洋式兵学者で軍防事務局判事・大村益次郎

●公現法親王

◉太政官制度

明治新政府の最初の統治の仕組みは、「王政復古の大号令」によって設置された総裁・議定・参与の三職。これは一八六八年の「政体書」により廃止され、新たに「太政官制」が導入された。これは八五年に内閣制度が生まれるまで続く。政体書は、一四条からなり、「天下の権力をすべて太政官に帰す」と定め、太政官の権力を立法・行政・司法の三権に分けると規定した。その理由として、権力の集中は、「政令が二途に出る」ことをなくすためであり、「三権分立」は、権力の偏重を避けるためとした。

◉彰義隊

頭取は、一橋家（徳川慶喜の出身）家臣の渋沢成一郎。旧幕臣の有志が参加し、浅草・本願寺に屯所を置いた。渋沢は内紛で隊を離れて振武軍を結成し、副頭取の天野八郎が頭取になる。徳川慶喜を警護することを名目に寛永寺に移った。一隊五〇名、一八隊構成で、これに諸藩を脱走した不満分子が加わり、上野の山を事実上、占拠することになった（保谷徹『戊辰戦争』）。

◉公現法親王

のちの北白川宮能久《よしひさ》親王。一八五八年に得度し、京都を出て江戸の東叡山にはいり、六七年に輪王寺門主となった。輪王寺宮と呼ばれる。上野戦争で逃げ落ち、奥羽越列藩同盟の「盟主」に担がれた。維新後、プロイセン留学中に、北白川宮を相続した。七七年、プロイセン陸軍大学校を卒業して帰国後は、東京鎮台司令官、第四師団長などを歴任。近衛師団長として日清戦争後、台湾鎮定にあたるが、現地で病のため死去した。

を東京に派遣し、軍を指揮するよう命じました。大村は、上野包囲作戦を立て、梅雨の季節の七月四日、彰義隊攻撃に踏み切ります。寛永寺正面の黒門口に薩摩藩兵を配していた大村の計画書をみて、西郷隆盛は、「薩兵を皆殺しにする朝意でごわすか」と問うたといわれます。当日、大村が江戸城から戦場を観望していたのに対し、西郷は黒門口に出動して戦闘を指揮しました。

肥前（佐賀）藩がイギリスから輸入したアームストロング砲などが威力を発揮し、戦いは夕刻までに終結します。戦いに勝利した新政府軍の死者は三四人、反政府軍は二六〇人と言われています。政府軍の死傷者は薩摩に多く、彰義隊は半数が死傷したとされます。敗走した生存者の多くは、このあと会津や函館での戦争に加わります。

大坂遷都構想

新政府の内国事務掛《じむがかり》（内務相）・大久保利通は、六八年二月、朝廷に「大坂遷都の建《けん》白書《ぱくしょ》」を提出しました。そこには、「数百年来の因循《いんじゅん》腐臭を一新し、官武の別なく天下万人が感動涕泣《ていきゅう》する（涙を流して泣く）ほどのことを実行することが急務」であり、「わずかな公卿しか拝顔できない存在だった天皇の、民の父母たる天賦《てんぷ》の役割を踏まえると、大変革すべきは京都からの遷都の典」であると書かれていました。

旧態依然の京都を去るべきだと言う大久保は、あわせて、今後、天皇は表の御座所に出て政務を行うこと、その際は女官の出入りを厳禁すること、天皇は内外情勢について学び、乗馬の訓練をすることなどを柱とする天皇・宮中改革案を岩倉具視に提言

●大村益次郎

●維新期の大久保利通（国立国会図書館ウェブサイトから）

しました。

しかし、この遷都論は公家たちの抵抗にあって否決されてしまいます。そこで大久保は、今度は大坂への「行幸《ぎょうこう》（天皇の外出）」を企画します。官軍の最高司令官としての「親征（天皇自らの征伐）」という位置づけでした。天皇は四月半ば、「葱華輦《そうかれん》」（天皇の乗物の一種）に乗って京都を出発、大坂に約五〇日間滞在し、その間、天保山《てんぽうざん》沖で艦隊演習を天覧しました。天皇の大坂滞在中、大久保と木戸孝允は、それぞれ初めて天皇と会見の機会を得ます。二人とも、天皇との面会を「未曽有《みぞう》の事」ととらえ、「余一身の仕合《しあわせ》、感涙の外《ほか》これなく候《そうろう》」などと日記に書いています。

東京遷都を実現

大坂遷都が進まない中、大久保に宛てて江戸への遷都を提言したのが、近代郵便制度の創設者としても知られる、旧幕臣の前島密《まえじまひそか》★（一八三五―一九一九年）でした。江戸

●前島密

◉前島密

新潟県の豪農の家に生まれた。江戸に遊学し、医学、英語などを習得し、幕臣の前島家を継いだ。前島が東京遷都論を建言したのは一八六八年。前島は、その二年後に新政府に出仕し、渡英して郵便制度の調査にあたった。駅逓《えきていの》頭《かみ》となり、七三年、全国均一料金制を採用して郵便制度を確立した。米国と郵便条約を結んで外国郵便を開き、万国郵便連合にも加入した。また、郵便為替や貯金の取り扱いも始めた。一方、国字の改良を唱えて、幕末には「漢字廃止」を建議。七三年には『まいにちひらかなしんぶんし』を創刊した。

遷都の理由として前島は、東京は大坂と違って、官庁、学校、藩邸、住宅などのインフラがある、宮城も江戸城を修築すれば足りるので国費が節約できる、江戸を首都にしないと市民は四散してしまい、世界の大都市（江戸）が荒涼とした「大寒市」に変じてしまう――ことを挙げていました。★

ついで大総督府軍監・江藤新平（一八三四―七四年）らが、五月、「東西二京設置案」を岩倉に提出します。「都は京都」にこだわる公家や京都周辺の世論に配慮した案でした。これと前後して、木戸孝允が「京都をもって帝都となし、大坂を西京、江戸を東京として時宜《じぎ》にしたがって東西巡幸する」という案を出します。大坂遷都論の大久保も、徳川氏を駿府に移し、「江戸を東京とすることが良策」であると、東京遷都を支持します（東京都発行『東京百年史』第二巻）。

戊辰戦争の舞台が関東から東北、そして北海道へと移行するにつれ、新政府の管轄地域も拡大し、国内統一が急がれるようになります。とくに東京が政治的にも軍事的にも重要性を増していたことが、東京遷都論に弾みをつけたとみられています。

六八年九月三日（慶応四年七月一七日）、天皇は江戸を東京と定める「東京奠都《てんと》」の詔書を出します。東京府庁が置かれ、天皇の東京への行幸が発表されました。これには再び、京都の側が、「東京遷都につながる」として激しく反発します。政府内にも慎重論が出ましたが、江藤や大久保らは「戊辰戦争とそれによって惹《ひ》き起こされた国内の人心の動揺をおさめ、国内統一を実現するためには、ぜひとも天皇を中心としたネーション・ステイト（国民国家）をつくるべきだ」として、反対論を押し切ったといわれます（松本健一『開国・維新』）。

●江藤新平

新しい天皇像

一〇月一二日（慶応四年八月二七日）、天皇は日本古来の儀式にのっとり、即位の大礼を挙げます。その前日には天皇誕生日（九月二二日）を国民の休日（「天長節《てんちょうせつ》」）と定め、二三日には「明治」と改元されました。

一一月四日（明治元年九月二〇日）、天皇は「鳳輦《ほうれん》」に乗って京都を出発し、東京に向かいました。天皇の行列には、衣冠《いかん》・狩衣《かりぎぬ》姿の公家らが従い、供《とも》は約二三〇〇人に達し、長州・土佐など六藩兵が警固にあたりました。途中、熱田神宮に参詣し、農民の稲刈りを見物し、大磯の海岸では地引き網を見て楽しみました。東京市民は天皇行幸を歓迎しました。東京府は名主らに対し、火元に注意すること、道筋の掃除を入念に

◉江戸東京の人口

幕末までに江戸の人口は一〇〇万人を超えていた。その半分の五〇万人は、旗本御家人や参勤交代で江戸に滞在する諸大名、諸藩士、その家族からなる武家人口だった。維新後、旗本御家人の半数の一万三七六四人とその家族、家来は、一大名となった徳川家に付き従って静岡に移住した。一方、帰商農の途を選んだのが約四五〇〇人、朝臣化して江戸に残った旧幕臣は五一八二人だった。旧幕臣の半数が去り、参勤交代の義務がなくなった大名や藩士らが帰国すると、江戸の人口は激変し、総人口は六七万人余と、従来の四〇%近い減少となった（横山百合子『江戸東京の明治維新』）。その後、東京の人口は一八七六（明治九）年に一〇〇万人を超えるまでに回復し、一九〇一年になると二〇〇万人を超え、一九一九（大正八）年には三〇〇万人台に乗った。

行うこと、羽織袴《はおりはかま》を着用して迎えることなど種々の準備を指示しました。
明治天皇の父である孝明天皇が、六三年に賀茂社に行幸するまで、歴代天皇は二〇〇年以上、京都御所の外に出なかったといわれます。大久保利通らは、これからの天皇はヨーロッパの帝王のように国内を歩いて民衆と積極的に接することが必要と考えていました。その意味で、東京行幸は「見えない天皇から見える天皇」への「劇的な変貌」でした（佐々木克『幕末の天皇・明治の天皇』）。

新政府の威光を印象づけ、国民統合のシンボルとしての役割を期待された明治天皇は、その後、七二（明治五）年から大かがりな巡幸を六回行って全国を回ります。それは、終戦直後の一九四六（昭和二一）年から「地方巡幸」を始め、「象徴天皇」として全国各地を訪れた昭和天皇の姿と重なるところがあります。明治天皇は一八六八年一一月二六日（明治元年一〇月一三日）、東京に到着すると、江戸城を東京城と改め、皇居にすることを布告しました。

六九年一月二〇日、天皇は東京を出発し、京都に還幸（行幸先から戻ること）します。二月三日に京都入りし、孝明天皇の三回聖忌を行ったあと、天皇の花嫁である一条美《はる》子《こ》★（一八五〇―一九一四年）が入内《じゅだい》（皇后に決まった女性が正式に宮中に入ること）しました。天皇は四月一八日、再度東京へ向かい、五月九日東京城に到着します。東京城の呼称を「皇城」と改め、太政官を皇城内に設置しました。これが事実上の東京遷都となります。新しい都の誕生は、平安京遷都（七九四年）以来のことでした。

●東京入城東京府京橋之図（月岡芳年画）。橋上を進むのが鳳輦

5　異彩を放つ「北方政権」

「会津・庄内を討て」

戊辰戦争の舞台は東北地方に移ります。官軍の照準はぴたり「朝敵・会津」です。新政府は、一八六八年二月一〇日、仙台藩に対し「会津藩追討令」を出します。あわせて秋田、盛岡、米沢の各藩には、仙台藩を支援するよう命じました。

会津を討つか、救うか。仙台藩内部の意見は分かれましたが、首席家老らは、「会津征討」に強い疑問を抱いていました。新政府側は、鳥羽・伏見の戦いで、幕府・会津側が先に発砲したことを「朝敵」の理由に挙げていました。ところが、徳川方は、

◉**一条美子**

故左大臣一条忠香《ただか》の娘として嘉永三年に誕生した。幼い頃から聡明で、多芸多才な女性だった。明治天皇より三歳の年長。結婚前に勝子《まさこ》から美子《はるこ》と改名した。女子教育の振興や社会事業、日本赤十字社の設立と経営などに心を注いだ。生涯多くの和歌を詠み、中でも東京女子師範学校（お茶の水女子大学）に下賜した「みがかずば玉も鏡もなにかせむ学びの道もかくこそありけれ」といった歌などが有名。追号は昭憲《しょうけん》皇太后。

薩摩勢の発砲にやむを得ず応戦したと主張し、黒白がついていなかったからです。

それだけではありません。徳川慶喜は政権を返上し、朝廷に背く意図もない以上、追討の必要はないし、そもそも、「禁門の変」で朝敵とされた長州藩には、「寛大な処置」がとられたではなかったか。加えて、再び内戦となれば、諸外国はいかなる動きに出るか計り知れず、国辱を万国にさらすことになる――。こうした維新政府のやり方への批判が、会津追討反対論を支えていました。

新政府の奥羽鎮撫《ちんぶ》総督府の九条道孝《みちたか》一行が、四月中旬、京都から仙台入りし、仙台・米沢両藩に対し出兵を迫りました。次いで、仙台・天童・秋田各藩に対して、庄内藩（山形県北西部、酒田・鶴岡）追討を命じます。庄内藩は、江戸薩摩藩邸焼き打ち事件（六八年一月）を主導したことで「朝敵」とされたようです。

奥羽越列藩同盟

もはや交戦は必至とみた会津藩と庄内藩は、同盟（会庄同盟）を締結します。仙台・米沢両藩は、会津藩に「恭順」を勧めますが、同藩は抵抗し、「藩主・松平《まつだいら》容保《かたもり》の城外謹慎、領地削減」という条件でようやく折り合います。五月末、仙台・米沢両藩は、秋田、盛岡など奥羽諸藩に呼びかけ、仙台藩領・白石《しろいし》で列藩会議を開きます。席上、会津藩に寛大な処置を求める嘆願書に一四藩が署名しました。各藩とも、政府軍の進撃を抑え、戦争を回避しようとしていたのです。

しかし、九条総督は、仙台・米沢両藩主の嘆願を却下しました。強硬論者の総督府

●奥羽越列藩同盟旗

参謀・世良修蔵《せらしゅうぞう》（長州藩）の意見に押されたようです。殺気立つ仙台藩士らが、傍若無人で鳴る世良を暗殺しました。これを機に諸藩と新政府との対立はエスカレートします。

六月二二日、各藩代表は、「大義を天下に」とうたった奥羽列藩盟約書と太政官建白書★に署名しました。これらは仙台藩士の玉虫左太夫《たまむしさだゆう》★（一八二三―六九年）らが練り上げたものでした。三日後には、長岡、新発田《しばた》など北越諸藩も同調し、ここに三一藩からなる「奥羽越列藩同盟」が成立しました。列藩同盟は、上野戦争から逃れ、会津入りした輪王寺宮公現法親王を「同盟の盟主」として担ぎます。総督には仙台、米沢の両藩主が就き、参謀には小笠原長行《おがさわらながみち》と板倉勝静《いたくらかつきよ》の旧幕府重鎮を充てます。白石城には

●玉虫左太夫

◉建白書と盟約書

奥羽越列藩同盟の建白書は、世良参謀らを手厳しく弾劾し、倒会、倒庄は薩長の私怨であり、天皇の意思ではないと断じた。そして薩長は君側の姦で、「虚名を張り、詐謀を飾り、陰に大権を窃《ぬす》み、暴動を恣《ほしいまま》にし候国賊」と追及した。盟約書は、諸藩平等の原則を強く求め、「大義を天下に舒《の》ぶるを以《もっ》て目的となし、小節細行に拘泥《こうでい》すべからざる事」、「舟を同じうして海を渡るが如く、信を以て居《お》り、義を以て動くべき事」など八か条からなっていた（星亮一『奥羽越列藩同盟』）。

◉玉虫左太夫

仙台藩士の家に生まれた。仙台の儒学者・大槻磐渓《ばんけい》に見いだされ、江戸に遊学し、林復斎の塾に入り塾長となる。一八五六年、箱館奉行に随行して蝦夷地を踏査。六〇年、日米修好通商条約の批准書交換のための幕府訪米使節団の正使、新見正興《しんみまさおき》の従者の一人に選ばれた。アメリカで見聞を深め、「共和政事」に目覚めた玉虫は、帰国後、『航米日録』をまとめた。玉虫は、列藩同盟の軍事戦略づくりの中心となり、さらに江戸進攻後の新政権の国家構想も描いていた。

とになりました。

「公議所」が設置され、諸藩の重役たちが軍事・会計・民政などについて評議すること

列藩同盟は、こうして「盟主」を頂点に、権力の執行体制を整えました。その意味で、同盟は、「明らかに京都政権に対抗する、地方政権＝奥羽政権としての意識と実態をもって」いたのです（佐々木克『戊辰戦争』）。攻守同盟の性格を強めた同盟は、戦闘態勢に入り、戦線は太平洋岸や会津国境、北越方面へと拡大していきます。

河井継之助の戦い

北越戦争の焦点は、長岡城の攻防でした。譜代の名門・長岡藩は、同盟に加わる以前は、中立的な立場をとっていました。しかし、鳥羽・伏見の戦いの後、家老・河井継之助《かわいつぐのすけ》★（一八二七―六八年）は、江戸藩邸などを売り払って数万両を得ると、外国商人から最新の銃砲・弾薬を購入しました。横浜で荷積みをし、箱館経由で新潟に送ります。新潟港は当時、武器補給港の様相をみせ、プロイセンの武器商人であるスネル兄弟らが暗躍していました。河井が帰藩した船には、兄の会津藩主・容保とともに「朝敵」とされた桑名藩主、松平定敬《さだあき》の一行も同乗していました。

北陸制圧をめざす政府軍が、会津藩の飛び地だった小千谷《おぢや》を占領します。六月二一日、河井は、東山道軍軍監・岩村精一郎（土佐藩士）と会談し、政府軍の進撃阻止を要請しますが、岩村がはねつけました。談判決裂を受け、会津、桑名、長岡の連合軍と政府軍との戦闘が開始されます。北陸道鎮撫《ちんぶ》総督兼会津征討総督参謀・山県有朋《やまがたありとも》（一

●河井継之助

八三八―一九二二年）らは七月八日、信濃川の渡河作戦を敢行して長岡城を占領しました。

これに対して、河井が率いる連合軍は九月一〇日、二か月ぶりに長岡城を奪回しますが、河井は銃弾を受けて負傷し、五日後には敗退します。ついで新潟も政府軍に占領され、越後平野は平定されました。

東北の諸勢力を結集した列藩同盟にも、ほころびが出ます。秋田藩の同盟離脱です。仙台を脱出した九条総督一行が八月中旬、盛岡から秋田に到着し、政府軍兵士も総結集すると、その圧力の前に、秋田藩は藩論を転換したのです。秋田藩と政府の連合軍は、庄内藩へ進撃しました。これに対し、庄内藩は、領内侵攻を食い止めただけでなく、逆に秋田藩を追いつめるなど奮戦しました。

「白虎隊」の悲劇

会津藩主・松平容保は、江戸から会津に帰った六八年三月以降、軍制改革に取り組

◉河井継之助

長岡城下（新潟県長岡市）に生まれた。父は勘定奉行。佐久間象山や山田方谷《ほうこく》らに師事し、開国論者となった。藩の要職に就き、藩政改革を行って財政を立て直し、洋式銃・砲などを購入してフランス式訓練も行った。戊辰戦争では、軍務総督として中立の態度をとったが、新政府軍側は受け入れず、戦争に突入。長岡城が落ちた後、河井は、陣頭指揮に立って敵陣を急襲し、城を奪還した。政府軍側は不意をつかれ、参謀の西園寺公望や山県有朋らは退却を余儀なくされた。山県の歌「あだ守る砦のかがり影ふけて夏も身にしむ越の山風」は、この時の作とされる。

みました。同藩の総兵力は七〇〇〇余でしたが、部隊を年齢別・身分ごとに再編成し、この中で一六―一七歳を対象にして作られた部隊が「白虎隊《びゃっこたい》★」でした。

政府軍に立ち向かう会津藩に衝撃の報が伝わります。長岡城陥落の日（九月一五日）、列藩同盟の二本松が、政府軍の急襲を受けて落城しました。そして同盟の盟主・仙台藩が戦線を離脱したのです。板垣退助（土佐藩）、伊地知正治《いじちまさはる》（薩摩藩）両参謀を司令官とする政府軍にとっては戦機到来です。六八年一〇月八日早朝、政府軍は若松城（通称・鶴ヶ城）下に侵攻します。

激しい戦闘に疲れ果て、飯盛山《いいもりやま》にたどり着いた白虎隊士二〇人は、火に包まれ砲煙をあげる市内を見下ろし、もはや落城と悟ると、お互い差し違えて自刃。うち一人が蘇生し、一九人の悲劇的な最期がわかりました。市中では、籠城戦の足手まといになることへの懸念や、会津滅亡への絶望感から、女性や子供たちの自害が相次ぎました。家老・西郷頼母《たのも》の家では、母、妻、妹二人、娘五人の計九人が自刃しています。

逆に登城して戦う女性もいました。砲術師範役・山本覚馬《かくま》の妹八重は男装して七連発銃をかつぎ、軍事総督・山川大蔵《おおくら》★の母、妻、妹たちも薙刀《なぎなた》を手に城に入ります。藩士の娘・中野竹子、妹の優子らの「娘子軍《じょうしぐん》」も、弾丸が飛び交う中、奮闘しました。

若松城を包囲した政府軍は、五〇門の大砲からすさまじい砲撃を繰り返し、天守閣にも命中します。一昼夜に二七〇〇発の弾丸が撃ち込まれたとも言われています。一か月にわたる籠城戦の末、一一月五日、弾薬も食糧も尽きた会津側は、「降参」と大書した白旗を立てます。万国公法に基づく白旗は、包帯などで白布を使い尽くしたため、女性たちが白い小片《こぎれ》を縫い合わせてつくりました。

●「婦女隊の奮戦」（幕末維新勤王志士物語叢書『白虎隊』より）

●戊辰戦争直後の若松城（鶴ヶ城）天守東面

会津攻防戦で死亡した兵士は、反政府軍二五五七人（うち女性一九四人）、政府軍は三九五人といわれています。会津藩の奮戦ぶりは、「会津士魂《あいづしこん》」や「婦人の鑑《かがみ》」などと称《たた》えられ、胸打つものがあります。ただし、白虎隊や娘子軍、民間の老若男女を多数巻き込んだあげくの敗戦は、人事や作戦、用兵の誤りが指摘されており、当時の会津藩首脳陣の責任は免れがたいようです。

●白虎隊自刃の地

五稜郭の「榎本政権」

北海道・函館に「五稜郭《ごりょうかく》」という名の洋式城郭があります。江戸幕府が北辺防備の

◉白虎隊

会津藩では、年齢別に玄武（五〇歳以上）、青竜（三六―四九歳）、朱雀（一八―三五歳）、白虎（一六―一七歳）の四神の名をもつ四つの隊を編成した。主力は朱雀、青竜で、玄武、白虎はいわば予備軍。白虎隊は、士中一・二番隊、寄合一・二番隊、足軽隊からなり、隊員は三〇〇余名だった。領内で政府軍との戦いが始まると、白虎隊も前線に出動して戦闘に加わり力尽きた。ただ、守るべきだと考えていた若松城は燃えておらず、少年たちは「落城」を誤認したとも言われる。

◉山川大蔵

幕府外国奉行・小出秀実のロシア使節団に随行した経験をもち、将来の首席家老と目されていた。一八四五年生まれ、二三歳の若さで籠城戦の指揮をとった。弟の山川健次郎は、白虎隊に編入されたが、幼すぎるなどとして除隊となった。健次郎は、会津藩降伏後、苦学ののち、米イェール大学に留学して物理学を専攻し、帰国後の七六年、東京帝国大学最初の物理学教授となった。後年、東京帝大総長などを歴任した。陸相・大山巌の夫人になる山川捨松は妹。大蔵は維新後、陸軍軍人となる。浩と改名。九八年没。

ため、箱館奉行所として一八五七年に着工し、七年がかりで完成させました。蘭学者の武田斐三郎《あやさぶろう》がフランスの築城書などを参考にして設計したものでした。ここが戊辰戦争の最後の舞台になります。主役は、旧幕府海軍副総裁の榎本武揚です。

六八年一〇月四日、榎本は、勝海舟らの再三の自重要請を振り切って、艦隊とともに品川沖から北方へ向かいます。艦隊は「開陽」「回天」「咸臨《かんりん》」など計八艦で、フランス軍人一〇人が参加していました。新政府に対して送った文書は、「今の王政は天下の輿論《よろん》を尽くしていない。一、二の強藩の私意に基づくものだ」と批判し、「徳川家の遺臣」の生計維持のため、「蝦夷《えぞ》（北海道）開拓」を認めるよう求めていました。

榎本軍は、一二月はじめ、箱館から四〇キロの地点に上陸しました。東北で戦って敗れた旧幕府の松平太郎（陸軍奉行）や大鳥圭介（歩兵奉行）、竹中重固《たけなかしげかた》（陸軍奉行）、板倉勝静（備中松山藩主）、小笠原長行（唐津藩世子）、土方歳三《ひじかたとしぞう》★（新選組副長）らを仙台で乗せており、総勢は二五〇〇人を超えていました。

箱館府の政府軍を圧倒し、五稜郭と箱館を手中に収めた榎本軍は、六九年一月、各国領事に対して、蝦夷地の領有を宣言しました。この「榎本政権」は、首脳陣の人事を陸海軍士官の投票で決めました。総裁には、榎本が圧倒的多数の票を得て選ばれました。榎本政権は「サムライの共和国」とも称されますが、天皇の新政府に敵対する意図はなく、新政府の下で徳川家臣団の生き残りを図ることが真意だったようです。

箱館に派遣されたイギリス、フランスの軍艦の両艦長は、いったん榎本政権を「事実上の権力」と認めました。ところが、イギリス公使のパークスは、すでに「内戦は終結した」との判断を示し、一二月九日、米英蘭仏独伊の六か国公使は、そろって局外

●五稜郭

●土方歳三（国立国会図書館ウェブサイトから）

中立解除を布告、榎本軍は反乱軍となってしまいます。

政府側は、これにより、アメリカの甲鉄艦「ストーン・ウォール」号を手に入れます。これが、日本の最強艦「開陽」が荒天で沈没、海上優位を失った榎本軍を打倒するための切り札になります。政府軍は春五月、反撃に移って松前を攻略し、六月二〇日、箱館総攻撃に出ます。榎本政権の海軍奉行並に就いていた土方は戦死し、甲鉄艦の艦砲射撃が容赦なく五稜郭を襲います。二二日、政府軍参謀の黒田清隆が榎本らに降伏を勧告しました。榎本は、オランダ留学から持ち帰った海事国際法『海律全書』を黒田に託し、黒田は酒五樽《たる》を榎本陣営に贈ったというエピソードが残っています。五日後、戊辰戦争は終わりました。★

◉土方歳三

武蔵国多摩郡（東京都日野市）の生まれ。幕府の浪人募集に剣道場で同門の近藤勇らとともに上京、近藤を局長とする新選組の副長となる。鳥羽・伏見の戦いに敗れたあと、小山、宇都宮、会津と転戦し、仙台から奥羽列藩の藩兵とともに箱館に走り、榎本武揚の指揮下に入った。五稜郭で政府軍と戦闘中、流れ弾にあたって死去。

◉箱館戦争後の榎本武揚

榎本は、一八六九年六月の降伏後、東京に護送され、入獄ののち、黒田清隆の下で開拓使に出仕し、北海道開拓に尽力した。七四年には海軍中将兼駐ロシア公使となり、サンクトペテルブルクでゴルチャコフ露外相との間で、樺太千島交換条約を締結した。駐清国公使、逓信相、文相、外相、農商務相などを歴任し、旧幕臣の中では異例の高位についた。福沢諭吉は一九〇一年、書きためていた『瘠《やせ》我慢《がまん》の説』を発表し、旧幕臣の勝海舟と榎本武揚の行動は、武士の意気地のような「瘠我慢」の精神に反すると批判。榎本については、五稜郭の籠城戦こそ「天晴れの振る舞い」ではあったが、その後、新政府で富貴を求め得たことは「感服できない」と書いた。

6　戊辰戦争、敗者の側から

柴五郎の無念

戊辰戦争の敗者には、新政府による処分が待っていました。一八六九年一月、会津藩主・松平容保《まつだいらかたもり》は、「死一等を減じ（死罪を免れ）」鳥取藩に「永預《ながあずけ》（無期刑）」となる一方、同藩の領地はいったん没収されました。

翌七〇年六月、同藩は青森・下北半島の斗南《となみ》に移封《いほう》されます。石高はこれまでの二三万石から三万石へと削られました。しかも斗南はやせた土地で、実収は七〇〇〇石に過ぎなかったようです。藩士とその家族は、そうとは知らずに移住し、寒さと飢えに苦しむことになります。その悲惨極まる生活は、『ある明治人の記録――会津人柴五郎の遺書』（石光真人編著）によって明らかです。

柴五郎《しばごろう》（一八五九―一九四五年）は、晩年、戊辰戦争での「薩長の狼藉《ろうぜき》」に対して、「いまは恨むにあらず、怒るにあらず、ただ口惜《くや》しきことかぎりなく、心を悟道《ごどう》に託すること能《あた》わざるなり」と、血涙滲《にじ》む、この書を残しました。

会津戦争で自刃した祖母と母、姉と妹の遺骨を、瓦礫《がれき》の中から拾ったという柴は、

●柴五郎（国立国会図書館ウェブサイトから）

江戸の捕虜収容所で生活した後、斗南地方に送られます。それは、柴の言葉を借りれば、「挙藩流罪という史上かつてなき極刑」というべきものでした。その後、柴は上京して、下僕《げぼく》生活の末、「陸軍幼年生徒隊」(幼年学校の前身)の試験に合格してチャンスをつかみます。大本営参謀やイギリス・清国公使館付武官などを歴任し、最後は陸軍大将として台湾軍司令官をつとめました。なお、兄は小説家の柴四朗★(一八五三―一九二二年)です。

政府の東北諸藩に対する処分をみると、仙台は六二万五千石から二八万石に、長岡は七万四千石から二万四千石に、庄内は一七万石から一二万石に、米沢は一八万石から一四万石に、それぞれ削封されました。戊辰戦争での抵抗ぶりや降伏時の対応などが斟酌《しんしゃく》されたようですが、それにしても会津処分の過酷さが際立ちます。

一方で、政府は六九年七月、鳥羽・伏見の戦い以降の「戦功」を賞します。藩主では、島津久光父子(薩摩)、毛利敬親父子(長州)に各一〇万石、山内豊信父子(土佐)に四万石などが支給されました。

◉柴四朗

小説家・柴四朗のペンネームが東海散士《とうかいさんし》。アメリカに留学し、帰国後に発表した小説『佳人之奇遇《かじんのきぐう》』(一八八五―九七年)は、会津藩の悲劇を知る日本人青年が、アメリカでアイルランドの独立運動の闘士らと出会って、世界の弱小民族のために連帯を誓い合う政治小説だった。大阪毎日新聞の主筆、衆議院議員としても活躍した。

「一山百文」と原敬

柴の三歳年長に、盛岡（南部）藩の上級武士の家に生まれた原敬《はらたかし》（一八五六―一九二一年）がいます。盛岡藩も戦後、二〇万石から一三万石に削減されました。いったん白石に移され、旧領の盛岡に復帰を果たしますが、政府がその際の条件として要求した七〇万両が調達できず、廃藩に追い込まれました。

原は、新聞記者から外交官に進んだあと、政界に転じ、一九一八（大正七）年九月、政友会総裁として日本初の政党内閣を組織します。華族でも、藩閥でもなかったことから「平民宰相」と呼ばれました。東北出身では初の首相でした。

戊辰戦争で「官軍」の薩摩・長州藩は、「朝敵」の東北諸藩を「白河《しらかわ》以《い》北《ほく》一山《ひとやま》百《ひゃく》文《もん》」とさげすみました。白河の関（福島県白河市）以北は、一山百文の値打ちしかない、というわけです。ところが、政界の実力者となった原は、俳号《はいごう》に、その蔑称の中の言葉である「一山《いっさん》」を用い、時に「東《とう》夷《い》迂《う》人《じん》（東国の野蛮で、世間の事情にうとい人）」と記すこともありました。

原が政権に就く一年前の一七年九月、盛岡市の報恩寺で「南部藩戊辰戦争殉難者五十年祭」が開かれました。来賓として出席した原は、次のような祭文★を読み上げました。

> 顧《かえり》みるに、昔日《せきじつ》もまた、今日のごとく国民誰か朝廷に弓を引く者あらんや。戊辰戦役は政見の異同のみ、当時、勝てば官軍、負くれば賊軍との俗謡《ぞくよう》あり。その

●原敬（国立国会図書館ウェブサイトから）

真相を語るものなり。今や国民聖明《せいめい》の沢《たく》に浴し、この事実、天下に明らかなり。諸子をもって瞑《めい》すべし。余たまたま郷にあり、この祭典に列する栄を荷《にな》う。即ち赤誠《せきせい》を披瀝《ひれき》して、諸子《しょし》の霊に告ぐ。

報恩寺は、維新政府から「反逆首謀」者として名指しされた南部藩家老・楢山佐渡《ならやまさど》が切腹に処せられた場所です。原は、祭文を読むのを一度は断りましたが、その日の朝になってにわかに起草し、自らの考えを明らかにしました（『原敬日記』）。それは「勝てば正義」として敗者を処断しつくしてきた薩長流の歴史観や藩閥政治に対する鋭い批判といえました。

●盛岡市の報恩寺山門

◉原敬の祭文

一九一七年四月の総選挙で政友会が第一党に復帰し、原は首相をめざしていた。そのためには、実力者の山県有朋（長州）や松方正義（薩摩）という二人の元老の推薦を得なければならず、薩長の維新解釈を否定する祭文が伝わった場合、彼らの感情を損ねる恐れがあった。しかし、原は、旧南部藩の維新の犠牲者の英霊を前に、多少のリスクを冒しても、率直な考えを示そうという気になった。この時の気持ちを原は「焚く香の／煙のみだれや／秋の風」と、俳句に詠み、この句に「一山百文」の印形を押した。祭典は撃剣の試合などの余興の後、午後五時に終了し、数千の観衆や来会者が帰路についたという（伊藤之雄『原敬（下）』）。

次郎長の義侠心

戊辰戦争の戦死者は、新政府軍は三五五〇人、反政府軍は四六九〇人とされています。反政府軍では、会津藩が二五五七人と最も多く、次いで仙台藩八三一人。政府軍では、薩摩藩五一四人、長州藩四二七人などとなっています。死者数からみても、会津攻防戦が最大の戦いであったことがわかります（『明治史要附録表』）。

幕府側の死者の中には、「咸臨丸」事件の兵士たちもいました。「咸臨丸」とは、一八六〇年、勝海舟や福沢諭吉を乗せて太平洋を渡った、あの徳川幕府の軍艦にほかなりません。同艦は六八年一〇月、旧幕府の榎本武揚艦隊に加わって箱館に向かう途中、嵐に遭って流され、駿府の清水港への避難を余儀なくされました。

一一月初め、政府軍艦が「咸臨丸」を砲撃し、多数の兵士が死亡し、遺体が港内に遺棄されました。事件直前の七月、駿河藩（七〇万石、のち静岡藩）に移封されたばかりの徳川家も、微妙な時期だけに、旧家臣らの死体に全く手を出しません。

ここで義侠心《きょうしん》を発揮したのが、清水港を支配していた大親分・清水次郎長《しみずのじろちょう》★（一八二〇―九三年）でした。戊辰戦争では「朝敵」とされた兵士を祀《まつ》ることは、新政府によって禁じられていたといわれます。しかし、次郎長は、敵兵の死体を海上に遺棄するという「不仁」を正して「仁」を為す――すなわち人道主義の立場から、遺体を無断で収容すると、港外の土中に埋めて弔いました。

思えば、鳥羽・伏見の戦いで敗れた会津藩などの兵士の遺体を葬ったのは、京都の

●「咸臨丸」は、六九年から北海道開拓使所属の運送船となり、その後、民間の手にわたり、七一年、函館から小樽に向かう途中、座礁し沈没した。その終焉の地、北海道木古内町にある同船のモニュメント

●清水次郎長（国立国会図書館ウェブサイトから）

博徒・会津小鉄《あいづのこてつ》でした。また、箱館五稜郭で戦死して棄てられた旧幕府軍の兵士を埋葬し、慰霊碑を建てたのは、箱館の博徒・柳川熊吉《やながわくまきち》でした（高橋敏『清水次郎長』）。

失意のロッシュ

六八年六月、一人の外交官が失意のうちに横浜港から帰国しました。フランス公使のロッシュです。

ロッシュは同年二月、鳥羽・伏見の戦いから江戸城に戻った慶喜を訪ね、「フランスとして助力を惜しまないので再挙をはかってほしい」と求めました。慶喜は「天皇に戦いを挑むとしても、それは、先祖伝来の領地を防衛するためであって、それ以上の目的はない」と含みのある発言をしましたが、「退隠」する決意は変わりませんでした。ロッシュが精魂を傾けてきた幕府支援戦略は、ここに破綻しました。

◉清水次郎長

駿河国（静岡県）清水の船頭の家に生まれ、米問屋の山本次郎八の養子となる。本名は山本長五郎。次郎長の通称は、「次郎八の長五郎」にちなむ。米商を継ぐが、清水湊で博徒の親分となる。甲州（山梨県）の侠客・黒駒勝蔵らと激烈な縄張り争いを演じ、名が知られた。明治維新の時は、東征総督府より道中探索方を命じられ、過去の罪は帳消しに。「咸臨丸」漂着事件での次郎長の義侠心に感心した山岡鉄舟と交友を続けた。その後は、模範囚らによって富士山麓を開墾したほか、清水港の改修工事、清水─横浜間の蒸気船定期航路の開設など実業家としての道を歩んだ。神田伯山《はくざん》、広沢虎造らの講談や浪曲によって、義理と人情にあつい次郎長の人間像が定着した。

しかし、ロッシュが在任中、旧幕府の親仏派とともに取り組んだ横須賀製鉄所★の建設やフランス軍事顧問団の招聘《しょうへい》は、その後の明治の帝国陸海軍の基盤を形成しました。

一方、ロッシュの宿敵だったイギリス公使のパークスは、江戸開城後の同年五月二二日、各国に先がけて大阪で信任状を天皇に提出し、新政府を承認しています。ヴィクトリア英女王の誕生日にあたっていた翌二三日、大阪に停泊するイギリス艦隊で盛大な祝賀会が開かれました。主賓の日本政府外国事務局督の山階宮晃《やましなのみやあきら》親王は、「女王陛下の健康のために乾杯」と声をあげ、パークスを大いに喜ばせました。

幕末に展開された英仏両国のつばぜりあいに関連して、ハーバード大学のアンドルー・ゴードン教授は、一八六〇年代半ば、幕府と雄藩との争闘の行方を占うことは、「諸国外交官たちにとって賭け」であり、賭けた先は分かれていたと書いています。★

それからの慶喜

静岡に移住した徳川慶喜は、三〇年近くここで隠居生活を送ります。趣味の狩猟やカメラを楽しみ、豚肉を好んで食べて「豚一様」とあだ名をつけられるなど、ともかく新奇なものを好んだようです。また、二人の女性との間に一〇男一一女をもうけました。

一八九一年七月二三日の読売新聞は、「慶喜公の近状」として「折々は、釣竿《つりざお》を携えて清水港」に遊び、「世事の問題などについては口外せられず、ひたすら閑日月《かんじつげつ》を娯《たのし》まるるものの如し」と伝えています。

●横須賀製鉄所の製鋼所と着船場（一八七〇年）

戊辰戦争から三〇年の九八年三月、慶喜は、かつての江戸城である皇居で、明治天皇に面会します。天皇と皇后は、慶喜を快くもてなしました。これによって「名誉回復」を果たした慶喜は、東京に移って宮中行事にも出席するようになり、東宮明宮《はるのみや》嘉仁《よしひと》親王（のちの大正天皇）とも親しくなります。一九〇二（明治三五）年六月、慶喜は、特例として華族に列せられ、公爵にもなって政治的にも復権します。〇八年には、勲一等旭日大綬章を授与されます。

慶喜は、鳥羽・伏見の戦いで大坂城から遁走《とんそう》したことを「末代までの恥辱なり」（新選組局長・近藤勇）などと批判されました。しかし一三年、慶喜が波乱の生涯を閉じた際の読売新聞は、こんなふうに論じています。「幕末の公の出処進退は、議論なきに

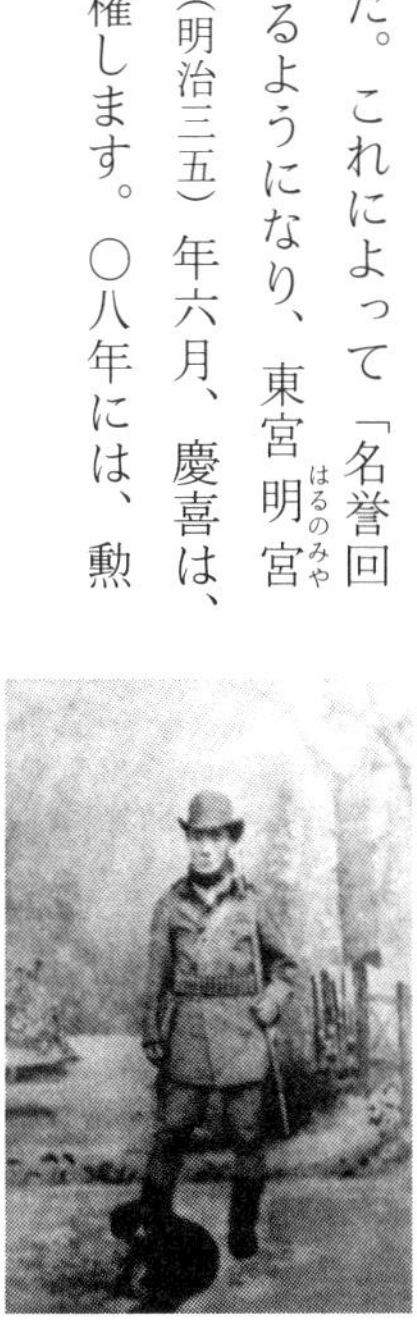
●洋風の猟装姿の徳川慶喜

◉横須賀製鉄所

徳川幕府の小栗上野介忠順らが、造船設備についてロッシュに協力を求めた。その準備段階として横浜に小規模なものをつくることになり、一八六五年一〇月、横浜製鉄所が竣工した。同年一一月、フランスの技師を招いて、横須賀製鉄所の起工式が行われた。幕府は、技術伝習生や職工生徒を選び、造船を学ばせた。製鉄所は、明治新政府が接収し、七一年に第一号ドックが完成。横須賀造船所と改称して艦艇を建造し、のち海軍の所管に入って横須賀海軍工《こう》廠《しょう》になる。

◉英仏外交団の「賭け」

ゴードン教授は、「イギリスは、表向きは中立の立場をとったが、イギリス外交団の代表は、造反していた外様の諸藩と非公式な関係を維持し、一部のイギリス商人はこれら諸藩を直接支援した。フランスは、西洋の外交・経済秩序への日本の参加プロセスを、自分たちの手で管理することを目指した幕府内の改革派を後押しした。結果は、賭けを分散して抜け目のないギャンブラーぶりを発揮したイギリスに軍配があがった」（『日本の２００年』）と分析している。

あらずといえども、当時よく天下の大勢を達観し、自ら紛糾せる時局の外に、超越してその一身を保つと同時に、一国に対する奉公の道をも過《あやま》たざりしものなり」。明治維新から半世紀を経て、慶喜は「勤王の志に厚い、模範的大人物」となり、そして明治一五〇年を前に、歴史家の間では、明治国家の近代化路線は、薩長政権に先立つ、慶喜の時代に定まったと評価されるようになりました。★

◉慶喜の伝記

経済人の渋沢栄一は、幕末、一橋家に仕え、徳川慶喜が将軍に就くとともに幕臣に取り立てられ、慶喜の弟、昭武に随行して訪欧した。それらに恩義を感じていた渋沢は、慶喜の伝記の編集を企図した。大政奉還に至った慶喜の真意を後世に伝えたいと願ったからだという。当初、ジャーナリストの福地源一郎に執筆を依頼したが、福地が病気のため中断、歴史学者の三上参次らのもとで編集され、『徳川慶喜公伝』として刊行された。編集にあたっては、「昔《せき》夢《む》会《かい》」という会で、いわゆるオーラル・ヒストリーとして慶喜から直接話を聞き取っている（井上潤『渋沢栄一』）。

7 「明治国家」誕生のとき

藩支配に限界

一八六九（明治二）年六月に終わった戊辰戦争は、日本社会に何を残したでしょうか。第一は、巨額の戦費負担によって、各藩の財政を急速に悪化させました。各藩とも、出兵費用や、軍艦・武器・弾薬購入に充てるため、有力商人や外国から多額の借金を重ねました。

第二は、戦乱の被害を受け、軍役にもかり出された農民たちの一揆が、全国的に頻《ひん》発《ぱっ》しました。北会津地方でも、会津攻防戦終結後の六八年一一月、農民たちが蜂起して名主らを襲撃する事件が起きています。つまり、戦争は、藩財政の行き詰まりだけでなく、藩による治安維持でも弱点を露呈させ、藩支配の瓦解を促すことになりました。

こんな「藩解体」を尻目に、維新政府は六八年六月、自らへの権力集中を図るため、政府組織の整備に乗り出します。そこで出された「政体書」で、地方は、府・藩・県の三つに区分されました（府《ふ》藩《はん》県《けん》三《さん》治《ち》体制）。旧幕府などから接収した直轄地に「府」（東京・京都・大阪）と「県」を設置。そのほかの大名領は旧来の「藩」のままとし、府には「知府事」、藩には「諸侯」、県には「知県事」を置きました。

政府はその後、藩家老の門閥世襲制度をやめさせるなど、藩への介入を強めます。いずれ藩を政府に吸収・統合しようとする狙いのもと、戊辰戦後に打ち出されたのが「版籍奉還《はんせきほうかん》」★です。これは「すべての土地（版）と人民（籍）は天皇の所有である」という「王土王民《おうどおうみん》」思想に基づき、藩主から土地・人民の支配権を天皇に返上させるものでした。

「版籍奉還」を促す

版籍奉還を初めて唱えたのは、薩摩藩士の寺島宗則《てらしまむねのり》★と、長州藩士の木戸孝允《たかよし》でした。木戸は、薩摩藩の大久保利通、小松帯刀《たてわき》らと会談して、版籍奉還で基本合意にこぎつけ、土佐藩、肥前藩もこれに加わります。六九年三月二日（明治二年一月二〇日）、長州、薩摩、肥前、土佐の四藩主が連署して版籍奉還を建白しました。他の全国の藩主たちも、西南雄藩の薩長土肥に遅れまいと、これを追いかけます。

ただ、藩主の多くは、いったん版籍を奉還した後は、天皇から「再交付」のお墨付きをえて、藩主の地位のまま、藩を再建しようと考えていたようです。というのは、建白書は、「願わくは、朝廷その宜《よろしき》に処し、その与うるべきはこれを与え、その奪うべきはこれを奪い」などと、あたかも所領を再確認するような一文が挿入されていたからです。

●寺島宗則

●木戸孝允（国立国会図書館ウェブサイトから）

木戸は後日、「用術施策」を使ったと告白していますが、ここで結論を先に言うなら、「再交付」はなされず、藩主たちの期待は裏切られます。まるで「捕らぬタヌキの皮算用」に終わった藩主は、「用術」ならぬ「妖術《ようじゅつ》」にひっかかったといえるかもしれません。

それでも、版籍奉還はあくまで「公論」で決めようと、諸藩選出の公議人でつくる「公議所★」に諮問されたことは、注目に値します。そこでの議論の中心は、「封建」か「郡県」かでした。封建は、諸侯による分割統治で、郡県は、中央政府が全国に郡県を置く中央集権の制度です。徳川幕府が「封建」とすれば、維新政府がめざすのは「郡

◉姫路藩の版籍奉還

「朝敵」とされ、藩運営に行き詰まった姫路藩は、府藩県三治一致のため、藩の名称を廃して府県に改めるよう求めた請願書を新政府に提出した。兵庫県知事だった伊藤博文は、この版籍奉還のさきがけともいうべき動きを歓迎し、朝廷は請願を速やかに許可すべきだと建白した。その中で伊藤は、藩の府県化や藩主の貴族化など、後の廃藩置県を先取りする構想を明かすとともに、「数十年」も自主的奉還が行われなければ、朝廷は「干戈《かんか》」(武力)をもって奉還させなければならない、とも述べていた(勝田政治『廃藩置県』)。

◉寺島宗則

薩摩藩士の寺島宗則は、一八六二年に出発した第一回の幕府遣欧使節団に福沢諭吉らと随行し、六三年には薩摩藩の留学生を伴ってイギリスに渡った。六八年年頭の王政復古に際し、人々を感服させるために、藩主は「封地」と「国人」を朝廷に返還し、自らは「庶人」になるよう薩摩藩主に建議した。寺島は六九年八月、外務省設置とともに外務大輔となり、特命全権公使としてイギリスに赴任。副島種臣のあとをうけて外務卿を務め、千島樺太交換条約や日朝修好条規などに調印した。のち元老院議長、駐米特命全権公使などを歴任。

県」でした。公議所の結論は、藩体制維持を前提とした封建・郡県の折衷案でした。

これを受けて同年七月二五日（明治二年六月一七日）、版籍奉還が勅許されます。これにより、二七四藩主が非世襲の知藩事に任命されました。旧藩主らは、これまでの領有権を否定されたうえで、天皇の土地を管轄する一地方長官になりました。ただ、藩名は残され、旧藩主は、公家と並ぶ「華族」の称号と、歳入の一〇分の一にあたる家《か》禄《ろく》（報酬）が与えられました。また、藩士や旧幕臣は「士族（華族の下、平民の上）」となります。この直前には、戊辰戦争の軍功に賞典禄・賞金が下賜されており、これが反対を和らげたと言われています。

長岡藩の「米百俵」

版籍奉還間もない六九年九月、高崎藩（群馬）で年貢減免を求める農民四三〇〇人が蜂起します。一一月には、凶作に苦しむ新川県（富山）でも大規模な農民反乱が起きるなど、一揆はやむことを知りませんでした。一方、領地を削られた「朝敵」諸藩や、中小の諸藩は、財政破綻に陥り、自主的に「廃藩」を申し出るところが出てきます。戊辰戦争で敗北し、小藩に転落した長岡藩もその一つでした。

七〇年六月、支藩・三根山《みねやま》藩の士族から、困窮状態にある長岡藩の士族に見舞米一〇〇俵が贈られました。その時、長岡藩の士族は、米を分配するよう要求しましたが、大参事・小林虎三郎《とらさぶろう》★（一八二八—七七年）はこれを退けます。この逸話は、昭和戦争時の一九四三年、作家・山本有三が、戯曲化して初演されました。劇中、虎三郎は藩士

●米百俵の群像（新潟県長岡市）

たちをこんなふうに説得します（『米百俵』）。

百俵ばかりの米を家中の者たちに分けてみたところで、一軒のもらいぶんは、わずかに二升そこそこだ。一日か二日で食いつぶしてしまう。あとに何が残るのだ。おれは、この百俵の米をもとにして、学校を立て、道場を設けて、子どもを仕立てあげてゆきたいのだ。この百俵は、今でこそただの百俵だが、後年には一万俵になるか、百万俵になるか、はかり知れないものがある。その日暮らしでは、長岡は立ち上がれない。あたらしい日本はうまれないぞ。

●小林虎三郎

◉公議所

新政府は、「広く会議を興《おこ》し万機公論《ばんきこうろん》に決すべし」とした御誓文の趣旨を具体化するため、立法機関として公議所を設置した。政体書に基づく議政官下局の後身で、一八六九年四月、開院式が行われた。公議人は各藩から一名ずつ、在任期間は四年。会議日は毎月二と七の日の計六回で、政府提出の議案などを審議し、間もなく集議院と改称された。

◉小林虎三郎

長岡藩士の子として生まれ、藩命により江戸に赴き、佐久間象山のもとでオランダ学を修め、開港論者となる。戊辰戦争では、一歳年下で家老だった河井継之助とは立場を異にし、非戦論を唱えた。戦争に敗れた同藩は、石高七万四千石から二万四千石へと減らされ、粥《かゆ》もままならない士族も現れた。一八六九年、長岡藩の大参事となった虎三郎は、米一〇〇俵を「国漢学校」設立の資金に充てるなど、戦後復興を教育にかけた。同校は、身分にかかわらず入学でき、洋学や医学も学べる教育機関になる。なお、二〇〇一年、小泉純一郎首相は所信表明演説でこの逸話を取り上げ、「今の痛みに耐えて明日を良くしよう」という「米百俵の精神」が今こそ必要だと訴えた。

虎三郎は、佐久間象山の門下で吉田松陰（寅次郎）とともに「両トラ」と並び称された俊才でした。戊辰戦争では非戦を主張していました。

長岡藩は一八七〇（明治三）年一一月、廃藩となり、柏崎県に併合されます。同じく「朝敵」の盛岡藩も、それに先立つ八月に廃藩を選択し、盛岡県になります。このように廃藩置県が実施される前に、自主的に廃藩を申請した藩は一三に上りました。★

「御親兵」創設

版籍奉還後、政府内で兵制改革論争★が活発化します。六九年一〇月には、新政府の軍政・軍令の中心にいた兵部大輔《たいふ》・大村益次郎が、京都で長州藩士らに襲撃されて重傷を負い、二か月後に死亡します。兵制改革によって士族の特権がおびやかされることに対して反発した攘夷派浪士たちの犯行でした。

当時は、戊辰戦争に従軍した兵士の間で、賞罰の不公平や幹部の不正などに対して憤りの声が広がっていました。これに火がついたのが、奇兵隊など長州諸隊の脱退騒動（七〇年二月）です。隊員の半数に上る約一二〇〇人が藩に反旗を翻したといわれています。かねて「尾大《びだい》の弊★」という表現で、兵士らの動きに頭を痛めていた同藩の木戸は、先頭に立って反乱を鎮圧しました。

一方、多数の凱旋《がいせん》兵士を抱えた薩摩藩では、帰郷した西郷隆盛が藩内にとどまったまま、中央政府の役人の「無定見」な内外政策や贅沢《ぜいたく》な生活ぶりに批判を強めます。加えて同藩が在京の藩兵を引き揚げたため、「薩摩は蜂起するのではないか」といった風聞が流れます。危機感を抱いた政府は、薩長の提携強化と西郷への説得により、事態の沈静化をはかろうとします。七一年一月、勅使の岩倉具視が大久保、山県らを伴い、鹿児島入りし、上京の詔勅を西郷に伝えました。西郷は二月に上京し、親兵編成にあたります。

四月、維新政府は、薩摩・長州・土佐三藩の歩兵・砲兵合計一万を親兵として差し出すよう命じました。こうして生まれた「御親兵」は翌年、「近衛兵」に改称されます。戊辰戦争では、政府軍といっても、それは薩長両藩など倒幕派の連合軍でした。政府

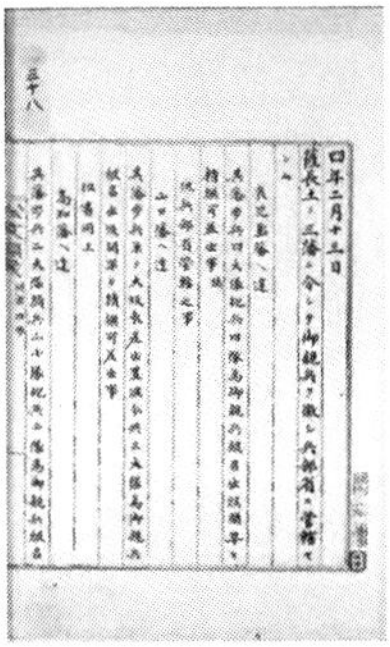
●御親兵の編成（太政類典、国立公文書館蔵）

◉廃藩申請

廃藩申請以前に、財政破綻などを理由に自ら廃藩したのは、吉井藩（現・埼玉県）、狭山藩（大阪府）、盛岡藩（岩手県）、鞠山《まりやま》藩（福井県）、長岡藩（新潟県）、福本藩（兵庫県）、高須藩（愛知県）、多度津藩（香川県）、丸亀藩（同）、竜岡藩（長野県）、徳山藩（山口県）、大溝藩（滋賀県）、津和野藩（島根県）だった（勝田政治『廃藩置県』）。

◉兵制改革論争

木戸孝允や大村益次郎らの長州派は、「農民を募り親兵とする」国民徴兵による常備軍の創設を主張した。これに対して、大久保利通をはじめ薩摩派は、士族の反発を避けるためにも、薩摩・長州・土佐三藩の精兵を中央に置くべきだと反論した。天皇制の下での軍隊は、国民徴兵制でいくのか、士族兵とするかの争いだった。背景には、不平士族を当面の敵とみる木戸らと、農民らの離反を恐れる大久保らとの認識の違いがあった。この論争は、大久保ら薩摩派に軍配があがった。

◉「尾大の弊」

尾の方が首の方より大きい「尾大」がもたらす弊害。四字熟語「尾大不掉《びだいふるわず》」は、「尾《び》大なれば掉《ふ》れず」と読み、しっぽが大きすぎると、自分の力では動かせない、つまり下の者の力が大きすぎると、上の者が下を思い通りに制御できない、といった意味。

は、親兵によって自前の軍隊をもつと同時に、戊辰戦争で膨らみ過ぎた藩の軍事力をうまく吸い上げることができました。

八月一一日、政府は、派閥対立でギクシャクする首脳らの人事を刷新し、木戸孝允を除く参議全員が辞職。西郷と木戸が参議に就任し、両人による連立体制が生まれます。

「廃藩置県」を断行

こうした中、維新政府が、クーデター的に断行したのが「廃藩置県」でした。これは、長州出身の財務・軍事担当である鳥尾小弥太《とりおこやた》と野村靖が、兵部少《しょう》輔の山県有朋《やまがたありとも》と会い、「郡県の治」(廃藩)の実施を迫ったのが始まりです。山県に続いて井上馨や木戸も同意し、同藩の合意が形成されます。

山県は八月二一日、西郷の意見を聞くため、西郷邸を訪ねると、西郷は即座に同意しました。思いもよらぬ西郷の即決ぶりに、山県の方が度肝を抜かれました。二七日、木戸、西郷、大久保が会談して、廃藩置県の大綱が決定されます。これを直前に知らされた岩倉具視《ともみ》は、「狼狽《ろうばい》」したと言っています。

七一年八月二九日(明治四年七月一四日)、天皇は、在京五六藩知事らを急きょ呼び出し、「藩を廃し県と為す」と、廃藩置県の詔書★を読み上げました。翌三〇日、政府首脳の会議で今後の処置を声高に議論していた際、西郷が、「この上、もし各藩にて異議が起こったならば、兵をもって撃ち潰《つぶ》します」と発言すると、議論はピタリと止ま

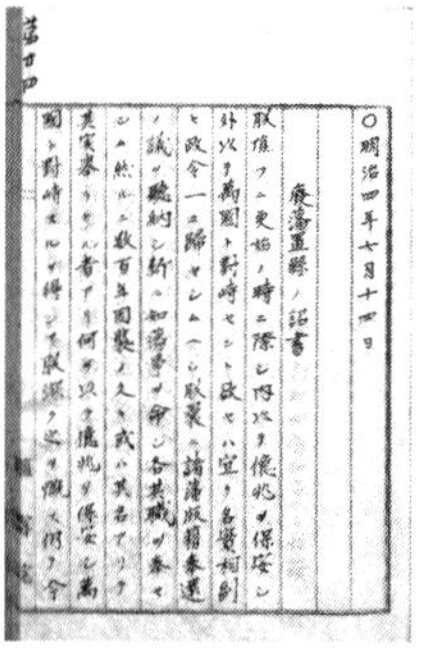
○明治四年七月十四日
廢藩置縣ノ詔書
朕惟フニ更始ノ時ニ際シ内以テ億兆ヲ保安シ
外以テ萬國ト對峙セント欲セハ宜ク名實相副
ヒ政令一ニ歸セシムヘシ朕曩ニ諸藩版籍奉還
ノ議ヲ聽納シ新ニ知藩事ヲ命シ各其職ヲ奉セ
シム然ルニ數百年因襲ノ久キ或ハ其名アリテ
其實擧ラサル者アリ何ヲ以テ億兆ヲ保安シ萬
國ト對峙スルヲ得ンヤ朕深ク之ヲ慨ス仍テ今

●廃藩置県の詔書(国立公文書館蔵)

りました。

　維新政府が抜き打ち的に廃藩置県を実施したのは、農民一揆の多発や自発的廃藩の動きを背景に、財政が苦しい政府に諸藩の税源を集中させ、その税収を殖産興業や富国強兵に充てる計算がありました。とくに西洋的な軍隊をつくるため、軍制を一元化し国民皆兵を実施するには、廃藩置県は是非とも必要なことでした。

明治維新「第二の革命」

　作家の司馬遼太郎は、廃藩置県は「明治維新（王政復古）以上に革命的」と書いています（『「明治」という国家』）。君臨してきた大名が一夜にして消滅し、たくさんの士族が「平等に失業」したからです。確かに、版籍が奉還されて二年経《た》ち、廃藩を望む藩もありました。知藩事に対しては家禄を保証するなど優遇策が採られ、士族についても、家禄の大幅カットが進みながらも、しばらくの間の生活は保障されていました。

　しかし、それにしても、この「政治的破壊作業」が、大名の側に一例の反乱もなく行

◉廃藩置県の詔書

「朕《ちん》相《おも》ふに……内以て億兆を保安し、外以て万国と対峙《たいじ》せんと欲せば、宜《よろし》く名実相副《そ》ひ政令一に帰せしむべし。朕曩《さき》に諸藩版籍奉還の議を聴納《ちょうのう》し、新に知藩事を命じ各其職を奉ぜしむ。然《しか》るに数百年因襲の久き、或《あるい》は其名ありて其実挙らざる者あり。何を以《もっ》て億兆を保安し、万国と対峙するを得んや。朕深く之を慨《がい》す。仍《よっ》て今更に藩を廃し県と為す。是務て冗を去り簡に就き、有名無実の弊を除き、政令多岐の憂無らしめんとす。汝《なんじ》群臣其れ朕が意を体せよ」

われたのはなぜなのか。

司馬は、幕末以来、米欧による侵略や植民地化に対して「日本人が共有していた危機意識」のおかげであり、その副産物としての「日本国意識（国家を、破片の藩として見ず、日本国全体を運命共同体としてみる意識）」によるものと書いています。

当時、福井藩のお雇い外国人教師だった、アメリカ人のウィリアム・グリフィス（一八四三―一九二八年）は、廃藩置県の報が同藩に届き、武家の間に激しい興奮が渦巻く中でも、「ちゃんとした武士や有力者は、福井のためでなく、国のために必要なことで、国状の変化と時代の要求だと言っている」と日記に記しています。そして彼らは、「これからの日本は、あなたの国やイギリスのような国々の仲間入りができる」とも言ったそうです。

もちろん、士族反乱や百姓一揆は続きます。しかし、ペリー来航以降、顕在化した幕藩体制の限界や藩の身分秩序の崩壊は、下級武士たちを中心に共通の「時勢認識」を生み出し、これが「第二の明治革命」を成就させたのです。

藩主の中でも、反発が心配されていた薩摩藩知藩事の父、島津久光は、西郷や大久保の専断を非難し、のちのちまで西郷らを悩ませるのですが、この時は「邸中に花火をあげ、噴気《ふんき》を漏らされたり」と、花火で鬱憤《うっぷん》を晴らして終わりました。

三六一を数えていた藩は、廃藩置県によってそのまま県となり、それまでの府県と合わせ三府三〇二県となりました。旧藩主の知藩事は免官され、府県の長官は政府によって新たに任命されます。ついに徳川の藩体制に終止符が打たれ、中央集権国家としての「明治国家」がここにスタートを切ることになるのです。

●ウィリアム・グリフィス

8 ビスマルクとガリバルディ

統一国家・ドイツ

日本の明治初期、我が国と同じように近代的な統一国家を形成した国が、ヨーロッパにありました。ドイツとイタリアです。

ドイツ北東部のプロイセンでは、一八六一年、王位に就いたヴィルヘルム一世（一七九七―一八八八年）が、ドイツ統一に乗り出します。翌六二年、首相に任命したのが、ユンカー（領主貴族）出身のビスマルク（一八一五―九八年）でした。日本の幕末期にあたり、同年、薩摩藩・島津久光の行列を横切ったイギリス人が殺傷される「生麦事件」が起きるなど、日本では攘夷の嵐が吹いていました。

ビスマルクは首相就任直後、下院の予算委員会で次のような演説をしました。「現下の大問題は、言論や多数決によっては解決されません。一八四八年と一八四九年の過ちはそこにありました。それは、鉄と血によってのみ解決されるのです」。

「鉄（武器）と血（兵士）」によってドイツの統一★を図るという、この演説によって、ビスマルクは「鉄血宰相」の異名をとることになります。

●鉄血宰相ビスマルク

ビスマルクは六四年、オーストリアと結んで、領地の帰属をめぐって係争中だったデンマークを攻撃して勝利を得ます。ところが六六年、今度はオーストリアと戦端を開き、参謀総長モルトケの指揮の下、わずか七週間でオーストリアを打ち破りました。このあと、ドイツ連邦は解体され、六七年には、プロイセンを盟主とする北ドイツ連邦が結成されます。ドイツから外されたオーストリアは、「オーストリア・ハンガリー帝国」を作ります。

さらに、ビスマルクは、スペインの王位継承問題★に関与してフランスと対立し、七〇年七月、フランスとの戦争（普仏戦争）に突入し、七一年一月にはパリを陥落させ、ナポレオン三世を捕虜にします。ドイツは、多額の賠償金とアルザス・ロレーヌ地方の割譲を受け、対仏戦争に加わった南ドイツ諸邦の合意を得て、ドイツ統一に成功します。ドイツ皇帝ヴィルヘルム一世の即位式は、同月一八日、パリ近郊のヴェルサイユ宮殿で挙行されました。

●ヴェルサイユ宮殿で行われたドイツ皇帝の即位式（「帝国成立宣言」、アントン・フォン・ヴェルナー作）

鉄血宰相・ビスマルク

岩倉具視をトップとする日本の米欧使節団がベルリンに到着したのは、それから二年余り経った七三年三月のことでした。一行は同月一五日、さっそくドイツ帝国宰相・ビスマルクの招宴に臨みます。『米欧回覧実記』（久米邦武編）によれば、そこでビスマルクは、おおむね以下のような演説をしました。

世界各国は親睦の念と礼儀を保ちながら交際しているが、これは全くの建前であって、裏側では強弱のせめぎ合いがあり、相互不信がある。……

万国公法（国際法）も、大国は自分に利益があれば守るけれども、不利となれば、軍事力にものを言わせるので、公法を常に守ることなどありえない。小国は一生懸命、公法を無視しないように努力するが、力任せの政略に自分の立場を守れないことはよくあることだ。私は、そのような我が国の状態に憤慨し、いつか国力を強化し、どんな国とも対等の立場で外交しようと考え、愛国心を奮い立たせて

◉ドイツ統一問題

フランスでは「二月革命」（一八四八年二月）が発生し、ドイツ連邦（オーストリア、プロイセンなどの王国や中小諸邦、独立都市で構成された国家連合組織）にも波及し、ウィーンでは民衆が蜂起して、メッテルニヒが失脚した。プロイセンでも自由主義的内閣の成立をみた（三月革命）。ドイツでは三四年、プロイセン主導により、加盟国間の関税をなくす「関税同盟」が結成されて以降、統一への動きが出ており、三月革命の際は、フランクフルト国民議会で統一の機運が高まった。しかし、オーストリア中心の統合をめざす「大ドイツ主義」と、プロイセン中心の「小ドイツ主義」が対立し、失敗に終わった。

◉スペイン王位継承問題

ビスマルクは、一八六八年の九月革命で空位になったスペイン王位の継承者に、プロイセンのホーエンツォレルン家のレオポルド王子を考えた。プロイセンの強大化を警戒するフランスのナポレオン三世がこれに強く反対し、仏大使をヴィルヘルム一世のもとに派遣し、レオポルドを王位に就けないよう確約を迫った。ヴィルヘルム一世がこの会談内容をビスマルクに電報で伝えると、ビスマルクは、ナポレオン三世がヴィルヘルム一世を脅迫しているかのように電報を書き改めて発表した（エムス電報事件）。この事件は、プロイセン、フランスの両国民の反発を呼び、普仏戦争のきっかけになった。

行動すること数十年、ようやくその望みを達した。……
英仏両国は、海外植民地で搾取しており、ヨーロッパの平和外交など信用するわけにはいかない。皆さんもひそかな危惧を捨て去ることが出来ないのではないか。国権と自主を重んじるドイツこそ、日本にとって最も親しむべき国であろう。

ビスマルクの人間的な迫力と説得力のある弁舌、とくに、日本政府が幕末以来あがめてきた「万国公法」は、目的のために利用する代物であり、最後は「力」がものを言うのだ、というビスマルクの話は、使節団メンバーの木戸孝允や大久保利通らに強い衝撃を与えたようです。

桂太郎のドイツ留学

岩倉使節団が訪問したベルリンには、のちの内閣総理大臣・桂太郎《かつらたろう》★（一八四八―一九一三年）が留学していました。桂は、明治後期から大正初年にかけて三度も組閣し、首相在任期間が通算で二八八六日と八年近く宰相の座にすわる人です。

戊辰戦争で東北各地を転戦した桂は一八七〇年、賞典禄（戦争の功労に対して与えられた賞与）を使ってフランス留学に向かいます。ところが、プロイセン＝フランス戦争のために、ロンドンで足止めをくい、そこでプロイセンの勝利を知ると、一転、留学先をプロイセンに変更します。

桂は三年半、軍事学を学び七三年に帰国して陸軍に入り、七五年にはドイツ公使館

●桂太郎（国立国会図書館ウェブサイトから）

付武官としてドイツに赴任。軍政の調査・研究にあたり、帰国後は、山県有朋陸軍《りくぐん》卿《きょう》（陸軍省長官）の庇護《ひご》を受け、ドイツを模範とする軍制改革を進めることになります。兵部省は、七〇年に兵制のモデルを、陸軍はフランス、海軍はイギリス式にしましたが、普仏戦争を契機に陸軍は範をプロイセンにシフトさせます。桂はまるで陸軍の「ドイツ傾斜」を先取りするかのように留学先を変えたことになります。

桂よりも早くプロイセンに留学していたのが青木周蔵《あおきしゅうぞう》★（一八四四―一九一四年）です。青木は六八年に医学修業のため、長州藩留学生としてベルリンに来ましたが、政治・経済学を学んで外務省に入ります。七四年には最初のドイツ公使になり、ドイツ貴族の娘と結婚、我が国指折りのドイツ通の外交官として、懸案の条約改正問題にあたり

●青木周蔵

◉桂太郎

桂は長州出身で、「ニコポン」（にっこり笑ってポンと肩をたたく）の流儀で相手を丸め込む、調整型・妥協型の政治家と評されるが、日本近代史を画する出来事に深くかかわり、実績を残した。九八年、第三次伊藤内閣の陸相に就任し、四内閣にわたり三年間陸相をつとめた。陸軍大将に昇進し、一九〇一年に第一次桂内閣を組織し、以後、西園寺公望と交互に首相を務めた（桂園時代）。この間、日英同盟締結や日露戦争勝利、韓国併合を実現した。晩年、新政党の設立を企図した。

◉青木周蔵

長州の藩命により長崎で医学を修め、一八六八年に藩主からプロイセン留学を命じられた。七四年に駐ドイツ公使になり、帰国して八六年に外務次官に就き、外相井上馨を支えて条約改正案の起草にあたった。山県内閣の外相として入閣し、イギリスと改正交渉を進めたが、九一年の大津事件で引責辞職した。その後、再びドイツ公使兼イギリス公使となって九四年、日英通商航海条約に調印し、領事裁判権の撤廃に成功した。一九〇六年にはアメリカ大使になった。

ます。

赤シャツの革命家

イタリアでも、分裂した国々を統一させる運動（リソルジメント＝再興＝運動）が続けられていました。

一八四八年の二月革命時には、各地で反乱・抵抗運動が発生するなど独立・統一の動きが強まりました。中でもイタリア半島北部にあるサルデーニャ王国の国王が、オーストリア支配からの解放を期して開戦しましたが、大敗に終わります（第一次独立戦争）。他方、共和主義者のマッツィーニ（一八〇五―七二年）が率いていた「青年イタリア」は、ローマ共和国の建国を宣言しました。しかし、これもフランス軍によって鎮圧されてしまいます。

四九年三月、サルデーニャ王国では、ヴィットーリオ・エマヌエーレ二世が新しく即位し、五二年一一月、首相にカヴール（一八一〇―六一年）を任命しました。カヴールは、オーストリアとの敗戦を教訓に、巧みな外交術でフランスのナポレオン三世に近づきます。イギリス・フランスとロシアとのクリミア戦争では、あえて英仏側に立って参戦して勝利し、講和会議において国際的な存在感を示します。カヴールは五八年七月、ニースとサヴォイアをフランスに割譲するかわりに、イタリア統一運動への支援を受ける密約を交わして、オーストリアと開戦し、フランスの援軍を得てオーストリア軍を破りました（第二次独立戦争）。

●ヴィットーリオ・エマヌエーレ二世

六〇年三月、中部イタリアの諸邦はサルデーニャ王国に併合されます。しかし、南イタリアには、スペインのブルボン王家が支配する両シチリア王国（首都ナポリ）が健在でした。このイタリア半島で最大の王国を併合しなければ、イタリア統一は完成しません。

ここで表舞台に登場するのが、「青年イタリア」出身の赤シャツの戦士・ガリバルディ★（一八〇七―八二年）です。第一次独立戦争からずっと戦士であり続けた彼は、約一〇〇〇人からなる義勇軍（千人隊）を率い、シチリア島から南部イタリアに上陸し、両シチリア王国を征服し、六一年三月、イタリア王国が成立しました。

六六年にはオーストリア領だったヴェネツィアを併合し、七〇年にはローマ教皇領も編入して国家統一が実現します。

岩倉使節団は、七三年五月にイタリアを訪問し、この国の文化を満喫しました★。

当時のイタリアの「再興」と日本の「維新」は、国柄の違いなどから同一視できません。ただ、同じ時期の出来事だけに、使節団の中には、革命に火を付けた国として

●ガリバルディ

◉ジュゼッペ・ガリバルディ

一八三三年にマッツィーニの「青年イタリア」に入党するが、反乱に失敗して死刑判決を受け、三五年、南米に亡命。ウルグアイの独立運動に参加し、首都モンテビデオで、赤シャツを着た軍隊を率いて戦功をあげた。四八年の二月革命の際にイタリアに戻り、義勇軍を率いてオーストリア軍と戦ってローマを防衛し、英雄視される。が、ナポレオン三世の介入で追われる身となり、再びアメリカ合衆国に亡命し、五四年に帰国。改めてイタリア統一運動に身命を投げうった。のちにイタリア王国議会の下院議員に選ばれるが、一二年後、公職生活から引退した。

「薩摩・長州藩＝サルデーニャ王国」、人物として「日本の志士たち＝イタリアの独立運動家」に共通性を感じた人もいたようです。

とくに久米邦武の『米欧回覧実記』は、ガリバルディこそ、イタリア統一の「大勲業」を立てた「当世の偉人」であり、武力でイタリアを鎮定《ちんてい》、「公論」によってサルデーニャ王を奉じて「立憲の政治を建てた」と称賛しています。

イタリアで「建国の三傑」にあたるマッツィーニ、カヴール、ガリバルディについては、明治時代、日本のさまざまな論者が取り上げています。中でもジャーナリスト・三宅雪嶺《みやけせつれい》★（一八六〇―一九四五年）は、九八―九九年にかけ、「西郷隆盛とガリバルジー」と題して、それぞれ日本とイタリアの「統一」を図った両雄の比較論を書いています。

この中で雪嶺は、国家統一のあと、「一切の名誉、一切の俸禄を放擲《ほうてき》」して飄然《ひょうぜん》として遠く去ったガリバルディと、「維新の功業を大成しながらも、衣冠《いかん》を一擲《いってき》」して故郷に帰農した西郷は、全く同じだと指摘し、功なり名を遂げたあとの「東西英雄」の見事な進退をたたえています★。

日本では明治前期、こうしてイタリアへの関心が高まります。ただ、富国強兵・殖産興業という日本近代化のモデルという点では、工業力・軍事力でイタリアに勝るドイツの方に軍配があがりました。

「藩閥政府」発足

さて、明治国家としてスタートした日本政府は、廃藩置県後、政府組織・人事の再

●『米欧回覧実記』のローマの項（国立国会図書館ウェブサイトから）

●三宅雪嶺（国立国会図書館ウェブサイトから）

編に動きます。一八七一（明治四）年九月、これまでの太政官制《だじょうかんせい》を改め、正院《せいいん》・左院《さいん》・右院《ういん》の三院制としました。正院は、政治の最高機関として、太政大臣・左大臣・右大臣・参議で構成し、その下に神祇《じんぎ》・大蔵・兵部・外務・文部・工部・司法・宮内の八省と開拓使を置きました。

太政大臣は三条実美、右大臣に岩倉具視、参議には薩摩藩の西郷隆盛、長州藩の木戸孝允に加えて、土佐藩の板垣退助と肥前藩の大隈重信が就任しました。このほか、各省の卿《きょう》（長官）と大輔《たいふ》（次官）には、薩摩藩から大久保利通（大蔵卿）、黒田清隆（開

●三条実美（国立国会図書館ウェブサイトから）

◉使節団、イタリア満喫

岩国使節団の一行は、ルネッサンス文化が香る「花の都」フィレンツェ、コロッセオ（円形闘技場）などの遺跡や、彫刻が古代文明をしのばせるローマ、「ナポリを見てから死ね」とうたわれた風光明媚《めいび》なナポリ、ヴェスヴィオ火山の大噴火で埋没した古代都市・ポンペイ、ゴンドラが運河を行き交う「水の都」ヴェネツィアなど、今日でも代表的な観光ルートを周遊した。

◉三宅雪嶺

金沢の出身。一八八八年、志賀重昂《しげたか》らとともに、国粋主義を社是とする「政教社」を創立、雑誌『日本人』を発行した。この国粋主義の別働隊が、陸羯南《くがかつなん》が八九年に創刊した新聞『日本』。一方、徳富蘇峰は八七年、「民友社」を興して「平民主義」を掲げ、総合雑誌『国民之友』を発刊した。平民主義と国粋主義は、一九世紀末期の日本を代表する二つの思潮となり、平民主義が自らを「平民的欧化主義」と位置づけたのに対し、国粋主義は、欧化主義に対して国粋保存を掲げた（鹿野政直『近代日本思想案内』）。

◉ガリバルディ、日本の歌に

歌人・与謝野鉄幹《よさのてっかん》は一八九九年、有名な「友（あるいは人）を恋ふる歌」の七番で、「妻子《つまこ》をわすれ家を捨て／義のため恥《はじ》を忍ぶとや／遠くのがれて腕を摩す／ガリバルヂーやいま如何《いかん》」とうたった。

拓次官)、長州藩からは伊藤博文(工部大輔)、井上馨《かおる》(大蔵大輔)、山県有朋(兵部大輔)、土佐藩からは後藤象二郎(工部大輔→左院議長)、佐々木高行(司法大輔)、肥前藩からは大木喬任《たかとう》(文部卿)、副島種臣《そえじまたねおみ》(外務卿)、江藤新平(文部大輔→左院副議長)らが登用されました。

こうして太政官の正院、左院、右院★の中枢におさまった顔ぶれをみると、これまで要職についていた公家や旧藩主は、三条、岩倉を除いて排除されており、薩摩・長州・土佐・肥前の「薩長土肥」四藩の士族に権力が集中する「藩閥政府」と呼ばれる体制が浮かび上がります。もはや「志士の時代」は終わりました。「藩・藩主離れ」した彼らは、天皇の朝臣《あそみ》＝「維新官僚」として、旧体制を打破し、明治政府を強化するための施策の実行者になります。

一二月には、すでに言及した岩倉を特命全権大使とし、木戸、大久保、伊藤らが参加する、大規模な政府使節団がアメリカ・ヨーロッパに旅立ちました。一方、その留守居役の西郷、大隈、板垣らの「留守政府」は、学制改革や徴兵令の施行、地租改正、太陽暦の採用などさまざまな改革に着手することになります。

◉正院・左院・右院

三院の中核である「正院」は、のちの内閣に相当するもので、天皇が親臨して万機を決する機関だ。「左院」は、立法府にあたり、諸立法の事を論議し、その議決を正院に上申する。「右院」は、行政の最高審議機関で、各省の長官、次官で構成され、各省の連絡調整にあたる。右院の下に各省が置かれた。左院の議長には後藤象二郎、副議長には江藤新平が就いた。ただ、左院、右院は七五年に、正院は七七年にそれぞれ廃止された。

9 廃仏毀釈と「廃城」の跡

神仏分離令

一八六八年一月、新政権樹立の際に発せられた「王政復古の大号令」には、「諸事、神武《じんむ》創業の始めにもとづき」との表現がありました。つまり、「神武天皇の国家創業」への復帰が掲げられたのです。徳川幕府から権力を奪取した維新政府は、新しい政権の権威と正統性の理念を求めていました。そこで着目したのが、古代天皇の神権的な絶対性でした。

政府は、同年四月五日、国学者や神道家らが建言していた神祇官《じんぎかん》（七〇一年の大宝律令《たいほうりつりょう》で置かれた、神々の祭祀《さいし》をつかさどる官庁）の再興を布告します。同七日には、一般民衆向けの「五榜《ごぼう》の掲示（高札《こうさつ》）」（五枚の立札）で、「切支丹邪宗門《きりしたんじゃしゅうもん》」を厳禁しました。さらに四月二〇日、江戸時代の仏教政策を否定し、神社から仏教色を排除するため、「神仏分離令」★を出します。これらは、いずれも神道の国教化をめざした措置で、七〇年二月には、新しい国教を広めるための「大教宣布詔《たいきょうせんぷのみことのり》」★が発せられます。

日本の宗教の主流は、一〇〇〇年以上にわたって「神仏習合《しんぶつしゅうごう》」でした。これは、

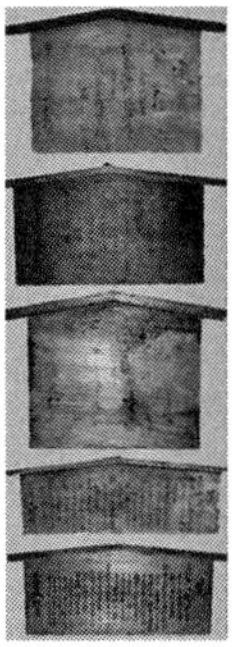

●五榜の高札（埼玉県上尾市教育委員会提供）

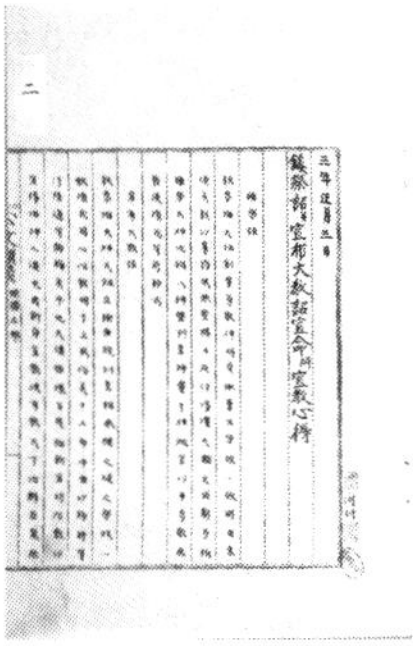

●「大教宣布詔」（国立公文書館蔵）

朝鮮や中国などから伝来してきた仏教信仰と、日本固有の神祇信仰とを融合・調和させたものです。神仏習合が進む中で生まれたのが「本地《ほんじ》垂迹説《すいじゃくせつ》」でした。これは「本地《ほんじ》である仏・菩薩《ぼさつ》が、衆生《しゅじょう》（生きとし生けるもの）を救うために、日本の神々に姿を変えてこの世に現れた（＝垂迹）」という思想です。例えば、阿弥陀如来《あみだにょらい》の垂迹が八幡《はちまん》神《じん》などと説かれました。

この考え方からすると、仏が神よりも尊い存在と位置づけられます。さらに江戸時代、寺が檀徒《だんと》に対して、キリシタンではなく自分の檀家《だんか》であることを保証した「寺請《てらうけ》制度」が、寺院・住職の権限を強めることになりました。このため、お寺（寺院）とお宮（神社）が隣り合わせで併存している場合は、神社より優位にあった寺院が、その主導権を握りました。神仏分離令は、いわばこの仏と神の地位を逆転させようとしたのです。

政府は全国の神社に対して、僧侶が社務（神社の事務）に従事することを禁止したり、社務に就く場合は全員還俗《げんぞく》（僧から俗人に戻ること）して、僧位《そうい》・僧官《そうかん》を返上させたりしました。

仏像破壊のあらし

神仏分離令が出されて以降、日本全国で吹き荒れたのが、廃仏毀釈《はいぶつきしゃく》のあらしでした。「毀釈」とは、釈迦の教えを捨てるという意味です。廃仏毀釈は、江戸時代の一七世紀、会津藩や水戸藩、岡山藩などで小規模ながら行われていましたが、明治初期の廃仏毀

●寺院が強制的に学校に変更させられ、仏像・仏具が破壊・焼却された（『開化乃入口　第二編下』）

釈は、これとは比較にならない大きさと広がりをもっていました。

神仏分離令が出されて数日後、近江（滋賀県）の比叡山《ひえいざん》山麓にある日吉山王社《ひえさんのうしゃ》が武装した一団に襲われました。日吉社は延暦寺《えんりゃくじ》の鎮守神でした。首謀者は神職の樹下《じゅげ》茂国《しげくに》で、政府の神祇官の事務局に名を連ねていました。樹下は、諸国の神主で作る「神威隊」五〇人と農民ら数十人を率いて、神域に乱入すると、神体として安置されていた仏像や仏具、経巻《きょうかん》類を破壊し、焼き捨てました。樹下ら日吉社の神職は、それまで延暦寺の僧たちの指示に従って勤めてきました。樹下には、積年の恨みがあったようで、仏像の顔を弓矢で射とめて快哉《かいさい》を叫んだといわれています。

各地で廃仏運動は活発化し、京都では、薬師如来の垂迹とされる牛頭天王《ごずてんのう》を祀《まつ》る祇《ぎ》園社《おんしゃ》が、八坂《やさか》★神社と社号を改めさせられました。奈良の興福寺では、春日大社との分

◉神仏分離令

新政府は一八六八年四月、諸国大小の神社で僧職身分の者の「復飾」を命じたあと、続けて神仏分離（神仏判然令）を布告し、権現や牛頭天王など仏語をもって神号としている神社は由緒を申し出ること、また、仏像を神体とすることは以後改め（禁止）、仏像、鰐口《わにぐち》・梵鐘《ぼんしょう》・仏具等を置いている場合は、早々取り除くべきことを求めた（安丸良夫『神々の明治維新』）。

◉大教宣布

新政府は、神道による国民思想の統一（神道の国教化）と国家意識の高揚を狙って、神祇官を再興し、神道を宣揚すべしとする大教宣布の詔書を出した。大教とは祭政一致の道を示すという。また、国家的神社制度と祝祭日を制定し、天皇の誕生日を天長節に、神武天皇が即位したといわれる日を紀元節とした。しかし、神道国教化運動は、所期の成果をあげることなく、八四年で終わった。

離に伴って僧侶が全員還俗し、同大社の神官に転じたため、廃絶の状態になりました。五重塔を二五〇円、三重塔を三〇円で売却、買い主は金具をとるために焼こうとしましたが、周辺住民の強い反対によって焼失を免れました。

鎌倉の鶴岡八幡宮では、仁王門や護摩堂、源実朝《さねとも》が中国の宗《そう》から取り寄せたという一切経《いっさいきょう》を所蔵する輪蔵《りんぞう》、多宝塔《たほうとう》、鐘楼《しょうろう》、薬師堂《やくしどう》などが、一八七〇年六月のわずか十数日のうちにすべて破却されてしまいました。

このほか、薩摩藩では六九年、藩主の菩提寺が廃寺になり、その後、一〇六〇の寺院が破壊されました。数年間、藩内に一つの寺院も、一人の僧侶も見られなくなったと言われています。富山藩では七〇年、領内の一六三五の寺院のうち、六つの寺院が存続を許されたほかは、すべて廃寺とする政策がとられました（『佛教大事典』）。

これに対して、過剰な仏教排撃が政府批判に結びつくことを懸念した維新政府は、七一年四月、政府の許可なしに仏像などの排除を禁止するとともに、地方官による寺院の強引な統廃合を制限しました。寺院の破壊は六八―七六年ごろまで続いたとされ、破却され廃寺になった寺院数は、当時存在した寺院のほぼ半数に上るといわれています（『日本仏教史辞典』）。

廃仏毀釈により多くの貴重な文化財が失われました。この〝暴風雨〟については、「国学的な思想が『原理主義化』した例とみることができ、攘夷感情のなかで育まれた『純粋な日本』の復興という情熱が、維新期社会の興奮のなかで一気に暴発した」（坂本多加雄『明治国家の建設』）といった分析があります。

●神奈川県鎌倉市「鶴岡八幡宮寺」にあった多宝塔（フェリーチェ・ベアト撮影、一八六八年、Wellcome Library蔵）

キリシタン弾圧

政府が「切支丹」を厳禁したのは、開国に伴うキリスト教の浸透を、神道国教化の上からも防ぐ必要があると考えたからです。★一九世紀半ば、フランスのカトリック宣教師らが琉球・那覇へ布教のために来訪し、一八六五年には、居留外国人のため長崎に大浦天主堂《おおうらてんしゅどう》を建てました。そこを近郊の浦上村に住む隠れキリシタンたちが訪ね、以来、村民たちは公然と信仰を表明するようになります。九州鎮撫《ちんぶ》総督兼長崎裁判所総督に着任した政府参与・沢宣嘉《さわのぶよし》★（一八三五―七三年）は、浦上のキリシタン徹底弾圧

◉八坂神社

京都の祇園《ぎおん》祭は、八坂神社の祭礼。平安時代に疫病退散を祈願して始まった。主祭神は素戔嗚尊《すさのおのみこと》。地元民が「祇園さん」と呼ぶのは、一八六八年まで「祇園社」「祇園感神《ぎおんかんしん》院《いん》」と称していたため。神仏分離の際は、社僧らが復飾し、薬師堂を撤去、仏像・仏具は近隣の寺に移したという。

◉幕府のキリシタン弾圧

徳川幕府は、初めキリスト教を黙認していた。しかし、キリスト教の布教がスペインやポルトガルの侵略を招きかねないことや、キリスト教の信者たちの信仰の強さに不安を覚えて方針を転換し、宣教師やキリスト教信者を迫害した。一六一二年にキリスト教の宣教を厳禁し、島原の乱後は、キリシタンを厳しく弾圧した。すべての庶民を対象に、「宗門改《しゅうもんあらため》」を実施、寺請《てらうけ》（寺の檀徒であることを証明する証文）や踏み絵（キリスト像を踏ませてキリシタンでないことを証明）が行われ、宗門人別改帳が作られた。この結果、一七世紀末には、日本からキリスト教徒はほとんど姿を消したとみられていた。

の方針を固めます。

浦上では江戸時代、過去三回にわたり「浦上崩《うらがみくずれ》」と称されたキリシタン検挙事件が起き、長崎奉行所が捕らえた信者の中から獄死者が相次いだ歴史がありました。維新政府は、御前会議で浦上の全キリシタンを流刑に処することを決めます。まず、中心人物の一一四人を捕らえて、津和野・萩・福山の三藩に配流《はいる》し、さらに三三八四人の老若男女の信徒を、西日本の二〇藩に流罪としました。流刑中に六一三人が死亡したといわれます（『国史大辞典』）。

政府の切支丹禁止に続いて、この四回目の「浦上四番崩れ」に対しては、在日外交団から批判の声が沸き上がり、とくに米欧歴訪中の岩倉使節団に対して、訪問先で各国から抗議が寄せられました。このため、政府は七三年二月、切支丹禁止の高札を撤去し、キリスト教はようやく活動の自由を得ます。

さらに、仏教側の抵抗・反撃も強まり、「寺請」制の神社版である「氏子調べ」制も、うまくいかず、一年一〇か月で廃止されました。廃藩置県後、神祇官は神祇省に格下げされて間もなく廃止されます。神道を唯一の宗教として国民に教化・定着させる政策は行き詰まりました。

一方、政府はこの間、全国の神社を行政管理の下に置き、神職の世襲廃止や神社の社格を定める制度づくりを進めました。社格とは、神社を神祇官所管の官社と地方官所管の諸社に分け、官社は官幣社《かんぺいしゃ》（大社・中社・小社・別格官弊社）と国幣社《こくへいしゃ》（大社・中社・小社）とし、諸社も序列化しました。こうして天照大神《あまてらすおおみかみ》を祀る伊勢神宮を頂点に、これら多数の神社を国家制度の枠の中に組み入れます。

●「浦上四番崩れ」で津和野に流された信徒。帰郷後に撮影（「信仰の礎」より）

『荒城の月』

廃藩置県のあとは、「廃城」の波が押し寄せました。「文明開化、旧物破壊の思想」が強かった明治初年、「封建遺制の象徴」として、「旧藩士らの反抗運動」の拠点として「障害物視」されたのが、全国各地の城郭《じょうかく》でした。江戸時代末期には、幕府直轄の江戸城、大坂城、駿府城、二条城、甲府城、五稜郭《ごりょうかく》の六城をはじめ、諸大名の居城など合計一八〇余りの城郭が存在していました。★ 戊辰戦争は数多くの城を舞台に繰り広げられましたが、火砲の使用は、城郭の防御力の限界を露呈させ、明治維新後に城を取り壊してしまう藩も相次ぎました。当時は、現代

●淀城跡

◉沢宣嘉

三条実美ら尊攘派の公家や諸藩の尊攘派志士と交遊し、攘夷論を唱えた公家。幕末の一八六三年「八月一八日の政変」で、三条ら七人の公卿が京都を逃れて長州に落ち延びた「七卿落ち」の一人。この直後の「生野の変」で総帥に推され、生野の代官所を襲撃、占拠した。鎮圧されて脱出し、長州に逃れた。六八年に九州鎮撫総督となり、六九年には外務卿に就任した。

◉徳川幕府と城郭

徳川幕府は、大坂夏の陣（一六一五年）で豊臣氏を滅ぼすと、諸大名に「居城以外の城は破却せよ」と命じた。城郭は一つに限って許すという「一国一城令」は、軍事力の削減を狙いとしており、各地で約四〇〇の城が数日のうちに取り壊された。さらに、徳川幕府は武家諸法度《ぶけしょはっと》を制定し、居城以外に城を新築するのはもとより、無断で修理改築することも禁止した。

と違って城郭を「文化財として保存しようとする考えは少なかった」ようです（森山英一『明治維新・廃城一覧』）。

廃藩置県後、城郭は兵部省―陸軍省の管轄となります。一八七三年一月、陸軍の六鎮台（軍団）・一四営所（兵営）の全国配置が決まり、それらのほとんどが城郭内に置かれました。それに伴い、陸軍が軍用財産として残すものは「存城」、それ以外の、淀城など一四四城が「廃城」の対象になり、城郭建築は取り壊されることになりました。各地で城郭の保存・復興計画が進められるようになるのは、大正時代に史跡・国宝保存の法律が制定されてからのことです。

春高楼《こうろう》の　花の宴《えん》／めぐる盃《さかずき》かげさして／千代の松が枝　わけいでし／むかしの
光　いまいづこ

歌曲『荒城の月』は、『花』『箱根八里』『お正月』など、今も愛唱される歌を数多く残した、作曲家・滝廉太郎《たきれんたろう》（一八七九―一九〇三年）の作品です。滝は一八九四年に東京音楽学校に入学し、ピアノを学びますが、同校が募集した中学教材用の唱歌に自作を応募、当選した曲が『荒城の月』でした。

作詞者は土井晩翠《どいばんすい》★（一八七一―一九五二年）です。『小諸なる古城のほとり』で、同じように滅びゆく古城をよんだ島崎藤村と並び称された詩人でした。土井は『荒城の月』のころ」と題する、以下のような一文を残しています。

●滝廉太郎

●土井晩翠

東京音楽学校から『荒城の月』の歌詞を求められた時、第一に思い出したのが、学生時代に訪れた「会津若松の鶴ケ城」だった。また、歌詞の三番の「垣に残るは唯《ただ》かづら、松に歌うは唯嵐」は、私の故郷「仙台の青葉城」の実況である。滝君は、この曲を、少年時代を過ごした竹田町（大分県竹田市）に帰省した際、その郊外の「岡の城址《じょうし》」で完成したのであった。

大分県の南西部、南に阿蘇の山々を望む岡城は、一八七一年から七二年にかけて天守をはじめ建造物は取り壊され、廃城になりました。

滝は、『荒城の月』がおさめられた小曲集『中学唱歌』が発行されて一週間後の一九〇一年四月、ピアノ・作曲研究のため、満三年の予定でドイツに出発します。バッハが大きな足跡を残した「音楽の都」ライプチヒで、メンデルスゾーン（一八〇九―四七年）創設の音楽院に合格し、留学生活を始めました。しかし、結核に冒された滝は、〇二年に帰国し、〇三年六月、二三年一〇か月という短い生涯を閉じました。

●岡城跡（大分県竹田市）

◉土井晩翠

姓の訓は、もともとは「つちい」だが、昭和になって通称の「どい」に改めた。東京帝国大学の英文科を卒業し、一八九九年、処女詩集『天地有情』を刊行。その詩風は男性的な漢文調、叙事性を持ち味とした。母校の第二高等学校の教授を務めた。ホメロスを研究し、ギリシャ語の原典から邦訳した『イリアス』『オデュッセイア』は高く評価された。土井は、病のため留学から帰国の途に就いた滝廉太郎がロンドンで停泊中、滝を訪ねている。これが不朽の名曲『荒城の月』を生んだ二人の最初で最後の面会となった。

第4章　いざ行かん、未知の国へ

第4章関連年表

1867（慶応3）	8月　英国で第2次選挙法改正
1868（慶応4・明治元）	2月　英国で第1次ディズレーリ保守党内閣成立 12月　英国で第1次グラッドストン自由党内閣成立
1869（明治2）	1月　日本の新政府成立を朝鮮に通告。朝鮮側受理せず。事実上の国交断絶 5月　米国で初の大陸横断鉄道完成 6月　お雇い外国人の宣教師フルベッキが米欧使節団派遣を建言 8月　英国エジンバラ公が来日 ドイツ社会民主主義労働者党成立 11月　スエズ運河正式開通 12月　新政府、東京—京都間、東京—横浜間などの鉄道建設を決定
1870（明治3）	1月　東京—横浜間電信線開通 6月　ロックフェラー、スタンダード石油設立 9月　普仏戦争敗北で仏第2帝政崩壊 10月　政府、平民（従来の農工商身分）に苗字使用を許可。「四民平等」政策 12月　工部省を設置
1871（明治4）	3月　東京—京都—大阪間に郵便開始 パリ・コミューン成立。5月、崩壊 5月　戸籍法制定

1871（明治4）	6月　金本位制を定めた新貨条例制定 9月　散髪・廃刀の自由認める 10月　解放令（穢多・非人等の称廃止令）布告 11月　琉球の船が台風で台湾に漂着、54人が部族に殺害される（琉球漂流民殺害事件）。台湾出兵論が出る 12月　岩倉、木戸、大久保ら欧米訪問に出かける使節組と、留守を預かる三条、西郷、大隈ら国内組との間で、「約定12か条」覚書を交わす。3日後、岩倉具視率いる使節団が、外輪蒸気船で横浜港を出航
1872（明治5）	1月　岩倉使節団、サンフランシスコに到着 副使の伊藤博文が英語で「日の丸演説」 2月　蒸気車の旅でワシントン到着。津田梅子、山川捨松、永井繁子は米国で留学生活に入る 3月　岩倉らグラント米大統領を表敬訪問 新政府、初の全国戸籍調査（総人口3311万825人） 副使大久保利通と伊藤が全権委任状を取りに緊急帰国 政府、土地永代売買禁止令解除 5月　初代司法卿に江藤新平就任 6月　天皇が大阪、京都、下関など西日本巡幸へ出発。西郷随行

1872（明治5）	7月　ペルーの帆船「マリア・ルス」号で清国苦力虐待事件発生。翌月、イギリスが真相解明を要請。大江卓裁判長が臨時法廷で判決下す 　大久保・伊藤がワシントンに帰着。岩倉、条約交渉中止を米国務長官に通告 9月　学校制度を定めた「学制」を公布 　政府、外務大丞花房義質を朝鮮に派遣。翌月、草梁倭館を接収 10月　日本初の新橋—横浜間の鉄道開業式 　琉球国王尚泰を琉球藩主とする 11月　富岡製糸場開業、内藤新宿試験場設置 12月　岩倉使節団、英ヴィクトリア女王に謁見 　太陰暦を廃して太陽暦を採用 　国立銀行条例を定める 　徴兵の詔書。翌年1月、徴兵令を定める 　山城屋和助、陸軍省内で割腹自殺 ＊井上馨大蔵大輔の「尾去沢銅山」事件 ＊福沢諭吉『学問のすゝめ』初編刊 ＊ミル著・中村正直訳『自由之理』刊
1873（明治6）	1月　三条実美、大久保と木戸に帰国要請 　江藤司法卿、予算削減に抗議して辞表。却下 2月　政府、副島種臣外務卿を清国に派遣。4月、李鴻章との間で日清修好条規批准 3月　ペルー使節、マリア・ルス号事件で日本に賠償要求。日本は拒否、裁決をロシア皇帝に委ねる。のちの結論は「日本に責任なし」

1873（明治6）	4月　岩倉使節団、ロシア皇帝のアレクサンドル2世に謁見 5月　正院に権力を集中させる太政官制改正 　副島、同治帝との謁見で「跪拝の礼」を拒絶 　北条（岡山）県で徴兵令反対一揆 6月　琉球漂流民殺害事件に絡み、清朝側は外務大丞柳原前光に対し「台湾生蕃は化外の民」と言明 7月　地租改正条例を布告 8月　西郷隆盛、閣議で訪朝を正式表明。朝鮮使節として派遣内定 ＊マーク・トウェインら『ギルディッド・エイジ（金ぴか時代）』出版 ▽「お雇い外国人」の来日＝英言語学者チェンバレン（73年）、仏法学者ボアソナード（同年）、独医師ベルツ（76年）、米哲学者フェノロサ（78年）、独法学者ロエスレル（同） ▽ベル、電話の特許をとる（76年）。エジソン、蓄音機（77年）白熱電球を発明（79年）

1　西洋文明を実地体験

岩倉使節団出発

一八七一年一二月二三日（明治四年一一月一二日）、「岩倉使節団」が、巨大な外輪《がいりん》蒸気船《じょうきせん》「アメリカ」号（四五五四トン）で、米国に向け横浜港を出航しました。

これまで徳川幕府も、六次にわたり米欧に使節団を派遣してきました。それらは条約の批准や締結交渉を主な任務としていました。これに比べ、今回の使節団は、西洋文明の実地体験を通じて、明治国家建設に資する知恵やデータを得ることを大きな使命としていました。

出発前の一二月一五日、明治天皇は岩倉具視《ともみ》全権大使★に対し、各国元首に捧呈《ほうてい》する「国書」を授けました。国書は、使節団の目的について、「聘問《へいもん》の礼を修め、親好の情誼《じょうぎ》を厚く」するための親善訪問であることを明らかにしています。

明治国家の最大の課題は、「従前の条約を改正し、独立不羈《ふき》の体裁を定める」（太政大臣・三条実美《さねとみ》）ことにあり、その条約改定の期限は、七二年七月一日に迫っていました。しかし、条約を改めるためには、万国公法（国際法）に抵触《ていしょく》する日本の国内法をまず

●岩倉大使欧米派遣（山口蓬春画、聖徳記念絵画館蔵）

改正しなければならず、その期限までに間に合いません。このため、慌てて国内法を改正するよりも、米欧列強を直接訪問して条約改定の暫時延期を求め、諸国の諸法規を習得したうえで、日本の国内体制を整える方が賢明だ、と考えたようです。

要するに、使節団は、条約改正そのものを直接の任務としていませんでした。

二年近く一二か国歴訪

政府使節団の特命全権大使には、右大臣・岩倉具視（数え年四七歳）、副使には、参議・木戸孝允《たかよし》（三九歳）、大蔵卿《おおくらきょう》・大久保利通《としみち》（四二歳）、工部大輔《たいふ》・伊藤博文《ひろぶみ》（三一歳）、外務少輔《しょうゆう》・山口尚芳《ますか》★（三三歳、一八三九—九四年）の四人が選ばれました。横浜出港時の使節団の全メンバーは四六人、平均年齢は約三二歳で、このほかに大使・副使の随行者や、留学をめざす華族・士族らが加わり、総勢は一〇七人に達しました。

この中には、最年少で数え年八歳の津田梅（のち梅子）、山川捨松《すてまつ》らの女子留学生五

◉ **岩倉具視大使**

下級公家で貧しかった岩倉は、関白鷹司政通《たかつかさまさみち》の和歌の弟子となり、孝明天皇の侍従に出世。日米修好通商条約調印阻止をはかるため、公家集団の「列参」を画策して政治デビューを果たした。しかし、和宮降嫁を推進して尊攘派の反撃を受け、京都郊外・岩倉村に幽閉の身に。ところが、王政復古の政変でカムバックし、小御所会議で徳川慶喜処分を押し切って力量を示した。鳥羽・伏見の戦いのあと、旧公家では、七卿落ちから復活した三条実美とともに新政府の中心人物となり、使節団派遣当時、三条は太政大臣、岩倉は右大臣と枢要な地位にあった。

人をはじめ、男子では、後年、日本の各界で活躍する金子堅太郎（一八五三―一九四二年）や団琢磨《だんたくま》（一八五八―一九三二年）、中江篤介《とくすけ》★（兆民、一八四七―一九〇一年）、牧野伸顕《のぶあき》（一八六一―一九四九年）らが参加していました。大久保の次男である牧野は、のちに文相、外相、内大臣などを歴任しますが、後年、回顧録の中で、「この欧米への使節派遣は、廃藩置県とともに、明治以後の我が国の基礎を作った最も重要な出来事」と書いています。

使節一行は当初、一四か国を一〇か月半かけて回る予定でした。しかし、途中で帰国した大久保や木戸らを除いて、回覧の期間は足かけ一年一〇か月に及び、周遊した諸国は、米欧の一二か国（アメリカ、イギリス、フランス、ベルギー、オランダ、ドイツ、ロシア、デンマーク、スウェーデン、イタリア、オーストリア、スイス）に上りました。

四人の副使の下の書記官の多くは、福地源一郎ら旧幕臣たちで、旧幕時代に外遊経験をもち、外国語も堪能でした。これに対して、五人の大使・副使のうち、外国生活を知っているのは伊藤だけで、他の四人の首脳はまったく「未知の国」への旅立ちでした。

太政大臣の三条実美は、彼らへの「送別の辞」で、「外国の交際は国の安危《あんき》に関し、使節の能否《のうひ》は国の栄辱《えいじょく》に係《かかわ》る」と切り出し、「行けや、海に火輪《かりん》を転じ、陸に汽車を輾《めぐ》らし、万里馳駆《ちく》、英名を四方に宣揚《せんよう》し、恙《つつが》無き帰朝を祈る」と、格調が高い文章で、一行を激励しました。

フルベッキの建言

この使節団の派遣には、一人のお雇い外国人がかかわっていました。オランダに生

●中江篤介（兆民）（国立国会図書館ウェブサイトから）

まれ、アメリカの神学校で学んだ宣教師のフルベッキ★（一八三〇―九八年）です。六九年から政府顧問に就いたフルベッキは、同年六月、日本による米欧使節団派遣を建言します。はじめ大隈重信に伝えたのですが、すぐには生かされず、七一年一二月、岩倉がフルベッキからその内容を尋ねた記録（ブリーフ・スケッチ）が残されています。

その中でフルベッキは、「西洋文明を完全に理解しようとすれば、直接に体験することが必要である」と強調し、選ばれる全権大使は「高い地位にある人で、天皇およ

●フルベッキ（明治学院歴史資料館蔵）

◉山口尚芳

肥前佐賀藩の出身。藩主の命により長崎に遊学、蘭語のほか、宣教師フルベッキから英語を学んだ。薩長同盟成立に力を尽くし、江戸開城に立ち会った。新政府の外務少輔となり、岩倉使節団に副使として参加。帰国後、征韓論争では「内治派」の立場にたち、佐賀の乱では鎮圧側の政府軍として行動した（『国史大事典』）。

◉中江兆民の留学

土佐藩の代々足軽の家に生まれた中江兆民は、藩の留学生として語学修業のため、長崎に派遣された。後藤象二郎から船賃の援助を得て、江戸に上り、塾でフランス語を学び、フランス公使ロッシュの通訳も務めた。外国留学を希望した兆民は、馬車で役所帰りの大久保利通をつかまえて「自分は学術優等。日本にいては就くべき師も、読むべき書もない。政府留学生に加えて欲しい」と直訴。司法省九等出仕として、岩倉使節団一行とともに外遊に旅立ち、そのままパリに留学した。帰国後、仏学塾を開き、フランスの民権思想を紹介、「東洋のルソー」と呼ばれる。

◉グイド・フルベッキ

フルベッキは幕末の一八五九年、長崎に伝道のため来日し、佐賀藩致遠《ちえん》館などで、長崎留学の日本人子弟らの英語教育にあたった。大隈重信や副島種臣には聖書やアメリカ憲法について教えた。六九年、上京して大学南校の教員となり、内政・外交などに関して種々提言を行った。八六年には明治学院神学部教授となった。

び国民が、その知性、活動力、高い人格に十分の信頼がおける人物でなければならない」と力説しています。

さらに歴訪する各国で、日本側が「西欧諸国と完全な政治的平等を打ち立てるため、日本政府がとるべき基本的政策は何か」などと問いかければ、相手側からは「日本の法律を西欧規準に一層近づけること」や「西洋の宗教を禁止した古い布告の廃止」などを求められるだろう、と想定問答まで例示しています。

そして、使節団の中に憲法・法律、税財政、教育、陸海軍、宗教に関する各調査チーム（高官三人と書記一人）を作って分担して臨むよう提案し、「諸制度全体を十全に研究すべき国々は、フランス、イギリス、プロイセン、オランダ、アメリカのみ」と断言していました。フルベッキはまた、使節団の報告書作成のための手引も作っていました。これが使節団随行の旧佐賀藩士・久米邦武《くめくにたけ》★（一八三九―一九三一年）が華麗な文体で詳細に記述した、大冊の岩倉使節団公式報告書『特命全権大使　米欧回覧実記』に結実することになります。

幻の大隈使節団

それにしても、明治政府の中核を占める政治家たちが、このように大挙して海外に出たことは驚きです。ジャーナリストの三宅雪嶺《みやけせつれい》は、著書『同時代史』で、この一大デレゲーション（代表団）を、「勇敢とせば勇敢、軽率とせば軽率、一の奇異なる現象とすべし」と評しました。

●久米邦武

●大隈重信

大隈重信（一八三八―一九二二年）は、のちの回顧談で、使節団はもともと「余（おのれ）の発議」であったと強調しています。そして自分が進んでその任にあたろうとしていたのに、意外なことに、内政の整理のために留まるべき、木戸や大久保が派遣されるに至ったと、不満を表明しています。確かに七一年一〇月、参議で条約改定掛だった大隈が、使節団の派遣を提議し、「大隈使節団」でほぼ内定したようです。が、これはひっくりかえされました。

大隈によりますと、はじめは小規模の計画だったものが、多人数の「外国視察隊」にふくらみました。それというのも、政府内の藩閥抗争や官吏の衝突により、諸改革が進まない状況を変えるために、この際、「なるべく速やかに、（口うるさい人々を）出来るだけ多数」、海外に派遣してしまい、そこで「鬼の留守に洗濯」とばかり、十分な改革を断行しよう――となった、というのです（『大隈伯昔日譚《せきじつたん》』）。結局、トップは、以前から使節団派遣を唱え、その才気と弁舌で鳴る公家出身の岩倉に落着しました。

ともあれ、「大隈使節団」が実現せず、「岩倉使節団」になった背景には、幕末以来の岩倉と三条、木戸と大久保、そして西郷、さらには大隈ら権力者同士の確執や派閥対立、廃藩置県後の「文明開化」の進め方、人事、政局運営をめぐる各人の主導権争

●岩倉使節団の中枢メンバー。左から木戸孝允、山口尚芳、岩倉具視、伊藤博文、大久保利通（国立国会図書館ウェブサイトから）

◉久米邦武

肥前佐賀藩士で、藩校で大隈重信と知り合う。徳川幕府の学校である昌平黌《しょうへいこう》に学ぶ。使節団に岩倉大使付きの記録係として随行した。その後は、修史事業に従事し、歴史学者となって帝国大学（文科大学）教授に。論文「神道は祭天の古俗」が神道家の攻撃を受け、一八九二年に退官。その後、東京専門学校で日本古代史などを講じた。

いがあったことは確かなようです。西郷隆盛が、使節団を横浜に見送ったあと、一行の船が途中沈没してしまえばいい、と放言したとされるのも、使節派遣をめぐる複雑な事情をうかがわせるものです。

大礼服と散切り頭

岩倉大使は、常に羽織・袴《はかま》姿で、公式の席では衣冠束帯《いかんそくたい》を着けていました★。このため、使節団が滞在したホテルの周囲は、異国の風俗みたさに見物の人だかりができました。これでは、見せ物のようではないか、この際、我々も大礼服《たいれいふく》★を整えるべきだ、といった声があがって、これを本国に申し立てます。

この結果、七二年暮れになって「帽は舟形、衣は燕尾《えんび》形、金線もしくは銀線をもって刺繡《ししゅう》」を施した大礼服が制定され、岩倉らは、ヨーロッパで初めて新制の大礼服を着用することになります。

その後、岩倉は、ワシントンに向かう途中のシカゴで断髪しています。アメリカ滞在中、全権大使たる自分に注目が集まるのは、日本独特の髪形や和服のせいであることにようやく気づいたため、といわれます。同行の元土佐藩士で司法大輔・佐々木高《ささきたか》行《ゆき》（一八三〇―一九一〇年）は、岩倉のこの変身ぶりについて、「開化の米国風邪をひきたるか分からず」と、いかにも苦々しく、日記に書きました。

使節団が出発する三か月前の七一年九月二三日、政府は、「散髪、制服、略服、脱刀とも、勝手為すべき事」とする布告（散髪脱刀令★）を出しました。これまで男子の頭

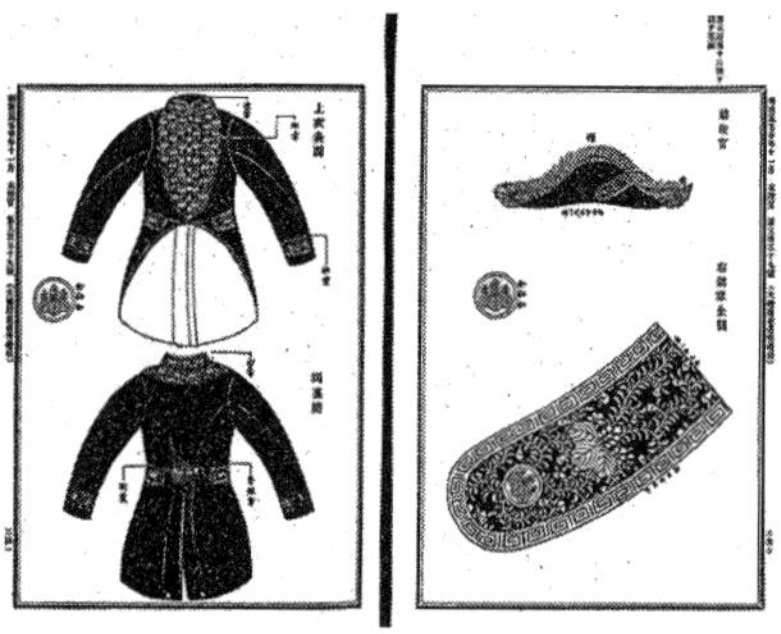

●大礼服（国立国会図書館ウェブサイトから）

髪は丁髷でしたが、髪形、服装も「欧米並み」をめざすための措置でした。

木戸孝允の場合は、手回しよく、発令に先立って散髪したといわれます。しかし、世間では、断髪も廃刀も、すんなりとは進みませんでした。ちなみに、七三年三月頃、東京府下の男性の七割は丁髷などの旧来の半髪《はんぱつ》で、三割が断髪でした。明治天皇が同月、散髪を「断行」すると、女官たちは「皆驚歎《きょうたん》」（『明治天皇紀』）し、官員（役人）らはあわてて髪を切り出したそうです。

他方、政府は、帯刀を「弊習《へいしゅう》」とし、治安維持も考えて「廃刀」を計画したのです

◉大使・副使の記念撮影

全権大使の岩倉、副使の木戸、大久保、伊藤、山口の計五人は、最初の上陸地、サンフランシスコで、そろって記念撮影に臨んだ。中央の岩倉だけが丁髷《ちょんまげ》で羽織袴《はおりはかま》を身に着けているのに対して、他の四人は、断髪してにわか仕立ての洋服に身をまとっている。ただ、岩倉の袴の下から革靴《かわぐつ》がのぞいているのは珍妙だ（二六七頁下段参照）。

◉大礼服

日本では、宮中などの重要な儀式に列席する際、衣冠、束帯などを着用してきた。一八七二年、これを洋式の大礼服に改めた。官等または文官、陸海軍武官などによって区別があり、帽子、上着、ズボン、ワイシャツ、ネクタイ、靴、手袋、帯剣などについて細かに規定した。後に女子についても定められた。

◉散髪脱刀令

『御宿かわせみ』などの作品で知られる作家の平岩弓枝は、散髪脱刀令が、「お上のお触れとしては、どこか弱気というか、腰が引けている感じ」で、「勝手たるべし、という表現になったので、庶民は勝手でいいなら、ちょんまげでいいんだろうと居直った」と書いている。また、日本鋏《ばさみ》では断髪は無理なうえに、髷《まげ》を切ったあと月代《さかやき》部分がなかなか伸びてこないので格好が悪い、という別の事情もあったという（平岩『私の履歴書』）。

が、士族の刀に対する思い入れが強いことから、この時は「脱刀」にとどめました。廃刀令を出してこれを強制するのは七六年のことです。

〈半髪頭をたたいてみれば、因循《いんじゅん》姑息《こそく》の音がする〉
〈散切《ざんぎり》頭をたたいてみれば、文明開化の音がする〉

こうしてザンギリ頭が文明開化の象徴として広まっていくことになります。

●文明開化の世相を描いた「安愚楽鍋（あぐらなべ）」（作・仮名垣魯文、絵・河鍋暁斎）の一場面。右側の男性がザンギリ頭（国立国会図書館ウェブサイトから）

2　米大陸横断鉄道の旅

オークランド発

岩倉使節団は一八七二年一月一五日、太平洋航路で、最初の訪問国であるアメリカ・サンフランシスコに到着しました。

勝海舟らの「咸臨丸」以来、一二年ぶりの日本使節団の来航は、市民から大歓迎を受け、大使・副使らは、最も格式の高い「グランドホテル★」に投宿、その壮大な建物や行き届いた部屋の設備に驚嘆の声をあげます。別のホテルでは、団員がロビーの一角にある小部屋、つまり「エレベーター」に乗り込み、にわかに釣り上げられて肝を

●サンフランシスコのグランドホテル（一八七二年撮影、米カリフォルニア州立大学図書館蔵）

◉グランドホテル

久米邦武は、グランドホテルについて、「屋の高さ五層」にて「造営すこぶる精工」、食堂の広さ一二〇坪、三〇〇人一時に「食案（食卓）」に就いても余裕がある。第一層には大理石をたたみ、「履《くつ》を滑らさんとす」。浴湯店、理髪店、玉突き場等があり、各部屋は、客座、寝室、浴室、厠を皆備え、「大鏡は水の如く、カーペットは華の如く」、「寝床は螺旋《らせん》の鉄にてその底うく」などと事細かに記録していた（『米欧回覧実記』）。

つぶすなど、何もかもが初体験、「驚異の種」（久米邦武『回顧録』）でした。

連日のように歓迎行事が催され、現地の政治家や官吏、軍人、事業家たちが多数押しかけます。サンフランシスコの派手な饗応《きょうおう》ぶりに、副使の木戸孝允は、「何かお返しをしなければ、独立国の体面が保てない」と、いたく心配します。

他方、使節団一行は、施設見学を怠りませんでした。毛織物や鉱山機械の製造工場、裁判所や議事堂、小学校、兵学校、大学などの教育施設、電信機局も視察。植物園や動物園も精力的に見て回りました。カリフォルニア劇場で芝居も見物しています。

一月三一日、使節団は、いよいよ「アメリカ大陸横断鉄道」の旅に出ます。アメリカ大陸を西から東へ、太平洋から大西洋へと横断する七昼夜の旅程です。サンフランシスコ湾に面したオークランドの駅から貸し切り列車で出発、首都・ワシントンをめざします。

もともと、東部一三州だったアメリカは、イギリスが独立を承認した一七八三年のパリ条約で、ミシシッピ川以東の領土を獲得します。九〇年の総人口は約三九三万人でした。一八〇三年にはフランスからルイジアナ（ミシシッピ川以西、ロッキー山脈までの地域）の買収に成功し、一九年にはスペインからフロリダを購入しました。

その後、四五年、共和国になっていたテキサスを併合し、メキシコとの戦争でカリフォルニアやニューメキシコを獲得、イギリスとの共同管理地域になっていたオレゴンなども領土としました。人口も増加し、五〇年には約二三〇〇万人になります。

こうした中で、アメリカの領土を横断する鉄道建設事業が、西部の開拓やカリフォルニア州の成立、わけても南北戦争時の南部の連邦離脱に伴う建設ルート問題の解決

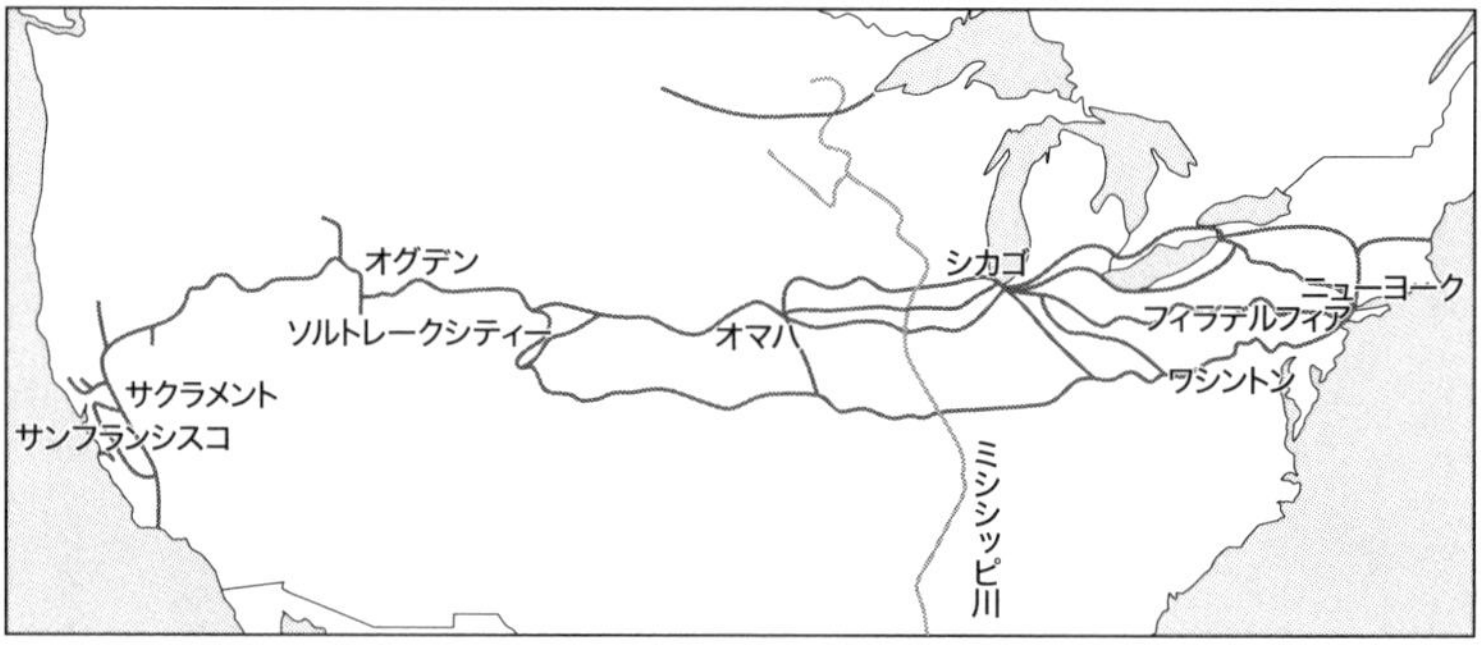

●一八七三年当時のアメリカ鉄道路線図と主要都市

によって進展し、六二年に連邦議会で認可されます。ユニオン・パシフィック鉄道が、ネブラスカ州のオマハを起点にして西方向へ、セントラル・パシフィック鉄道がカリフォルニア州のサクラメントから東へと敷設を進め、ユタ準州のオグデン付近で六九年五月一〇日、連結されました★。

とくにサクラメントからの工事は、シエラネヴァダ山脈を横断しなければならないために難航し、数千人の中国人移民労働者が使役されました。彼ら中国人移民はやがて人種差別的な扱いを受けるようになり、中国人移民を禁止する中国人排斥法が八二年、初の移民制限法として成立します。

日本も鉄道建設を急げ

鉄道についての知識は、幕末、日本にもたらされました。一八五四年、ペリー再来航の際、アメリカは日本への贈り物として小型蒸気機関車★の模型を船に積んできました。横浜で披露されましたが、日本人は模型に興じていただけではありません。

◉アメリカ鉄道網

このアメリカで初めての大陸横断鉄道の完成は、南北戦争終結から四年後のことだった。鉄道建設は、戦争前から北部が優位に立っており、横断鉄道の完成によって、北部は西部の市場を得て飛躍的に発展した。アメリカにおける鉄道の総延長距離は、一八六〇年には四万九〇〇〇キロだったが、九〇年には三〇万九〇〇〇キロへと伸びて、国内の鉄道網がほぼ完成。一九世紀末には、アメリカ一国の鉄道網が全ヨーロッパのそれを上回った。

西洋の先進技術の摂取で抜きんでていた佐賀藩の精錬方《せいれんかた》は、五三年に長崎に来航したロシア使節・プチャーチンが積んでいた蒸気機関車の模型をじっくりと観察していました。さらに、長崎奉行所がオランダから購入した小蒸気船を分解して仕組みを理解すると、五五年には蒸気船と蒸気車の「動く」模型を製作したのです。これが日本人の手による初の蒸気船・車といわれています。

明治新政府が、日本の鉄道敷設計画を決定したのは六九年一二月のことで、アメリカ大陸横断鉄道が完成した直後でした。

東京―京都間の幹線鉄道をはじめ、東京―横浜間、琵琶湖近辺―敦賀間、京都―大阪―神戸間に支線を設けるという内容です。鉄道敷設の推進役は、大蔵大輔・大隈重信、同少輔・伊藤博文らでした。鉄道網の整備は、モノとヒトの移動量を増大させ、貿易・経済を発展させ、国民の一体感をも醸成する。彼らがそう考えるに至ったモデルが、欧米にあったことは明らかです。

七〇年には東京―神奈川間の測量・着工にこぎつけ、お雇い外国人のイギリス人建設師長モレル★（一八四〇―七一年）の指導・監督の下で工事を開始し、翌七一年、イギリスの車両で試運転を始めました。

七二年一〇月一四日、日本最初の鉄道として、新橋―横浜間の開業式が横浜駅と新橋駅の二か所で行われました。式典には、明治天皇が直衣《のうし》・烏帽子《えぼし》姿で出席し、天皇自ら、新橋―横浜間を鉄道で往復しました。開業式や沿線には多数の民衆が押しかけ、西洋文明の利器を目の当たりにすることになります。

使節団の岩倉らは外遊中のため、開業式に出られませんでした。しかし、実のとこ

●東京汐留鉄道蒸気車通行図

ろ、一行は、外遊出発直前の七一年一一月、この鉄道に試乗していました。★その一人、大久保利通は、よほど感心したとみえ、「蒸気車に乗る。実に百聞《ひゃくぶん》は一見《いっけん》に如《し》かず。愉快にたえず。この便を起こさずんば、必ず国を起こすこと能《あた》わざるべし」と日記に書いています。

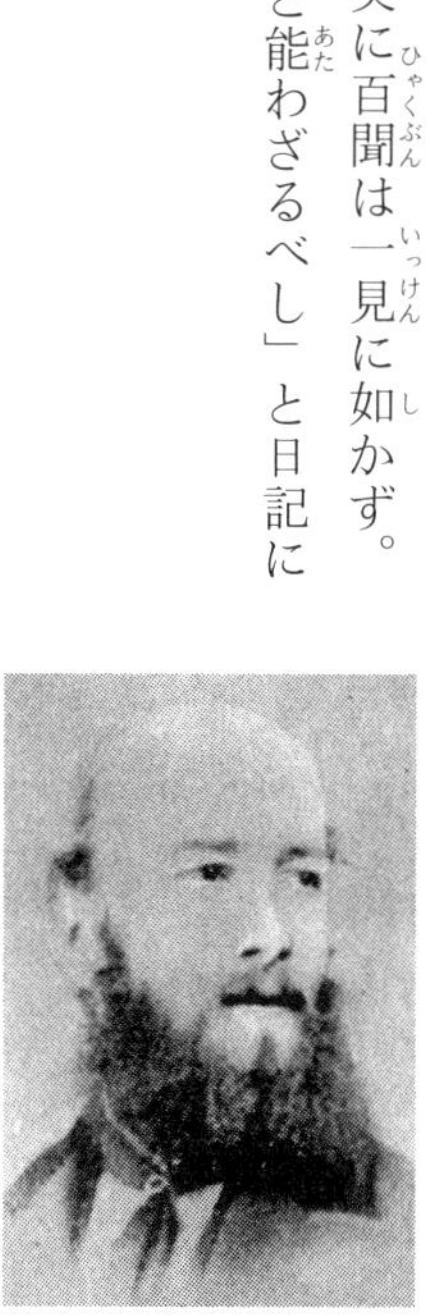

●モレル

◉蒸気機関車

イギリスの技術者スチーブンソンが一八一四年、最初の蒸気機関車の試運転に成功、二五年に実用化された。ペリーが日本で小型の機関車を披露した時の様子を『ペリー提督日本遠征記』は、「(機関車は)小さいので六歳の子供を乗せるのがやっとだった。それでも日本人は、なんとしても乗ってみなければ気がすまず、屋根の上にまたがった。威儀を正した大官が、長衣を風でひらひらさせながら、ぐるぐる回っている姿は、少なからず滑稽《こっけい》な見ものだった」と書いていた。

◉エドモンド・モレル

イギリスの鉄道技術者。ニュージーランドで道路建設、オーストラリアで鉄道建設に従事したあと、一八七〇年に来日し、民部大蔵省鉄道掛雇建築師長になる。国内調達可能な資材を極力生かし、輸入は減らして建設費を節約すること、幹部技術者の養成機関や工業各分野を統括する中央官庁を設置することなどを日本政府に提言した(『国史大辞典』)。

◉機関車試乗会

横浜—新橋間の旅客・運輸が開始される一年前のことであり、当時満一〇歳で試乗会に参加した牧野伸顕は、後年の回顧録で、「米国に着いて初めて汽車に乗るのでは体面に係わるというので、皆品川の浜辺まで行き、プラットフォームなどないので、露天で汀《みぎわ》(水際)より汽車に乗って横浜まで行った」と振り返っている。

大平原を走る

岩倉使節団の一行は、カリフォルニアの州都サクラメントで、これから乗る大陸横断鉄道用の蒸気機関車の製造工場を視察しました。列車がシエラネヴァダの険しい山岳地帯に入ると、機関車を三両連結する「三重連」で登ります。一行は、車窓からインディアンの生活を垣間見ました。

大陸横断鉄道の竣工《しゅんこう》の地、オグデン駅に着いたあと、モルモン教徒が四七年に入植した町、ソルトレークシティーに向かい、モルモン教会を訪ねます。使節団は折あしく、当地で大雪に見舞われ、一八日間も足止めされます。開通のあと、列車はロッキー山脈の無人の荒野を三日間走り続けました。

使節団がアメリカ西部を訪ねた時期は、「ロングドライブ」★がもっとも盛んな時期でした。つばの広いテンガロンハット、ジーンズの元祖というべきズボンを身に着けたカウボーイが、テキサスから数千頭の牛をミズーリなど北方の鉄道の駅まで追っていき、沿線の大規模市場へ送り出しました。ロングドライブは以来、有刺鉄線で耕地を囲む開拓農民や、保留地のインディアンらとの紛争を繰り返しながら二〇年間にわたり続けられます。

岩倉使節団の列車は、ミズーリ河岸のオマハを経て、大都市のシカゴに到着。さらにピッツバーグを経由して七二年二月二九日、ワシントンに到着しました。サンフランシスコを出てからはや一か月が過ぎていました。

●当時のカウボーイ（一八八八年ごろ、米国議会図書館蔵）

南北戦争の英雄・グラント

岩倉大使をはじめ木戸孝允、大久保利通、伊藤博文らは三月四日、ホワイトハウスを表敬訪問し、第一八代米大統領グラント（一八二二―八五年）に国書を捧呈します。六四年、南北戦争で北軍の総司令官に任命されたグラントは、翌六五年、ヴァージニアで南軍総司令官のリー将軍が率いる軍団を打ち破り、北軍に勝利をもたらした英雄でした。南北戦争終了直後の六五年四月一五日、リンカーンが南部人の俳優によって暗殺され、後継の大統領には、副大統領のジョンソン（一八〇八―七五年）が昇格★します。

グラントは、六八年大統領選で共和党から推されて立候補し、第一八代大統領に就

●グラント

◉**ロングドライブ**

南北戦争後のテキサスで三―四ドルの牛が、北部市場では四〇ドルもの高値がつくと知った牧畜業者が、六六年ごろから始めた牧牛《ぼくぎゅう》＝牛の放し飼いのこと。

◉**アンドリュー・ジョンソン大統領**

アンドリュー・ジョンソンは、仕立屋からテネシー州知事、上院議員になった。共和党は、生粋の南部人であり民主党員だったジョンソンを副大統領に指名した。ちなみに、過去の大統領のうち、副大統領の名がジョンソンであったのは、第八代ヴァン・ビューレン、第一六代リンカーン、第三五代ケネディの三人。このうち二人までもが暗殺された（猿谷要編『アメリカ大統領物語』）。アンドリュー・ジョンソンは大統領在任中、陸軍長官を議会の意に反して解任し、大統領として初めて弾劾訴追された（無罪）。

任しました。グラントは大統領を二期つとめたあと、世界周遊の旅に出て、七九年に来日します。岩倉ら政府の顕官が前大統領夫妻を迎え、旧交を温めますが、グラントはその際、日本の内政・外交について忠告や警告を発し、明治天皇らに強い印象を与えました。

さて、岩倉使節団の訪問は、グラント政権一期目のことで、使節団一行は南北戦争終結（六五年四月）から七年後のアメリカをみたことになります。南北戦争は、悲劇の内戦でしたが、戦場にならなかった北部の鉄工・火薬など諸工業に好況をもたらし、鉱山など資源開発を促し、七〇年代からのアメリカ資本主義興隆の基盤が形成されます。岩倉一行も、米大陸の都市部に入るにつれて、産業資本の充実ぶりを実感したに違いありません。

奴隷解放は名ばかり

南北戦争がアメリカ社会にもたらした最大の変化は、およそ四〇〇万人の奴隷たちが解放され、自由の身になったことです。

戦後の南部は、経済も財政も破綻に陥ったうえ、食糧難にもあえいでいて、「南部の再建」がジョンソン大統領に課せられます。ジョンソンは、南軍の指導者たちに恩赦を与え、南部の土地所有者は、憲法修正第一三条（奴隷制度の廃止、六五年成立）を支持するだけで土地を取り戻しました。「ブラック・コード」と呼ばれる黒人取締法も成立します。結局、南部に残った奴隷たちの多くは、土地は得られず、プランテーショ

●グラント大統領（中央）に国書を捧呈する岩倉使節団（一八七二年、米国議会図書館蔵）

ン（農場）での苦しい生活が続きます。奴隷解放は名ばかりのものでした。

とはいえ、ジョンソンの「反動政策」に対し、黒人たちも黙っていませんでした。彼らの反対運動に米議会の共和党急進派などが呼応し、六八年には、黒人に公民権を付与する憲法修正第一四条を成立させ、七〇年には、選挙権を保障する憲法修正第一五条も付け加えました。

これを受け、アメリカ黒人は初めて選挙権を行使し、州議会に多数の黒人議員が送り出されました。グラント大統領が在任していた六九年から七六年の間に、米議会には黒人の下院議員一四人と上院議員二人がそれぞれ誕生します。さらに黒人の高等教育機関として「黒人大学」が相次いで設立されるのもこの時期のことです。

しかし、こうした動きに猛反対する活動が開始されます。攻撃の先頭に立ったのが、白人の秘密結社「ＫＫＫ★」（クー・クラックス・クラン）です。六五年、テネシー州で少数の旧南軍士官らが結成したこのテロ組織は、三角帽の不気味な装束で、黒人たちを脅し、黒人の家を襲い、投票を暴力的に妨害しました。

さらに南部諸州では、白人たちが、黒人を公共施設から閉め出すようになります。交通機関、公立学校、病院、電話ボックス、レストランなどで白人と黒人を隔離する

●ＫＫＫの一団（米国議会図書館蔵）

◉ＫＫＫ

一八六七年、テネシー州のナッシュビルで組織化された。いったん解体されたが、一九一五年に再建された。二〇年代に活動はピークに達し、二〇〇万人を上回る構成員を擁したという。六〇年代には、黒人の公民権獲得運動を妨害するため、暴力活動を展開した。今日もその動きが報じられている。

政策が、州法や条例で法制化されます。加えて九〇年のミシシッピ州を手始めに、諸州において黒人の選挙権の剝奪《はくだつ》が進みます。人頭税や読み書き試験を課して黒人を巧妙に排除し、黒人の権利はすっかり逆戻りしてしまいます。

岩倉使節団は、ワシントン滞在中、「黒人学校」を視察しています。『米欧回覧実記』(現代語訳)は、奴隷制度の由来と廃止の経緯を説明したあと、このように鋭い現状分析をしています。

白人たちは(黒人と)同列視されることを喜ばず、いまもなお人種間の隔ては歴然たるものがある。とはいえ、中には早々と自立した黒人もおり、現に下院議員に選出された傑出した人物もあるし、巨万の富を築き上げた名士もいる。皮膚の色と知能の優劣は無関係であることははっきりしている。だからこそ有志の人々は黒人教育に力を尽くし、学校を作るのである。

3 「金ぴか時代」のアメリカで

伊藤博文の「日の丸演説」

少し話を戻して一八七二年一月二三日の夜。サンフランシスコのグランドホテルで開かれた岩倉使節団歓迎会で、副使の伊藤博文《いとうひろぶみ》（一八四一―一九〇九年）が、英語で演説しました。日本人が公式の場で英語スピーチをしたのは、おそらくこれが嚆矢《こうし》でしょう。

下級武士だった伊藤は、幕末、長州藩留学生としてイギリスに密航し、半年間、当地で生活しました。伊藤はそこである程度、英語能力を身につけ、同時に攘夷思想を捨て、西洋文明の信奉者になります。★イギリスで、伊藤は、物おじせず外国人と話のできる「コミュニケーション能力」を磨き、帰国後は外国艦隊相手に通訳を務めるな

●伊藤博文（国立国会図書館ウェブサイトから）

◉松陰の伊藤評

長州の松下村塾で、伊藤の師にあたる吉田松陰が、伊藤を「周旋《しゅうせん》家」と評したことはよく知られている。人あたりがよく対外折衝や世話役向き、「愚直な足軽の伜《せがれ》」という評価だった。ただ、松陰と伊藤という二人の師弟の間には、大きな気質の違いがあり、それがために伊藤は松陰から離れていくことになった（瀧井一博『伊藤博文』）。

ど藩政治で重用されます。伊藤にとって、西洋文明とは、「またとない立身出世の梃《て》子《こ》だった」のです（瀧井『伊藤博文』）。

実際、新政府では、外国事務掛《がかり》、兵庫県知事に就きます。知事は、中小藩主と同格のポストであり、足軽出身の伊藤にとっては破格の出世でした。そのあと、大蔵少輔に就任した伊藤は、今度は半年間訪米して財政・貨幣制度の調査にあたり、日本で初の金本位制を定めた新貨条例の制定（七一年六月）にこぎつけます。これによって、新しい貨幣の単位は、円・銭・厘に統一されました。岩倉使節団出発前、イギリス公使館で開かれた晩餐会で、伊藤はすでに流暢《りゅうちょう》に英語を使っていたといわれます。

伊藤による英語スピーチからは、新進政治家としての伊藤の自信や自己顕示欲、さらには使節団員の高揚感が伝わってきます。

演説で伊藤は、まず、到着以来のアメリカ側の「慇懃《いんぎん》なる接待」に謝意を表しました。そのうえで、「今日我が国の政府及び人民の最も熱烈なる希望は、先進諸国の享《きょう》有《ゆう》する文明の最高点に到達する」ことにあるとし、日本の改良は「物質的文明」で迅速なりといえども、国民の「精神的改良」は一層はるかに大なるものがあると論じました。

さらに、日本国内では、版籍奉還に続いて、「数百年来鞏固《きょうこ》」に成り立っていた封建制度が、「一箇《いっこ》の弾丸を放たず、一滴の血を流さずして、一年以内に撤廃せられたり」と強調。「今や相一致して進歩の平和的道程を前進しつつあり」と述べて、廃藩置県で封建制度を打破し、近代国家としての歩みを始めたことを力説しました。

そして演説の最後を伊藤はこう結びました。「我が国旗の中央に点ぜる赤き丸形は、もはや帝国を封ぜし封蠟《ふうろう》（書状をしっかり閉じるために使う蠟状の物）の如《ごと》くに見ゆることなく、将来は事実上、その本来の意匠《いしょう》たる、昇る朝日の尊き徽章《きしょう》となり、世界における文明諸国の間に伍《ご》して前方に且《か》つ上方に動かんとす」。

これが「日の丸演説」といわれるゆえんです。

ところで、「日章旗」が日本国の旗として掲げられたのは、幕末の一八五五年、薩摩藩主の島津《しまづ》斉彬《なりあきら》が幕府に献上した、西洋型軍艦の「昇平《しょうへい》丸」が始まりとされます。幕府は、斉彬の申し入れを受けて前年、日の丸を国旗（総船印《ふなじるし》）として全国に通達していました。

ただ、この「日の丸」、外国人から「日本の封蠟」と笑われることもあったようです。伊藤はそんな見方を否定して、日の丸こそ、昇る朝日＝「ライジング・サン（rising sun）」のエンブレム（象徴的図案）であって、日本国はこれから、朝日の勢いで、世界の文明諸国の仲間入りをする、との決意表明をしたのでした。

条約改正で大混乱

ところが、それから意気揚々と向かったワシントンで、伊藤は大失態を演じてしまいます。

当地滞在中の七二年三月一一日、岩倉大使・副使の計五人と小弁務使（米国駐在の代理公使格）の森有礼《もりありのり》らが、米国務省にフィッシュ国務長官★（一八〇八―九三年）を訪ねました。彼らは席上、幕府から引き継いだ不平等条約の改正交渉を切り出します。これ

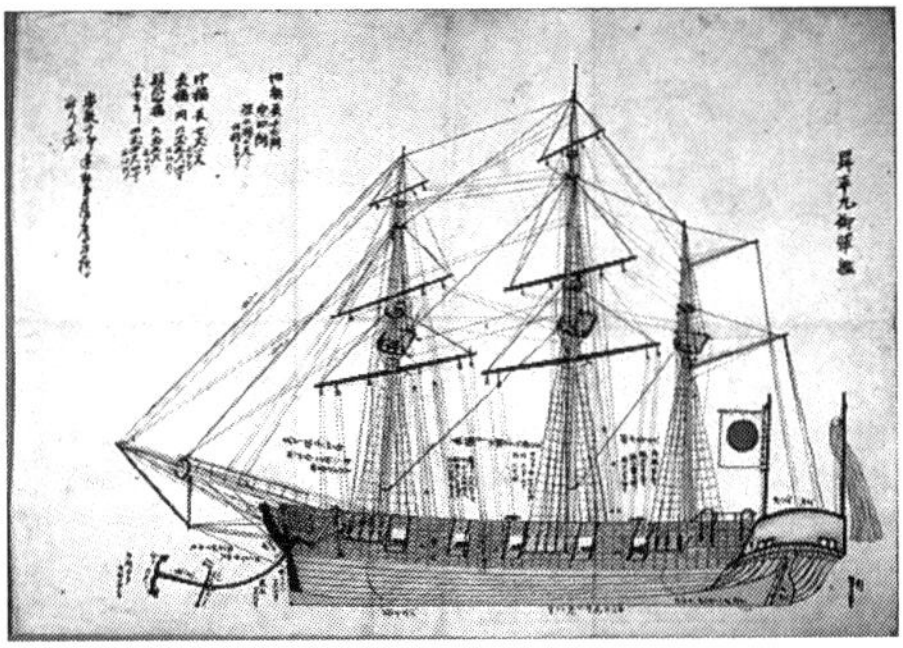

●昇平丸御軍艦

は使節団の使命にはなかった仕事です。伊藤や森らは、晩餐会などアメリカ側の歓迎ぶりに得意になり、「米国くみしやすし」と思い違いをしたようです。岩倉ら首脳陣も、伊藤らの交渉の勧めに乗ってしまったのです。

　これに対してフィッシュは、元首からの正式の委任状の提示を求めます。しかし、はじめから条約交渉を本務としていない日本側に、その用意はありません。それでも、「我々は天皇の信任を受けている」と食い下がりますが、フィッシュは「万国公法（国際法）上、応じられない」とにべもありません。このため、使節団は、副使である大久保利通と伊藤博文の二人を帰国させ、全権委任状を整えてくることにします。そこまでするのですから、まだ交渉は可能とみていたのでしょう。大久保と伊藤が東京に到着したのは五月一日のことでした。

　これに対して、「留守政府」の外務卿・副島種臣《そえじまたねおみ》（一八二八―一九〇五年）や外務大輔・寺島宗則らは強く反発します。使節団が勝手に外交方針を変更したことや、訪問国ごとに個別交渉を考えているのは許し難いとして、委任状交付に同意しませんでした。問題はこじれにこじれて、大久保、伊藤の「割腹」による責任論すら取りざたされます。その際、副島が「切腹の儀は御勝手にせらるべし、敢《あ》えて御勧《おすす》め、御止めも致さず」と、冷たく言い放ったとされ、事態は深刻化します。

条約談判中止

双方の反目は続き、約五〇日が経《た》った六月一九日、ようやく委任状が出されます。

●フィッシュ国務長官（米国議会図書館蔵）

大久保と伊藤は、イギリス大弁務使として赴任する寺島を同行して、七月二二日、ワシントンに着きました。対米交渉を「大失策」と決めつけていた寺島は、「監視役」だったようです。

大久保らが帰国している間、滞米中の岩倉具視や木戸孝允らは、対米交渉を行いますが、壁は厚いうえ、アメリカを相手に条約改正で譲歩した場合、それが自動的に他の締約国にもそのまま適用されることを知って驚き、大いに悔やみます。委任状の件といい、この最恵国待遇のルールといい、使節団の外交知識の欠如は明白でした。とくに「日の丸演説」で声価を高めた伊藤は、一転、この失策によって使節団内部からも批判にさらされます。

とくに、伊藤の親分格の木戸は、「予《よ》は、元より外交の事は甚《はなは》だ不案内なる故《ゆえ》に、彼等の云《い》ひなりに任せて置いたのが予の過ちなり。全体伊藤等が知った風になまいきな事をするから、得てこんな失策するから困る」（『尾崎三良《さぶろう》★自叙略伝（上）』）と、憤懣《ふんまん》をぶちまけました。また、国内の知人への手紙の中で、「生兵法大疵《なまびょうほうおおきず》のもと、万事そ

◉ハミルトン・フィッシュ

連邦下院議員、ニューヨーク州知事、上院議員などを歴任。グラント大統領のもとで国務長官に就き、政権の重鎮として、アメリカが直面した国際紛争を卓抜な外交的手腕で調停したり、決着させたりして危機を乗り切った。

◉尾崎三良

一八四二年生まれ。三条実美に仕え、七卿落ちに随伴し、坂本龍馬とも交わった。英国に留学し、維新後は新政府に入り、累進して元老院議官、法制局長官などを務めた。一九一八年没。

の始めの思慮が大事」と自省したり、使節になったことを「一生の誤《あやまり》」などと後悔したり、木戸はこの時期、外国でストレスが高じ、精神的に参っていたようです。

大久保と伊藤がワシントンに戻った時は、「条約談判中止」は既定路線になっており、岩倉、木戸との間で中止を確認したあと、七月二四日、米政府との間で打ち切りが決まります。アメリカ滞在は予定を大幅に超える六か月半に及びました。その分、ワシントンやフィラデルフィア、ニューヨーク、ボストンなどアメリカ視察は充実しましたが、スケジュール変更は、使節団内部にあつれきを生じさせ、団員には徒労感も漂いました。

〈条約は結び損ない／金は捨て／世間へ大使（対し）／何と岩倉〉という狂歌も行われました。使節団首脳部の威信は低下し、伊藤は鼻っ柱をへし折られる始末となりました。岩倉使節団は七二年八月、ボストンを発ち、次の訪問国イギリスに向かいます。

明治天皇の国内巡幸

一方、日本国内では、同じ頃、明治天皇の国内巡幸が実施されていました。天皇が自ら日本の地理、形勢、人民、風土を視察するのが目的で、七二年六月二八日に皇居を出発し、「留守政府」トップの西郷隆盛が随行しました。伊勢神宮、大阪、京都、下関など西日本各地を巡り歩きます。

長崎滞在中、燕尾形ホック掛の正服姿の天皇に対して、県民の一人から天皇の「洋服着用禁止」を求める建白書が出されました。西郷は、建白した人物に直接会って、

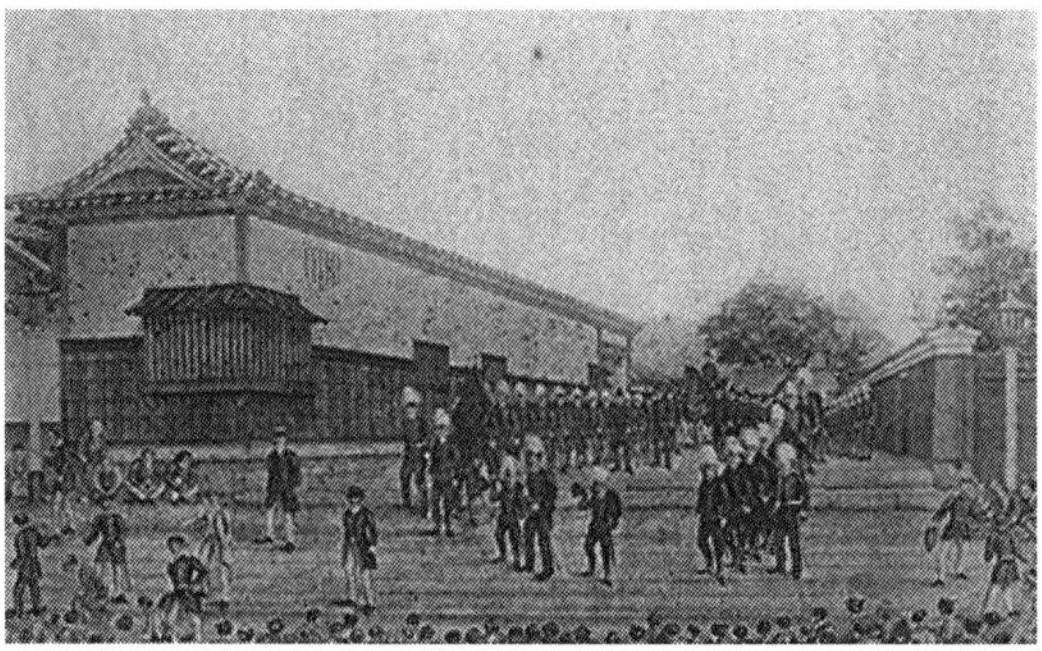

●明治天皇長崎行幸、一八七二年六月（『一人の日本人の物語』から、国際日本文化研究センター所蔵）

「汝《なんじ》、未《いま》だ世界の大勢を知らざるか」と一喝したというエピソードが残っています。

鹿児島で天皇は、この「世界の大勢」に強く反発している旧薩摩藩主の父、島津久光と会見します。久光は「共和政治の悪弊」を挙げ、旧臣の西郷と大久保の更迭を求めます。久光の根深い怨念は、政界の重責を担うに至った西郷や大久保を精神的にさいなみ続けることになるのです。

国内巡幸は四九日間にわたり、天皇は八月一五日、帰京しました。

ベルとエジソン

岩倉使節団が図らずも長期滞在したアメリカは、一八九〇年頃にかけて、「金ぴか時代」と呼ばれる繁栄期でした。これは世界的に知られる作家のマーク・トウェイン★（一八三五―一九一〇年）の共作小説『The Gilded Age』（一八七三年）の題名に由来しています。「Gilded」とは、金箔《きんぱく》をかぶせたといった意味で、カネ万能の社会と浅薄な成金趣味を皮肉ったものとされます。

この時代の米大統領の一人、グラントの政権は、金権政治にまみれます。鉄道建設

●マーク・トウェイン（米国議会図書館蔵）

◉マーク・トウェイン

アメリカのフロリダで生まれ、ミシシッピ河畔で少年期を送った。『トム・ソーヤーの冒険』をはじめ、『ハックルベリー・フィンの冒険』、『王子と乞食』など数多くの小説やエッセイを発表。一九世紀米国を代表する文学者の一人になった。その作風や文章は、現代アメリカ文学の起点と評され、多くの小説家に影響を与えた。

に関連した公金横領事件や、大統領個人秘書が絡むウイスキー業者の不正事件など議員や政府高官らの汚職が続発し、南北戦争の英雄・グラントの名声も地に墜《お》ちてしまいます。

他方、この時代のアメリカは、第二次産業革命によって技術革新が進み、夢のある発明が相次ぎます。スコットランド生まれの物理学者・ベル（一八四七—一九二二年）は、難聴者のための学校を開き、音声研究から磁石式電話を発明し、七六年六月のアメリカ建国一〇〇年大博覧会では、電信電話装置を展示します。

同じく発明家にエジソン（一八四七—一九三一年）がいました。新聞の売り子から電信技師となった彼は、タイプライターや謄写版、蓄音機、白熱電球、電気機関車、活動写真などを矢継ぎ早に発明。その特許は一〇九三点にのぼったとされ、その発明品の数々が人々の日常生活を一変させました。新聞記者に「天才とは何か」と問われて、エジソンは、「九九％のパースピレーション（発汗）と一％のインスピレーション（霊感）」と答えました。つまり、大いなる努力とほんのわずかなひらめきが天才の成功の秘訣《ひけつ》なのでした。

エジソンに励まされ、ガソリン・エンジンを製作し、四輪車を走らせたのがフォード★（一八六三—一九四七年）です。フォードは、流れ作業による大量生産方式を考え出し、やがて「自動車王」と称せられるようになりました。

●ベルが発明した電話（一九一五年撮影、米国議会図書館蔵）

●自ら作った蓄音機の前に座るトーマス・エジソン（一八七〇年代撮影、米国議会図書館蔵）

カーネギーとロックフェラー

鉄鋼界を代表する企業家・カーネギー（一八三五―一九一九年）や、全米石油界に独占的な支配権を確立したロックフェラー（一八三九―一九三七年）が活躍したのもこの時代です。

四八年にスコットランドからアメリカにやってきたカーネギーは、郵便配達などの職を転々とした後、鋼鉄製レールの生産を始め、大量生産化に成功します。

彼は四〇歳のころ、進化論を唱えたイギリスの博物学者・ダーウィン★（一八〇九―一八

●アンドリュー・カーネギー（米国議会図書館蔵）

◉チャールズ・ダーウィン

医学や神学になじめなかったダーウィンは、一八三一年、測量船「ビーグル」号に乗って五年間、南半球を航海し、動植物や地質を観測した。この中で、エクアドル沿岸の火山島に上陸した際、巨大な亀とイグアナに出会い、生物進化論を直感した。ちなみに、この島をスペイン語で亀を意味する「ガラパゴス」と名付けたのはダーウィンだといわれる。生物の進化とその要因について説いた『種の起原』を五九年に出版。日本では九六年に翻訳が出た。

◉ヘンリー・フォード

一八九一年、デトロイトでエジソン電気会社に技師として採用される。一九〇三年には自分の会社である「フォード・モーター」を創立。〇八年に投入した大衆車「モデルT」は、「ブリキの車」の愛称で親しまれ、アメリカで二〇〇〇万台以上を売り上げる成功を収めた。フォードは三六年、ロックフェラーら大産業人と同様、慈善事業団体「フォード財団」を設立した（『ラルース図説世界史人物百科』）。

二年）の『種の起原』や、イギリスの社会学者・スペンサー★（一八二〇―一九〇三年）の社会進化論にいたく共感したといわれます。スペンサーの哲学は、金ぴか時代のアメリカで、百万長者も貧者も「自然淘汰《とうた》の産物」などと受け止められ、もてはやされました。

カーネギーは晩年、莫大《ばくだい》な財産を大学や図書館などに寄付します。その一つ、ニューヨークのコンサート会場である「カーネギー・ホール」のこけら落とし（九一年五月）では、ロシアの作曲家・チャイコフスキー（一八四〇―九三年）が指揮をとりました。また、ロックフェラーも、慈善団体「ロックフェラー財団」の設立などに巨費を投じ、教育・社会事業に力を尽くしました。

一方、大企業の出現や利潤追求を第一とする資本主義の進展は、経営者と労働者との対立を生み、七〇年代には各地で、労働条件の改善をめぐる労使紛争が広がりました。

「労働騎士団」という名の組織が広がり、八四年の鉄道ストライキを契機に会員が増加、約七〇万人に膨らみます。しかし、八時間労働を求める全国ストライキで、無政府主義者が演説中に爆弾テロが発生、この事件をきっかけとして衰退に向かいました。騎士団に代わって八六年、職能別大組合の連合組織「アメリカ労働総同盟」（AFL）が正式発足し、労働者の地位向上や賃上げなどを目指す現実的な運動を通じて組合員を増やしていくことになります。

●ジョン・ロックフェラー（米国議会図書館蔵）

アメリカ、世界一の工業国へ

一九世紀後半、日米両国でほぼ同時期に起きた、「南北戦争」と「明治維新」を比較したユニークな論文に「明治維新と南北戦争」（佐伯彰一『外から見た近代日本』所収）があります。

それによりますと、当時、日本もアメリカも、類似の国際的環境の下、ヨーロッパ列強の干渉を招いて分裂国家に至る可能性がありました。しかし、両国の指導者はこれを乗り切り、一八六〇年代、「近代化・ナショナリズム」という同じ出発点につき、ともに猛烈なスタート・ダッシュで走りつづけ」たというのです。

確かに、アメリカは、鉄鋼生産や石油精製など基幹産業が発展し、八〇年代を境に農業国から工業国へと大きく転換。一九世紀末には、石炭採掘高でも、銑鉄《せんてつ》生産高でも、綿花消費高でも、イギリスを引き離し、世界第一の工業国に成長します。日本経済も、この間に発展を遂げ、「産業化、工業化、都市化という経済的な側面と、常備軍の整備・充実という軍事的な側面との、二つについてみるなら、両国の規模の相違

◉ハーバート・スペンサー

鉄道技師、経済誌の記者などを務めたのち、著述生活に入った。生物だけでなく、あらゆる事象を単純なものから複雑なものへの進化としてとらえ、主著『総合哲学体系』一〇巻を著した。その社会進化論、自由放任主義は、日本にも移入され、徳富蘇峰はこれを基礎に『将来之日本』（一八八六年）を書き、ベストセラーになった。

は別として、ほぼそっくりの推移、展開」をたどります。

一九世紀末、アメリカはスペインとの戦争（一八九八年）に勝利してフィリピン・グアムを獲得。日本が日清戦争（一八九四—九五年）に勝利して台湾を領有するのも同じ時期のことで、やがて両国は太平洋国家として対峙《たいじ》することになるのです。

4 「国民皆学」と「国民皆兵」

身分制度の廃止

岩倉具視、木戸孝允らがアメリカに長逗留《ながとうりゅう》している間、留守政府の大隈重信や井上馨、江藤新平、山県有朋らは、使節団との「約定《やくじょう》」に拘束されず、軍事・教育・税制面で近代化政策を展開していきます。

この「約定」というのは、使節団出発三日前の一八七一年一二月、岩倉や木戸、大久保利通らの使節組と、留守を預かる三条実美（太政大臣）、西郷隆盛（参議）、大隈重信（同）、板垣退助（同）らの間で交わされた「約定一二か条」の覚書のことです。

覚書は、「国内外の重要案件は、お互いの報告を欠かさない」、「内地の事務は、大使が帰国のうえ改正するので、なるべく新規の改正をしない」、「諸官省長官の欠員は任命せず、官員も増やさない」などとしていました。つまり、新規事業や重要人事を事実上、凍結する内容でした。しかし、留守居組は、大隈の表現を借りれば、既定の施策はもとより新規の政策を、「前後を顧慮する暇《いとま》もなく」、あれよあれよという間に「短兵急に断行」（『大隈伯昔日譚《たん》』）していったのです。

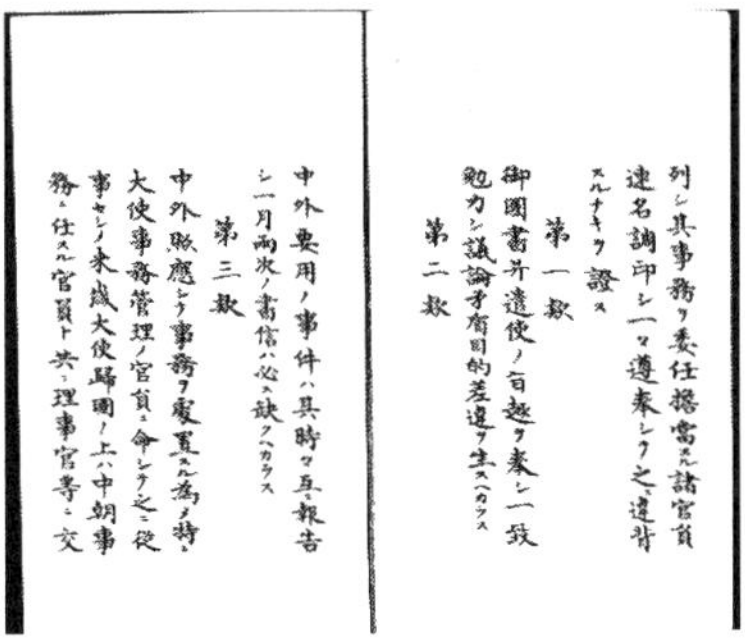
列シ其事務ヲ委任擔當スル諸官員
連名調印シ一々遵奉シテ之ニ違背
スルナキヲ證ス
第一款
御國書并遣使ノ旨趣ヲ奉シ一致
勉力シ議論矛盾目的差違ヲ生スヘカラス
第二款
中外要用ノ事件ハ其時々互ニ報告
シ一月兩次ノ書信ハ必ス缺クヘカラス
第三款
中外照應シテ事務ヲ處置スル爲メ特ニ
大使事務管理ノ官員ニ命シテ之ニ従
事セシメ來歳大使歸國ノ上ハ中朝事
務ニ任スル官員ト共ニ理事官等ニ交

●約定一二か条（「大臣参議及各省卿大輔約定書」、国立公文書館蔵）

しかし、その後、使節団のアメリカでの条約交渉失敗をはじめ、留守政府による新規政策や太政官制改革など「約定違反」の出来事が相次ぎます。それは使節団と留守政府との間に軋《きし》みを生じさせ、岩倉使節団帰国直後の大政変（明治六年の政変）の一因になります。

さて、明治維新が人々にもたらした変革のはじまりは、封建的身分制度の廃止でした。六九年の版籍奉還で藩主—藩士の主従関係が解消されたのに伴い、政府は、これまでの藩主・公家を「華族《かぞく》」、藩士や旧幕臣を「士族《しぞく》」、百姓・町人を「平民《へいみん》」と定めました。七〇年、平民には、苗字《みょうじ》（名字）をつけることが初めて許されました。また、華族・士族・平民相互の結婚も許可されました。

七一年五月には戸籍法が定められ、「四民（士農工商）平等」の見地から、これまでの身分を基本にした「宗門人別帳《しゅうもんにんべつちょう》」をやめ、居住地別に記載する統一戸籍が編成されます。同年一〇月、政府は、いわゆる解放令（穢多《えた》・非人《ひにん》等の称廃止令）を布告し、封建的身分制度で最下層だった賤民《せんみん》身分を廃止し、身分・職業は「平民同様たるべき事」としました。ところが、行政府みずからが廃止令に反し、旧賤民身分に「新平民」の呼称を用いて差別扱いしました。その後も、被差別部落の住民に対する社会的、経済的な差別は解消されず、西光万吉《さいこうまんきち》（一八九五—一九七〇年）らが差別の撤廃を求めて「全国水平社《すいへいしゃ》」を結成するのは、一九二二（大正一一）年のことです。

学制公布

明治維新当時、わが国には、徳川時代からの寺子屋や藩校、郷学《きょうがく》、私塾など多数の教育機関がありました。維新政府の成立宣言といえる「五箇条の御誓文《ごせいもん》」は、「旧来の陋習《ろうしゅう》を破り」「智識《ちしき》を世界に求め」ようと、新しい教育指針を示しました。六九（明治二）年一月、木戸孝允は、「人民の富強こそが国の富強」の礎であり、一般人民に知識がなくしては維新も空名《くうめい》に終わるとして、「全国に学校を振興」するよう唱えました。伊藤博文も、東西両京に大学を、郡村に小学校を設けることを提案しました。ただ、こうした文明開化の教育路線は、儒学や国学中心の教育を求める論者から批判を受け、直ちに政府の受け入れる所とはなりませんでした。

廃藩置県直後の七一年九月、教育行政を担当する文部省が設置され、文部大輔《たいふ》（文部次官）の江藤新平★が最高責任者になりました（文部卿＝文部大臣は欠員）。

当時、新政府の教育行政機関だった「大学校」は、国学派と儒学派と洋学派が対立

●設置当初の文部省（国立国会図書館ウェブサイトから）

◉江藤新平

肥前佐賀藩士出身。脱藩して上京、尊攘派公家と連携したため、藩から永蟄居《えいちっきょ》を命じられた。王政復古とともに許され、東征大総督府監軍、江戸鎮台府判事となり、大木喬任と連署で江戸遷都を建議。文部大輔、左院副議長、そして留守政府の司法卿を歴任し、主に制度づくりで強い政治的腕力をみせつけた。征韓論争に敗れて下野し、民撰議院設立建白に署名して帰郷後、征韓党に推されて兵を挙げたが（佐賀の乱）、敗れて刑死した。

して紛争を続けていました。江藤は、文部省に加藤弘之（一八三六―一九一六年、のちの東京大学総長）や箕作麟祥《みつくりりんしょう》ら洋学者を採用し、教育行政にも啓蒙《けいもう》主義路線を敷きます。江藤と同じ佐賀藩出身の大木喬任《おおきたかとう》★（一八三二―九九年）が文部卿に就任し、七二（明治五）年九月五日（陰暦八月三日）、日本の基本的な学校制度を定めた法令「学制《がくせい》」が公布されました。

「不学の戸」をなくす

「学制」の趣旨を明らかにした「被仰出書《おおせいだされしょ》★」（学事奨励に関する太政官布告）は、まず、「学問は身を立るの財本《ざいほん》」にして、「人たるもの誰か学ばずして可ならんや」と、国民すべてに学問が必要だと強調。今後は、「一般の人民、必ず邑《むら》に不学《ふがく》の戸なく、家に不学の人なからしめん事を期す」と述べ、男女の別なく、すべての子供を小学校に就学させるとしました。

言わば「国民皆学《かいがく》」のススメです。また、授業も、「国家のため」と唱えて「空理《くうり》虚談《きょだん》」（無駄な理屈）に陥っていた従来型を改め、読み書きそろばん、職業上の技芸、法律・政治・天文・医療など実学を重視するよう求めました。

学制の本文は、全国を八大学区に区分し、各大学区に大学校一、中学校三二、各中学区に小学校二一〇を設ける計画を示し、国民はすべて六歳で入学するとしていました。学区制はフランスがモデルでしたが、これだと小学校を全国で計五万三七六〇校もつくる勘定になります。人口六〇〇人に一校というのは、いかにも非現実的で、結

●大木喬任（国立国会図書館ウェブサイトから）

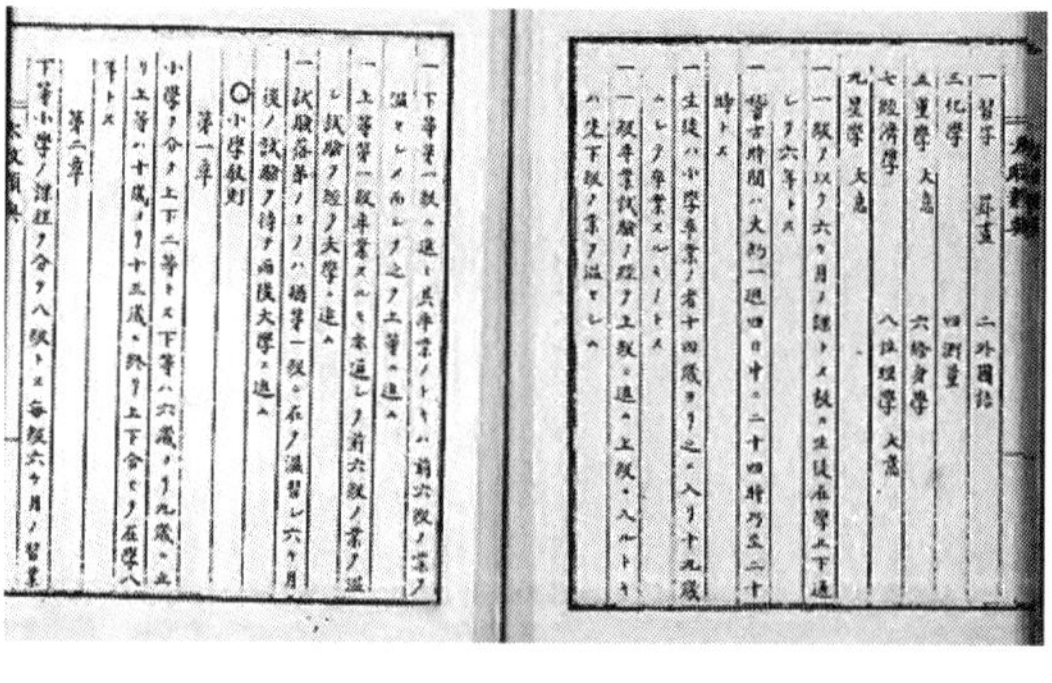
●小学教則（国立公文書館蔵）

局、机上のプランに終わりました。
しかし、文部省は、小学校の設立に力を注ぎ、七五年には全国に二万四三〇三校が生まれます。就学率も三五％（男子五一％、女子一九％）になりました。就学が敬遠された理由は、児童が貴重な労働力であったことや授業料負担にあったようです。
七三年の「小学教則」で、教科は「読物・算術・習字・書取・作文・問答・復読・体操」の八つに定められました。福沢諭吉が世界の地理や歴史について書いた『世界《せかい》国尽《くにづくし》』も、授業で使われていて、児童らは「世界は広し万国は、多しといえど、おおよそ五つに分けし名目は、アジア、アフリカ、ヨーロッパ、北と南のアメリカに、境限りて五大州」などと、名調子の七五調で暗唱し、世界への目を養いました。

◉**大木喬任**

佐賀藩士出身。藩校「弘道館」に学び、国学者枝吉神陽《えだよししんよう》が尊皇論を唱えて結成した「義祭同盟」に参加。そこで江藤新平や大隈重信、副島種臣らと親しく交わった。東京府大参事、民部卿から文部卿に転じ、七三年、司法卿に就き、「萩の乱」「神風連の乱」には現地で判決を下した。その後、元老院議長、枢密院議長など要職を務めた。

◉**被仰出書**

「学制」は箕作麟祥ら洋学系統の取調掛によって起草された。その趣旨を示した「被仰出書」は、福沢諭吉『学問のすゝめ』（七二年二月頃初編刊行）に記された「一身独立して一国独立す」の思想の影響が指摘されている。当時、福沢の感化力は大きく、「文部卿は三田（慶應義塾の所在地）にあり」とまで言われていた。

徴兵令の制定

政府は七一年三月、薩摩・長州・土佐の三藩の合計一万の兵によって、親兵（のち近衛兵に改称）を編成し、自前の軍隊をもちました。八月に廃藩置県の詔書が出されると同時に、兵部大輔《ひょうぶたいふ》に就いた山県有朋★は、旧藩兵の解散を告示し、全国の兵権《へいけん》（軍を指揮する権能）を掌握します。七二年四月、兵部省が廃止され、陸軍省と海軍省が置かれ、山県は陸軍大輔に任命されました。

同年一二月二八日（明治五年一一月二八日）、「全国募兵」の制を設けるとの徴兵の詔書が発せられます。次いで翌七三年一月一〇日、国民の兵役義務を定めた徴兵令が出されます。徴兵の詔書と同時に公にされた太政官の告諭《こくゆ》は、大政一新して、士族も平民も等しく皇国の民であり、国に報いる道に別はない、と述べています。国民皆兵《かいへい》論者だった故・大村益次郎の遺志は、ここに生かされました。

しかし、国民皆兵制は士族の既得権を脅《おびや》かすものでしたから、政府内でも賛否両論が沸き上がりました。反対論者は、「武芸や戦争を知らない農工商の子弟は、その任に堪《た》えられない」「我が国の地勢では、ヨーロッパの大陸諸国のように徴兵で大兵を備える必要はない。英米両国のように志願制がよい」などと主張しました。これに対して、賛成派は、「志願制にすれば、薩長その他の強藩の兵ばかりになり、戊辰戦争で敗れた東北諸藩の兵士は徴兵を拒否し、そこに対立が生まれる」「財政上も、志願制は徴兵制に比べ多額の経費を要する」などと反論しました。

●山県有朋（国立国会図書館蔵ウェブサイトから）

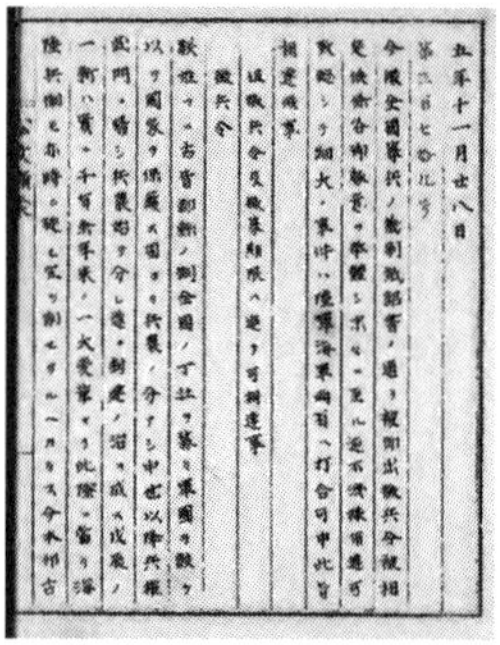

●徴兵の詔書（国立公文書館蔵）

徴兵の詔書が出た翌日の一一月二九日、大きなスキャンダルが発生しました。政商・山城屋和助《やましろやわすけ》★（一八三六―七二年）が陸軍省内で割腹自殺したのです。陸軍省出入りの御用商人として、巨利を博し、パリで豪遊していたところを目をつけられ、帰国後、借用した公金の返済を迫られ万事休したようです。

この不祥事で山県は窮地に追い込まれ、近衛都督を辞します。西郷参議がこれを兼務し、近衛兵の動揺を抑えたおかげで、山県は政治生命をつなぎました。山県には幕末の長州藩で、奇兵隊という精兵をつくりだした実績がありました。それが徴兵制反対論を抑える材料になりました。

◉山県有朋と徴兵令

長州藩士だった山県は六九年、藩主からヨーロッパ視察の命を受けた。軍事・政治面で世界の大勢に後れをとらぬようにと、自ら外遊を切望。薩摩藩の西郷従道《つぐみち》（隆盛の弟）とともに、一年間にわたり欧州の軍制を学び、西洋文明に強い衝撃を受けた。山県は、兵制について「プロイセン式」を望んだが、政府はすでに七〇年十月、海軍は「イギリス式」、陸軍は「フランス式」と定めていた。また、山県は、「男子生まれて二十歳に至り、兵役に充てしむべき者は、士卒を論ぜず」と、国民皆兵主義を主張したが、徴兵は例外の多い、緩やかな規定で始まった。

◉山城屋和助

寺の小僧から還俗して奇兵隊に入り、山県の下で、下関攘夷戦争・戊辰戦争に従軍した。維新後、横浜に出て貿易商人となった。山県から便宜を受けたとみられる兵部省の公金で、生糸相場に手を出して失敗し行き詰まった。

徴兵逃れ

徴兵令によると、男子一七歳から四〇歳までを兵籍に登録して国民軍とします。二〇歳で徴兵検査を行い、さらに抽選をもって現役に徴募して、三年の常備軍を編成するとしていました。常備軍役を終えた者は、家に帰りますが、さらに年に一度の短期勤務のある第一後備役二年、勤務のない第二後備役二年の合計七年間にわたる兵役義務を定めていました。

しかし、徴兵令には、たくさんの「例外」（免役制）が設けられていました。例えば、身長五尺一寸（約一メートル五四センチ）未満の者や、官吏、医科学生、海陸軍・官公立学校生徒、外国留学者などは免役とし、また「一家の主人」（戸主）とその後継ぎ、一人っ子、一人孫、養子も除外されました。

このため、徴兵検査の前に誰かの養子に入って徴兵を逃れる「徴兵養子」という言葉がありました。さらに代人料といって、二七〇円を上納すると「常備後備両軍を免ぜられる」という金持ち優遇策もありました。つまり、国民皆兵といいながら抜け穴だらけで、「徴兵逃れ」は後を絶ちませんでした。

陸軍現役兵の徴集人員は、七三年の二三〇〇人で始まり、徴兵令の改正★により、免役条件が狭められ、「国民皆兵」の原則に近づいていきます。

地租改正

明治政府は、各藩の借金を引き受けました。ただし、そのすべては負いかねるとして、踏み倒したケースも多かったようで、大名に金を貸していた三四の商家のうち、二三家もが倒産したと言われます。発足したばかりの明治政府の財政は、それだけ困難を極めていました。各省から予算要求が殺到し、それぞれの政策を実施するには安定した財源が欠かせませんでした。

政府の歳入は、それまで農民が年貢として納める米で賄われてきました。ところが、豊年と凶年で収穫高に増減があるうえ、全国から集まる米の保管も大変でした。土地税制改革は、摂津《せっつ》県知事だった陸奥宗光《むつむねみつ》（一八四四―九七年）らが具体的なプランを提出し、論議が活発化しました。とくに政府機関の制度寮にいた神田孝平《たかひら》★（一八三〇―九八年）は七〇年、米納原則の弊害を指摘、田地売買を許可し、金納《きんのう》に改めるよう提案しました。

こうした中、大蔵省は、財政再建を期して土地と税制の大改革、すなわち「地租《ちそ》（土

●神田孝平

◉徴兵令の改正

一八七九年の改正で、常備軍を終えた者は予備軍三年、後備軍四年に服することとし、兵役免除の範囲は縮小・限定された。八三年の改正では、現役三年、予備役四年、後備兵役五年、身体的条件以外の免役を認めないとした。八九年に発布された明治憲法は、臣民の兵役義務を定め、徴兵令は全面改正された。

地に対して課する収益税）改正」にいよいよ着手します。岩倉使節団出発前の七一年一〇月、大蔵卿・大久保利通と大蔵大輔・井上馨が、統一国家にふさわしい新税制の必要性を建議。租税負担の公平を図ること、「米納」に変えて「金納」租税に統一すること、土地売買の自由などが政府の基本方針として打ち出されました。

七二年、田畑永代売買《えいたいばいばい》の禁止令★を解除し、土地の所有者を確定して地券（土地所有権を示した証券）を与えます。地券には、土地収益から算定した地価が記載されており、これに基づいてその三％を地租として徴収することにしました。さらに地方税として一％が加算されることになります。

地租改正は、七三年七月に条例が公布され、八一年までにほぼ完了します。

●井上馨（国立国会図書館蔵）

太陽暦の採用

政府は旧暦（太陰《たいいん》太陽暦）を廃止して太陽暦を採用することにしました。これも西洋諸国にならったものです。その移行を前にして七二年一二月九日、改暦の式が皇居で行われました。明治天皇は伊勢神宮を遥拝《ようはい》した後、明治五年一二月三日をもって明治六年一月一日となす、と告げました。

天皇が正院で太政大臣・三条実美に示した改暦の詔書によれば、その理由として、二、三年ごとに「閏《うるう》月」を置かなければならない太陰暦に比べて、太陽暦は四年ごとに一日を加えればよく、最も精密で便利である旨を挙げていました。

また、政府は、これとは別に、国家財政の上からも太陽暦導入の必要に迫られていました。明治政府は、官吏の俸給を前年から月給制としたため、一三か月になる閏年では、支出額が一か月分増えてしまいます。当時、そんな財政余力はなく、来年に閏年が迫る中で、太陽暦の実施を決断したというわけです。

しかし、突然の暦の変更で迷惑をこうむったのは庶民です。当時は、商取引で「大《おお》晦日《みそか》払い」が多く、突然、それが一か月繰り上げられたわけですから、商工業者らはさぞや大あわてしたことでしょう。

こうした新政府による一連の近代化政策は、国民の間に新たな負担・不安感を与え、これに反対する「一揆《いっき》」が頻発します。

とくに徴兵制の「兵役義務」は、これを忌避する道はあったにもかかわらず、反発が広がります。とくに徴兵告諭の中に、西洋人は兵役を称して「血税」と言い、「其《その》生血《いきち》を以《もっ》て国に報ずるの謂《いい》(意味)なり」と書かれていたことから、徴兵が生き血を

◉神田孝平

美濃国(岐阜県)出身。江戸で漢学、蘭学を学び、蕃書調所教授として「数学」を教えるとともに、西洋経済学を訳出・紹介した。一八七〇年の「田租改革建議」で、土地・租税の制度改革を唱えた。兵庫県令、元老院議官、文部少輔などを歴任。啓蒙思想家として「明六社」に参加し、開明的な論考を発表した。

◉田畑永代売買禁止令

徳川幕府は一六四三年、百姓が持っている田畑の永代売買を禁止する法令を出した。富裕な百姓が土地を買い集めて町人化することや、貧しい百姓が田畑を売り払って困窮するのを避ける狙いがあったとされる。しかし、田畑の質入れ・質流れは認められていたことから、それほど実効はなかったという。

とるという流言を生んだのです。

このため、徴兵令制定の七三年から七四年にかけて、三重や福岡、大分、愛媛各県など西日本を中心に徴兵令反対の農民一揆（血税《けつぜい》一揆）が続発しました。七三年五月の北条県（岡山県）美作《みまさか》地方の一揆には、大阪鎮台の軍隊が出動し、処罰者は死刑も含めて二万七〇〇〇人近くに上りました。

これら一揆の理由には、徴兵だけでなく地券発行や断髪・洋装、小学校の建設費負担、新暦採用なども挙げられます。なかでも地租改正は、農民たちに対し、これまで以上に重い税が課されるのではないかという強い不安を与えました。

七六年一二月には、三重県下で地租改正反対の大規模な農民一揆が発生し、愛知、岐阜県などに波及しました。士族の反乱と農民一揆が結びつくことを恐れた内務卿・大久保利通は、地租の税率を三％から二・五％に引き下げるよう提案、七七年一月、その旨の詔勅が出されました。これは、政府が受けた衝撃の大きさを物語っています。

5　津田梅子と大山捨松

サムライの娘たち

一八七一（明治四）年一二月、日本を出発した岩倉使節団の中の五人の女子留学生の名は、津田梅子《うめこ》（数え八歳）、永井繁子《しげこ》（九歳）、山川捨松《すてまつ》（一二歳）、吉益亮子《よしますりょうこ》（一五歳）、上田悌子《ていこ》（一六歳）でした。アメリカで教育を受けるのが目的で、少女たちのお世話役は、使節団に随行してアメリカに帰国する駐日公使デロングの夫人でした。

横浜港で、児髷《ちごまげ》に振り袖姿の彼女たちを見送る人々の間からは、こんな声が漏れました。「あんな娘さんをアメリカ三界《さんがい》（くんだり）へやるなんて、父親はともかく、母親の心はまるで鬼でしょう」。

最年少の津田梅子の父親は、元佐倉藩士で洋学者の津田仙でした。仙は六七（慶応三）年、幕府のアメリカ軍艦購入にからむ交渉でワシントンに派遣された勘定吟味役《かんじょうぎんみやく》・小野友五郎の随員として渡米した経験がありました。同じ随員の中には福沢諭吉もいました。仙は訪米の際、サンフランシスコで断髪し、自分の髪を国元へ送り、異様な頭で帰国しました。このエピソードからも相当な開明派だったことがわかります。

●五人の女子留学生。初めて洋装で撮影（左から永井繁子、上田悌子、吉益亮子、津田梅子、山川捨松。一八七二年、シカゴで）

山川捨松の父・尚江は会津藩家老をつとめた人で、長兄の浩は、幕府のロシア使節団に随行した経験があり、次兄の健次郎は、当時、北海道開拓使から留学生に選ばれて米国に派遣されていました。「捨松」は「咲子」から改名したものです。「捨て」たつもりで娘を手放す覚悟と、無事の帰還を「待つ」母の思いが、この名に込められたといわれます。

永井繁子は、静岡県の士族のところへ養女に出されて永井姓でしたが、実兄は、のちに三井物産社長など三井財閥で活躍する益田孝（一八四八―一九三八年）です。益田は、幕末に遣欧使節の随員となった父親の従者としてヨーロッパを訪問したことがありました。吉益亮子の父は東京府士族で外務大録、上田悌子の父は元新潟県士族で、外務中録でした。こうしてみると、五人の父親は、いずれも士族で、海外事情に通じ、明治維新ではいわば「敗者」の側に置かれていました。

女子留学生の発案者

女子教育★など考えられなかった時代に、女子をアメリカに留学させようと考えたのは誰だったのでしょうか。

提唱者は黒田清隆★（一八四六―一九〇〇年）です。政府軍参謀として函館・五稜郭の戦争を平定した黒田は七〇年、「開拓使」（北海道・樺太の開拓・経営を担当する官庁）の次官になります。黒田は北海道の開拓事業を進めるためには、近代技術の導入や日本人の人材教育が必要だと考えました。七一年には、七人の留学生とともに訪米してグラ

●渡米に先立ち、皇后との会見のため参内した日本初の女子留学生（左から上田悌子、永井繁子、山川捨松、津田梅子、吉益亮子）（津田塾大学津田梅子資料室所蔵）

ント米大統領と会談し、米農務長官・ケプロンの招聘《しょうへい》に成功しました。
この半年間にわたる訪米で、アメリカ女性の社会的地位の高さや女子教育の進展に刺激を受けた黒田は、帰国後、女子留学の意見書を政府に提出し、開拓使から派遣する女子の募集を始めました。黒田には、「教育を受けた女性からは、賢い子が育つので、次代のために女子を海外に送り出そう」という発想が強かったようですが、当時の少

◉女子教育

明治初期、上流の子女は家庭において、一般家庭ではわずかの子女が寺子屋などで読み書きを学ぶ程度だった。政府が学制を公布すると、女学校も生まれて女子教育も緒に就き、一八七四年に東京女子師範学校（お茶の水女子大学の前身）が設立された。一九〇〇年になると、私立の女子教育機関が生まれ、津田梅子の女子英学塾（津田塾大学の前身）や吉岡弥生の東京女医学校（東京女子医科大学の前身）などが創立された。一方、一八九九年、高等女学校令が発布され、各府県は公費で必ず高等女学校を設けなければならなくなり、高等女学校も増えていった。

◉黒田清隆

薩英戦争に参加し、討幕運動のあと、箱館戦争で指揮をとった。一八七〇年に開拓使次官、七五年に長官になり、屯田兵制度を導入するなど北海道の開拓にあたった。特命全権弁理公使として七六年、日朝修好条規（江華島条約）を結んだ。西南戦争では征討参軍として力を発揮した。八一年、開拓使官有物払い下げ事件で非難を浴びて辞任。第一次伊藤博文内閣の農商務相を務め、八八年には首相となり、八九年、明治憲法の発布にあたった。その後も薩摩出身の藩閥政治家、元老の一人として重きをなした。なお、黒田は、開拓使長官だった七八年三月、酒乱で妻を惨殺したという噂が巷間に流布された。伊藤博文や大隈重信は、黒田の処罰を迫ったが、大久保利通は、「黒田は、断じてさようなことをする無慈悲な人間ではない」と言い切り、大警視・川路利良に検死を命じた。その結果、黒田は、大久保に説得されて辞表を撤回したが、政治的な打撃は大きかった。

女の外国留学自体、きわめて大胆な試みでした。

留学期間は一〇年、政府から年間八〇〇―一〇〇〇ドル（当時一ドルは一円）が支給されることになっていました。東京帝国大学の授業料（七九年）が年額一二円という時代ですので、大変な厚遇といえました。ところが、当初、応募者は全くありませんでした。追加募集の末、津田ら五人だけが応募し、全員が合格しました。

彼女たちは出発前、明治天皇の美子《はるこ》皇后から皇居に呼ばれ、女子の「洋学修業の志誠」は殊勝なことであり、帰国の上は「婦女の模範」になるように、と書かれた沙汰書を下されました。

アメリカの娘として

七二年二月、ワシントン入りした五人のうち、吉益と上田の年長の二人は、健康がすぐれず、留学生活を断念して帰国することになります。

津田梅子（一八六四―一九二九年）は、ワシントン郊外ジョージタウンに住む日本弁務使館（公使館）書記官・ランマンの家にあずけられます。はじめは一年という約束でしたが、結局一〇年の長い年月を、知的で生活に余裕のあるランマン夫妻に、我が子同様愛されて過ごすことになります。梅子は、そこから私立小学校に通い、七三年七月にはキリスト教の洗礼を受けます。七八年夏からは、女学校のアーチャー・インスティチュートで学びました。

一方、山川捨松と永井繁子★（一八六一―一九二八年）は、七二年一〇月、米コネチカッ

●黒田清隆（国立国会図書館ウェブサイトから）

●津田梅子（ワシントンで）

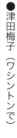

ト州ニューヘイブンのベーコン牧師の家に引き取られます。ベーコンは奴隷解放の運動家としても知られた人物でした。繁子は、間もなく別の牧師の家に移ります。

七五年九月、捨松は男女共学の公立高校に入学し、三年後には名門女子大学として知られるヴァッサー・カレッジに合格して、寮生活を送ります。繁子も、音楽専攻特別生として同カレッジに入学しました。捨松の成績はトップクラスで、在学中、校内誌に「日本の明治維新とその政治的背景」と題する記事を書く一方、卒業時には、イギリスの対日外交政策を批判する演説をしています。

梅子と捨松は、いずれも留学期間を一年間延長して、梅子は高校卒の資格を、捨松は学士号をそれぞれとります。捨松は、米国の大学の学位をとったアジア人初の女性といわれます。梅子と捨松は、一緒に帰国の途につき、八二年一一月、横浜港に着きました。

アメリカの娘として育った梅子も捨松も、まる一一年ぶりの日本とあって、もはや日本語がわかりませんでした。故国は異国になり、まるで異邦人のようでした。二人は、カルチャーショックに見舞われながら、日本語の読み書きを学習しますが、「長い、含みのある、意味のはっきりしない、理解し難いセンテンス」（梅子）に大変、苦しみ

●永井繁子

◉永井繁子

永井繁子は、八一年に一足先に帰国した。ヴァッサー在学中に知り合ったアナポリス海軍兵学校の留学生・瓜生外《うりゅうそと》吉《きち》と結ばれ、津田梅子は結婚式に出席した。繁子は、東京音楽学校でピアノを教えた。瓜生は日露戦争の時、第四戦隊司令官として出征し、緒戦の仁川沖海戦で勝利をおさめた。のちに大将となる。

ます。加えて二人を困惑させたのは、仕事が見つからないことでした。政府は、彼女たちを鳴り物入りで国費留学生として送り出しながら、帰国後の受け入れ態勢をとっていませんでした。

津田塾大学を創立

八三年一一月、梅子は、岩倉使節団のメンバーとして同じ船で渡米した参議・伊藤博文に再会し、伊藤家の家庭教師をします。そのあと華族女学校の開設と同時に英語教師となることができました。しかし、梅子はそれに満足することはできませんでした。八九年には再び渡米してブリンマー・カレッジに入学し、生物学を専攻します。ここで書いた論文「カエルの卵の適応性」は、日本女性として初の科学論文です。

九二年に帰国した梅子は、再び華族女学校で教鞭《きょうべん》をとり、九八年には女子高等師範学校教授を兼任します。そして在米中に抱いた夢である、日本の女子高等教育向上のための私塾の創設に動きます。一九〇〇年七月、勤務していた両校教授のポストを辞した梅子は、「女子英学塾」(津田塾大学の前身)設立の認可をとると、塾長に就任。捨松が顧問に就き、教師陣にはアリス・ベーコン★らを迎えました。

梅子は九月、一〇人の生徒を前に開塾のあいさつをし、「将来英語教師の免許状を得ようと望む人々に、確かな指導を与えることが塾の目的の一つ」としたうえで、英語だけでなく、幅広い知識と教養をもち、しとやかで謙虚な「完《まっ》たき婦人、すなわちallround women《オールラウンドウィメン》」を目ざして学ぶことを強調しました。

●女子英学塾の最初の校舎（一九〇一年、津田塾大学津田梅子資料室所蔵）

梅子は、女子のための最高学府の官位を返上した直後、アメリカの友人に対し、手紙で「とうとう私は〝自由〟になったのよ……保守的なものや古いしきたりとは決別し、一平民として、やりたいことをやりたいようにやるつもりです」と書いています（ジャニス・P・ニムラ『少女たちの明治維新』）。少女時代から背負わされてきた重い荷を降ろした解放感が伝わって来ます。岩倉使節団の一員として訪米してから三〇年近い歳月が流れていました。

鹿鳴館の貴婦人

山川捨松（一八六〇—一九一九年）は、戊辰《ぼしん》戦争の会津攻防戦のとき、わずか八歳の身で、家族とともに鶴ヶ城に籠城《ろうじょう》しました。与えられた仕事は「蔵《くら》から鉛の玉を運びだす」ことでした。官軍の砲弾によって義姉は無残な死に方をし、自分も軽傷を負いました。敗戦後は、会津若松を去って移封先の青森・斗南《となみ》地方に送られ、極寒不毛の地で野良仕事を手伝ったりしています。

捨松は八三年一一月八日、陸軍卿《きょう》の大山巌《おおやまいわお》★（一八四二—一九一六年）と結婚しました。

●大山捨松（国立国会図書館ウェブサイトから）

●大山巌（国立国会図書館ウェブサイトから）

◉アリス・ベーコン

アメリカ留学で山川捨松の世話を引き受けたベーコン牧師の末娘。八八年、ヴァージニア州の師範学校で教えていたアリスは、津田梅子の推薦により、華族女学校の講師として一年契約で来日した。梅子は、女子英学塾でも、アリスの協力をあおぐため、捨松とともにアリスの再度の来日を懇請し、教師として迎えることができた。

旧薩摩藩で西郷隆盛の従弟《いとこ》にあたる大山は、戊辰戦争には砲兵隊長として各地を転戦し、会津の鶴ヶ城攻防戦に参加していました。城に砲弾を撃ち込んでいた宿敵・薩摩の軍人からの結婚申し入れを、山川家は拒絶します。しかし、西郷の弟で農商務卿だった西郷従道が間に入って説得し、山川家も捨松の意思次第というところまで折れます。

大山は七〇年、ヨーロッパを訪問して普仏戦争を視察し、いったん帰国後、今度は陸軍少将として渡欧し、フランスで軍政や砲術を研究して七四年に帰国しました。八〇年には陸軍卿に就任します。大山は当時、二四歳の捨松より一八も年上で、妻を亡くして三人の娘がいました。大山はパーティーの席上、外国語に堪能ですらりとした美人の捨松を見そめたようです。

当時、捨松は、宿願の学校を作る夢をあきらめ、結婚を考え始めていました。大山からの結婚申し込みに関して、捨松は、アリス・ベーコンあての手紙に、仕事か結婚か、揺れ動く心を綴《つづ》っています。

　私はお国のために結婚するのではありません。私はこの結婚を日本のためばかりでなく、自分自身のためにも真剣に考えています。お国のために役立つからといって、自分自身がみじめになるのはいやですが、自分も幸せになれ、その上お国のためにも役に立つ道もあるはずだと思います。

（久野明子『鹿鳴館の貴婦人　大山捨松』）

大山夫妻は、条約改正を悲願とする明治政府が開設した洋風二階建ての社交場「鹿《ろく》

●鹿鳴館（国立国会図書館ウェブサイトから）

鳴館《めいかん》」で、結婚披露の晩餐会を開きました。捨松はアメリカ仕込みの接待術をみせ、社交界に本格デビューし、「鹿鳴館の花」とうたわれる存在になるのです。

官費留学生が急増

ヨーロッパの先進文化の摂取《せっしゅ》に躍起だった明治新政府は、徳川幕府と同様、海外留学に熱意をみせ、これを推進しました。例えば、欧米の軍事・兵制・兵器研究などのため、山県有朋や西郷従道、大山巌、品川弥二郎らを欧米に派遣したのが好例です。七〇年には、陸軍兵学寮の生徒一〇人をフランスに、海軍兵学寮でも、四人をアメリカへ、一二人をイギリスにそれぞれ派遣しています。

文部省をはじめ、開拓使、大蔵省、工部省も積極的に留学生を送り出す一方、七一年には、華族に対して勅諭が出され、社会的指導層にふさわしく、文明開化の役割を果たすようにと、留学・海外視察を推奨しました。この結果、七〇年末から七一年の

◉大山巌

日本陸軍で、長州の山県有朋と並び立つ薩摩派の第一人者といわれた。七〇年、フランスに留学、観戦武官として普仏戦争をみる。陸軍の兵制をフランス式からドイツ式に転換させるため、八四年二月、陸軍卿として訪欧し、プロイセンのメッケル少佐を陸軍大学教師として招く契約を結んだ。八五年、伊藤博文内閣で初代陸相を務めたあと、第二次松方内閣まで各内閣の陸相を続けた。日清戦争は第二軍司令官として出征し、九八年に元帥、翌年に参謀総長となる。日露戦争では満州軍総司令官。一四（大正三）年から内大臣を務めた。

前半までの間、留学生が急増し、その数は三五〇—三六〇人と、この時期のピークに達しました。留学先はアメリカが最多で、これにイギリス、さらにドイツ、フランスが続きました。

しかし、留学生の急増は、質的なレベルの低下を招き、一部の雄藩出身者に偏《かたよ》る人選なども問題化します。とりわけ、官費留学生の費用の増大が国の財政を圧迫し、大蔵省などが留学生の減員と整理を求めます（石附実『近代日本の海外留学史』）。このため、岩倉使節団は、在外留学生の実態調査を行うことを委託されました。使節団の副使・伊藤博文は、実態調査の結果を受け、ロンドンから留守政府にあてて、このままでは「独り人才《じんさい》を養育するを得ざるのみならず、巨万の財用《ざいよう》を捨て」ることになるので、留学生の「修学の方法を一洗」する必要があると進言しました。

6 大久保利通とイギリス資本主義

ヴィクトリア女王の治世

岩倉使節団は一八七二年八月一七日、イギリスのロンドンに到着しました。

イギリス経済は一八四〇年代、どん底状態にありましたが、五一年、ロンドンで開かれた第一回万国博覧会を機に高度経済成長の波に乗ります。全館ガラス張りの大展示館「水晶宮（クリスタル・パレス）」が人気を集め、五か月半で延べ六〇〇万人を超える入場者を記録しました。この大イベントは、「世界の工場」と称されたイギリスの経済力と技術水準を各国に誇示する場となりました。

一八五〇―七〇年代前半のイギリスは、海外膨張の時代でもありました。この時にとられた帝国政策は、イギリスの研究者によって「自由貿易帝国主義★」と名付けられています。実際、日本も、この政策の例外ではなく、五四年の日英和親条約、五八年の日英修好通商条約締結により、イギリスに有利な自由貿易を強いられていました。

岩倉使節団は、ロンドンで、この不平等条約改正へ地ならしの交渉をするわけですが、結局、進展はみられませんでした。

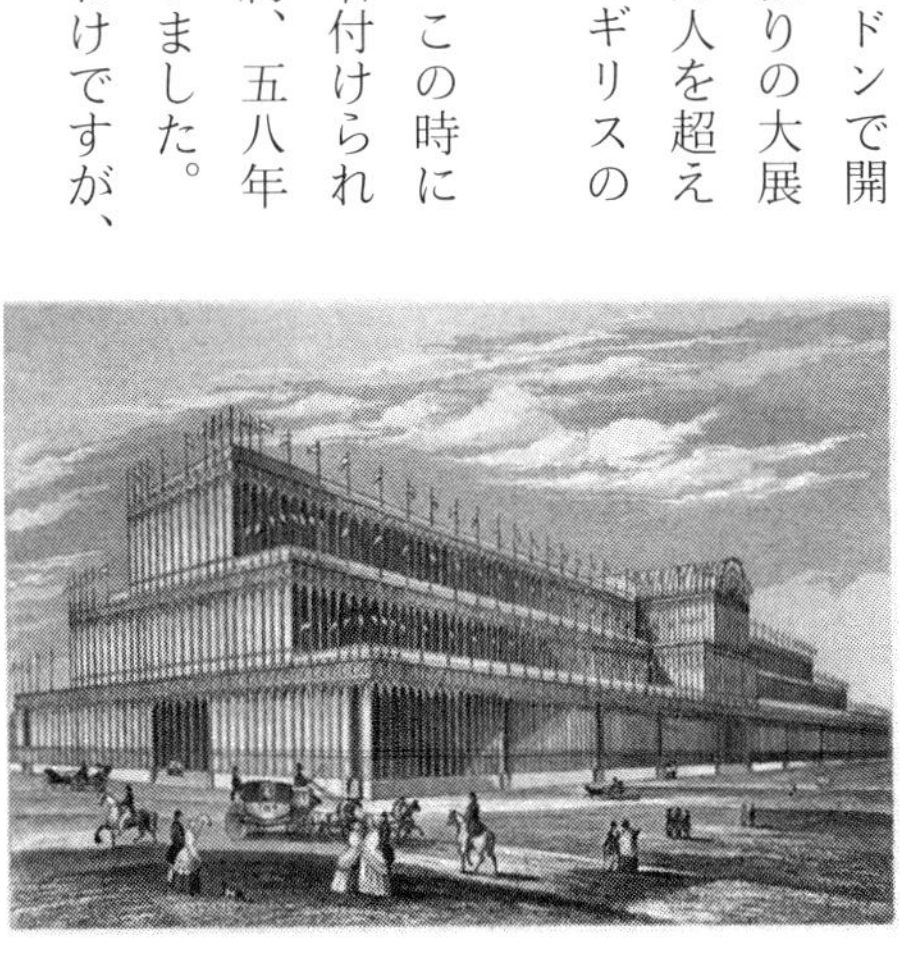

●第一回万国博覧会の会場となった水晶宮（大英図書館蔵）

そのころのイギリスは、ヴィクトリア女王（一八一九—一九〇一年）の治世でした。女王は三七年に一八歳で即位し、ドイツ出身のいとこアルバート公と結婚、九人の子供を産みました。姻戚関係を通じ、ヨーロッパ皇族の間で中核的な存在になります★。四〇—五〇年代には、清朝を相手にアヘン戦争やアロー戦争（第二次アヘン戦争）を起こす一方、五七—五九年のインド大反乱を鎮圧したあと、直接統治に乗り出し、七七年、インド皇帝に即位します。

岩倉使節団が予定より大幅に遅れて到着した結果、避暑でスコットランドの離宮にいた女王とは、すぐに謁見できませんでした。結局、ロンドン郊外のウィンザー城で、女王と会見できたのは一二月五日のことです。女王は席上、その右隣に座った第二王子・エジンバラ公が、六九年八月に訪日★した時の日本の接遇に謝辞を述べました。

大久保の西郷宛て手紙

岩倉使節団は、四か月にわたるイギリス滞在中、数多くの産業都市を訪れました。大久保利通がその模様を西郷隆盛に手紙で伝えています。

首府（大都市）ごとに、製作場（工場）あらざるはなく、なかんずく盛大なるはリバプール造船所、マンチェスター木綿器械場（綿紡績工場）、グラスゴー製鉄所、グリーノック白糖器械（精糖工場）、エジンバラ紙漉《しろく》器械所（製紙工場）、ニューカッスル製鉄所（アームストロングの小銃・大砲製作所）、ブラッドフォード絹織・毛織物

●ヴィクトリア女王（一八九〇年代撮影、大英図書館蔵）

●ウィンザー城（一八九〇年代撮影、米国議会図書館蔵）

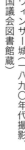

器械所、バーミンガム麦酒・ガラス製作所……。これに次ぐ大小の器械場、枚挙するにいとまあらず、英国の富強をなす所以《ゆえん》を知るに足るなり。僻遠《へきえん》に至り候《そうろう》ても、道路橋梁《きょうりょう》に手を尽くし、馬車はもちろん、汽車の至らざる所なし。

◉自由貿易帝国主義

イギリスの帝国史研究者であるJ・ギャラハートとR・ロビンソンが一九五三年に提唱した。それによれば、一九世紀においては、インド、オーストラリア、シンガポールなど国際法で認められた植民地＝「公式帝国」だけでなく、ラテンアメリカ諸国、中国、オスマン帝国のように、政治的には独立国（主権国家）であっても、経済的にイギリスの圧倒的な影響下に置かれた「非公式帝国」が存在した。イギリスによる海外膨張の基本政策は、「可能であれば、非公式支配による貿易を、必要ならば、軍事力による公式の領土併合によって」自由貿易を世界各地に強制することだった（秋田茂『イギリス帝国の歴史』）。

◉女王のネットワーク

ヴィクトリア女王は、九人の子供たちの「慈悲深い母」であると同時に、「ヨーロッパの祖母」とも呼ばれた。ヨーロッパの王侯貴族と結婚した王子は五人、王女は四人で、一九〇一年に女王が逝去した時、孫は四〇人、曽孫は三七人もいた。ヨーロッパの全土に、女王の子孫がいて、ヨーロッパ皇族の中核をなしていた。ドイツのヴィルヘルム二世は孫、ロシアのニコライ二世は孫娘の夫だった（『新もういちど読む山川世界史』）。

◉エジンバラ公来日

エジンバラ公は世界周遊の旅で横浜に寄港した。日本政府は、初めて迎える国賓であるエジンバラ公が皇居の門を通る際、外国人の「穢《けがれ》」から皇居を守るためとして、御祓《おはらい》の儀式を行っていた。幸い、外交問題化しなかったものの、エジンバラ公来日の準備にあたった岩倉具視らは、イギリス王室の離宮に入り、三年数か月前の出来事を思い起こしたかもしれない。

イギリスでは、一八三〇―四〇年代に鉄道ブームが起こり、鉄道営業距離は急速に伸びて、六〇年までに蒸気機関車が全土を走っていました。

使節団の記録係・久米邦武は、イギリスの旅を次のように総括しました。

> 英国は商業国である。船を五大洋に派遣し、世界各地から天産物を買い込んで自国に運び、それを石炭と鉄の力を借りて工業製品とし、ふたたび各国に輸出して販売している。欧米列国で工業生産を志すものは、その生産原料を英国市場において求めなければならない。また、農業に従事する者もまた、その収穫した産物を英国市場に向けて取引しなくてはならない。ロンドンという一つの都市に世界的大市場が成立し、世界の工業生産や貿易が盛んになるに従って、ロンドンはますます繁栄し、いまや三五〇万の人口を持つ大都市となるに至った。
>
> （『現代語訳　米欧回覧実記』）

大久保も、世界一のイギリスの経済力の源泉は「工業生産と貿易」にあると見極めました。そして大山巌《おおやまいわお》への手紙には、英国諸都市の繁栄は、「五十年以来の事なるよし。然《しか》れば皆、蒸汽車発明あって后《のち》の義」と書きました。これは、日本も産業革命を推進すれば、約五〇年でキャッチ・アップは可能だ、と判断したとも言えます。

しかし一方で、大久保は、イギリス滞在中、同行者に「私のような年取ったものは、これから先の事はとても駄目じゃ、もう時勢に応じられんから引くばかりじゃ」と弱気な言葉を吐いています。イギリス人から、同じ島国の日本は「東洋のイギリス」と

●大久保利通

●一八八〇年代のリバプール港の様子（大英図書館蔵）

言われても、なぜ、こんなに彼我の差が生じたのかを考えると、前途多難を思わざるを得なかったのでしょう。

殖産興業の強化へ

大久保は、次の訪問国であるプロイセンの日程を終えると、一足早く帰国の途につき、七三年五月二六日、帰国します。

大蔵卿（大臣）だった大久保は、「明治六年（征韓論）政変」を乗り切ったあと、殖産興業政策の推進機関として「内務省★」を設置して内務卿を兼務しました。「おおよそ国の強弱は人民の貧富に由《よ》り、人民の貧富は物産の多寡《たか》に係る」（七四年の勧業建白書）として、国民生活・経済重視の姿勢を打ち出します。政府主導の「上から」の産業育成策――つまり殖産興業《しょくさんこうぎょう》の強化を図ることになります。

この政策こそ、日本に、欧米で生まれた資本主義――工場や機械・原材料などの生産手段を所有する資本家が、労働者から労働力を商品として買い、生産活動を行って

◉**内務省**

一八七三年一一月に設置された。国民生活全般にわたる事項を管轄し、殖産興業政策の推進機関になった。初代内務卿は大久保利通。殖産興業は農商務省に移管され、内閣制度発足後は、現在の自治、厚生、建設、労働、警察などの省庁を合わせたような強力な官庁となる。初代内務相は山県有朋。とくに「警保局」は、特高警察を含む全国の警察組織を統率し、消防、衛生なども所管した。一九四七年一二月、ＧＨＱによって解体された。

利潤をあげる経済体制——を独自に導入・移植しようとする試みにほかなりませんでした。

殖産興業は、すでに七〇年に設置された工部省が手がけていました。まず、鉄道を敷設し、旧幕府が経営していた佐渡・生野《いくの》の鉱山や長崎造船所、さらには旧藩営の高島・三池《みいけ》などの炭鉱も、それぞれ接収して官営事業にしました。

通信では七一年、前島密《まえじまひそか》の提案で、江戸時代の飛脚制度にかわって近代的な郵便制度が出来ました。電信も、六九年に東京—横浜間で開通し、間もなく全国規模のネットワークに発展します。

大久保は、内務卿として、農業技術の近代化と農地開拓を進めます。前者は、現在の東京・新宿御苑の地に置かれた内藤新宿《ないとうしんじゅく》試験場（一般農業技術・牧畜・養魚・製糸・製茶など）、三田育種場（植物試験場）、駒場農学校（東京大学農学部などの前身）、下総《しもうさ》種畜場（牛・馬・豚の改良と羊の飼養《しよう》）などを拠点とし、後者では、福島県安積《あさか》平野の開拓事業が挙げられます。

安積疏水と富岡製糸場

安積《あさか》開拓事業★は、猪苗代湖の水を安積平野に引いて田畑の干害を防ぐとともに、新田を開いて困窮した士族の授産に結びつけるものでした。ここで設けられた全長約一三〇キロメートルの水路が「安積疏水《そすい》」です。一八七六年、大久保は福島県を訪れたのを機に、この開拓事業を推進します。実際の工事は七九年一〇月に着工され、八二

●安積疏水の十六橋水門（二〇〇一年一一月撮影）

年一〇月に完成しました。ただ、大久保自身は、安積疏水を含む国土計画に関する七大プロジェクトを建議した直後の七八年五月、テロで死去したため、安積疏水を見ることはできませんでした。

大久保はまた、官営模範工場の設立を主導します。七六年に毛織物の千住製絨所《せんじゅせいじゅうしょ》（東京）を設立し、翌七七年には「新町屑糸《しんまちくずいと》紡績所」（群馬）を開業しました。

国内初の官営器械製糸場である「富岡《とみおか》製糸場★」（群馬県）は、七二年に操業を開始しました。フランスから輸入された機械を使って、全国から女子の工人を募集。そこで伝習を終えた工女は、出身地に戻って製糸の技術的リーダーとなりました。

大久保は、貿易と海運を外国人の手から取り返すため、生糸や茶などの産品の直輸出を試みています。同時に、政府の所有船を旧土佐藩出身の岩崎弥太郎《やたろう》（一八三五―八五年）が経営する「三菱」（郵便汽船三菱会社）に与えて、手厚い海運保護政策をとりました。この優遇策は非難も受けましたが、これにより近海から外国汽船を追い出し、

●富岡製糸場（二〇一四年六月撮影）

◉安積開拓事業

安積原野の開拓は、一八七二年に福島県令になった安場《やすば》保和《やすかず》（一八三五―九九年）らによって始められた。安場は肥後出身で、横井小楠の四天王の一人。維新後、新政府入りした安場は、七一年、租税権頭として岩倉使節団に随行して欧米を歴訪し、一足早く帰国、同県令に就いた。

◉富岡製糸場

一八七一年から建設が始まり、翌七二年に完成した。輸出された生糸は、優良品として海外で好評を得、富岡を模範とする中小の製糸場が日本の各地に作られた。九三年、三井への払い下げが決まった。富岡製糸場は二〇一四年、ユネスコの世界遺産に登録された。

三菱は東洋最大の汽船会社に育つことになります。

このようにして大久保は、「政府主導によって世界市場に適応しうる資本主義的生産様式を造り出していこうとした」（三谷太一郎『日本の近代とは何であったか』）のでした。

お雇い外国人

安積の干拓事業では、オランダ人技師のファン・ドールン（一八三七—一九〇六年）が七二年に来日し、工事の設計にあたりました。また、富岡製糸場でも、フランス人のブリューナ（一八四〇—一九〇八年）らが、製糸機械を買い付け、熟練の技師や工女を日本に連れてきました。

明治政府は、欧米諸国から多数の「お雇い外国人」を採用しました。それも殖産興業分野に限らず、政治・法制・軍事・外交・金融・財政・教育・美術・音楽など人文社会分野まで多岐にわたります。フランスの法学者で民法・刑法の起草にかかわったボアソナード（一八二五—一九一〇年）、ドイツの法学者で明治憲法の生みの親と称されたロエスレル（一八三四—九四年）は、その代表的存在です。また、条約改正や日清、日露両戦争時の外交交渉に参画したデニソン（一八四六—一九一四年）と、教育令の作成などに貢献したモルレー（一八三六—一九〇五年）は、いずれもアメリカ人でした。

殖産興業政策を建言したドイツ人化学者のワグネル（一八三一—九二年）、岡倉天心★（一八六二—一九一三年）とともに東京美術学校の設立に努めたアメリカ人哲学者で美術研究家のフェノロサ★（一八五三—一九〇八年）もいます。彼らは皆、日本でそう呼ばれる

●岩崎弥太郎

●ファン・ドールン

●ワグネル

●岡倉天心

ままに「ＹＡＴＯＩ」と自称した、お雇い外国人でした。明治政府は、欧米の生産技術や近代的な制度を上手に導入・移植するには、直に教えを請うのが効率的と考えていました。多数の日本人留学生も、すぐには役立たず、当面は外国人教師に頼らざるをえなかったのです。

政府雇用の「お雇い外国人」は、七四、七五年にそれぞれ約五二〇人を数えたのが最多で、技術者と学術関連の教師が約七割を占めていました。大久保が内務卿として殖産興業を展開した時期にあたります。国別では、イギリスが半数以上を占め、フランス、アメリカ、ドイツの四か国がこれに続きました。

●フェノロサ

◉岡倉天心

横浜で生糸商を営んでいた越前藩士の子として生まれ、幼い頃から英語を学んだ。東京大学卒業後、文部省で美術行政に携わり、フェノロサとともに欧米各国を視察し、八九年には東京美術学校（東京藝術大学の前身）を開校した。同校の校長として日本美術史の講義も行い、横山大観、下村観山、菱田春草らを育てた。野に下って日本美術院を作った後、インドを旅行し、詩人・思想家のタゴールと親交を深めた。滞在中にアジアの解放を唱えた『東洋の理想　The Ideals of the East』を執筆し出版した。一九〇四年にアメリカに渡った天心は、ボストン美術館の中国・日本美術部に迎えられた。『日本の目覚め　The Awakening of Japan』や『茶の本　The Book of Tea』など英文の著作を通して日本や東洋の文化を世界に発信し、日本の文化の優秀性を強調。その後は茨城県五浦に拠点を移して活動した。

◉アーネスト・フェノロサ

七八年に来日したフェノロサは、東大文学部でドイツ哲学などを講じ、多くの学生に思想的影響を与えた。欧化主義の時代に日本美術の長所を訴え、日本古美術の調査にあたって『東亜美術史綱』を著した。九〇年、帰国してボストン美術館に新設された東洋美術部長になった。日本の「哲学・美学の父」とも称せられる（梅渓昇『お雇い外国人』）。

お雇い外国人の七四年の月給をみますと、八〇〇円（太政大臣相当）以上が一〇人を数えています。大久保の月給五〇〇円に対して、ロエスレルやモルレーは六〇〇円です。もちろん、すべてが大臣並みの高給ではありませんが、「富国強兵」のためとはいえ、いかに高額の出費を覚悟して外国人を雇っていたかがわかります（梅渓『お雇い外国人』）。

一八八〇年になると、政府雇いの外国人の数は、最盛期に比べて半減しますが、学校や会社にプライベートで雇われる外国人は、逆に増えていきました。

「死の跳躍」を越えて

お雇い外国人は、日本の急ピッチの近代化・資本主義化・文明開化をどうみていたのでしょうか。

七三年に来日したイギリスの言語学者チェンバレン（一八五〇―一九三五年）は、はじめ海軍兵学寮の英語教師になり、間もなく浜松藩の老武士から日本の古典を学び始め、八六年には東京の帝国大学「日本語学」の教授になります。

チェンバレンは、代表作『日本事物誌』の中で、「薩摩、長州の抜け目のない武士たち」は、攘夷から一転して「欧化」を宣言したが、「これほどすばやく、賢明な豹《ひょう》変《へん》は、歴史上かつて見たことがない」と書いています。そして西洋の侵略から領土を保全できなかったインドや中国を挙げつつ、日本の「指導的な大名の下にあった知的な武士たちが、この国のヨーロッパ化は生死の問題であると自覚した瞬間から、彼ら

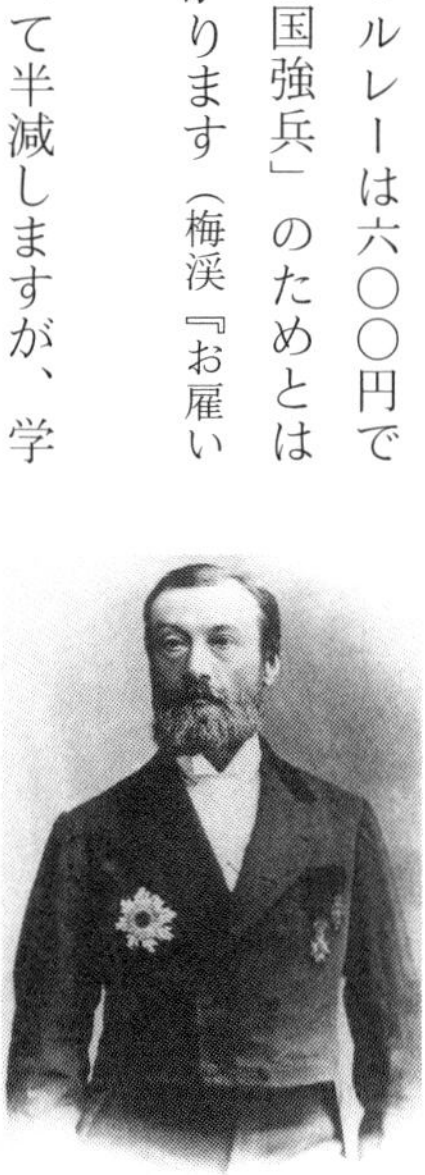
●ロエスレル

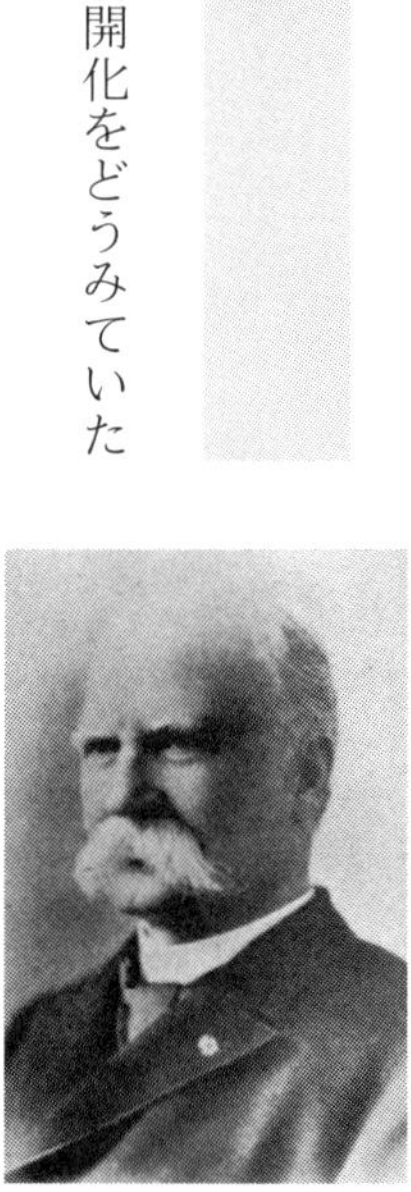
●モルレー

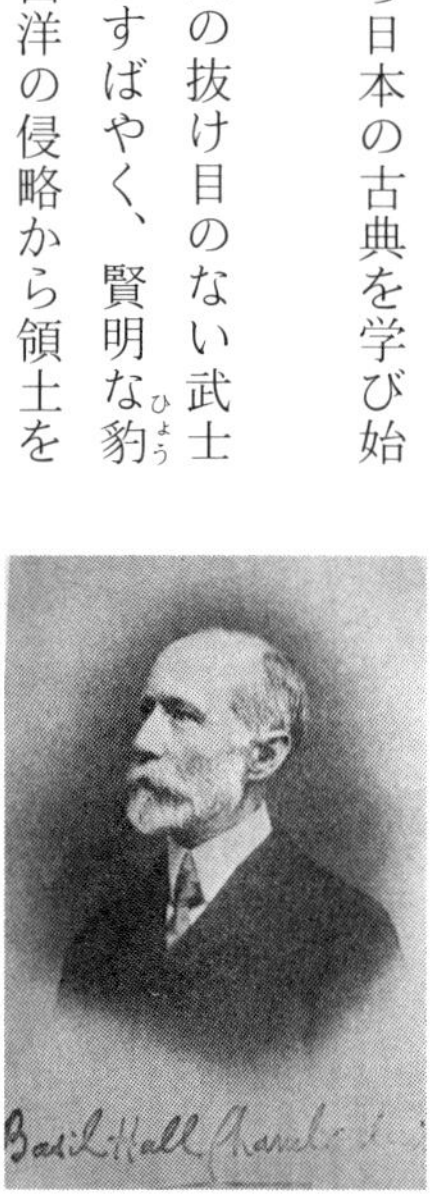
●チェンバレン

は改革と進歩の仕事を続けることを決して止めていない」と観察していました。

チェンバレンが「日本の言語学の父」なら、ドイツ人医師のベルツ（一八四九―一九一三年）は「日本の近代医学の父」です。

ベルツは七六年、日本政府の「お雇い外国人」として横浜に着き、東京医学校（東京大学医学部の前身）で生理学の講義をします。以来、三〇年近く日本で生活しますが、ベルツは着任して間もなく、日記に日本の国情について以下のように記していました。

日本国民は、一〇年にもならぬ前まで、われわれ中世の騎士時代の文化状態にあった。それが、昨日から今日へと一足飛びに、われわれヨーロッパの文化発展に要した五百年たっぷりの期間を飛び越えて、十九世紀の全成果を即座に、しかも一時にわが物にしようとしている。

そのうえで、ベルツは「これは真実、途方もなく大きい文化革命」であり、「このような大跳躍の場合――これはむしろ『死の跳躍』というべきで、その際、日本国民が頸《くび》を折らなければ何よりなのですが――」と心配しつつ、「西洋の思想はなおさらのこと、その生活様式を誤解して受け入れる際に、とんでもない脱線が起こるものであることは、当然すぎるほど当然の事がらで、それによってくじけてはならないのです」と結んでいました（『ベルツの日記』）。

●ベルツ（国立国会図書館ウェブサイトから）

7　ビッグ・ベンと凱旋門

英国の選挙権拡大

岩倉使節団は一八七二年（明治五年）九月四日、ロンドンのウェストミンスター宮殿（国会議事堂）を訪れます。『米欧回覧実記』は、時計塔とそこにつるされた巨大な時鐘《じしょう》（ビッグ・ベン）を紹介しながら、イギリスの議会政治についてリポートしています。それらは近現代の日本政治のお手本になるものです。

一九世紀のイギリス政治を見てみますと、選挙法が三度にわたって改正され、順次、参政権が拡大され、男子普通選挙★へと向かっています。

その最初の大改革は、一八三二年の第一次改正でした。住民のほとんどいない選挙区を廃止し、マンチェスターなど人口の増えた都市に議席を配分します。同時に、地主・貴族ら土地所有者だけに与えられていた選挙権の財産資格を緩和し、工場経営者や市民中間層にも選挙権を拡大するものでした。この結果、有権者はほぼ五〇％増加します。

この選挙法改正は政治を変えることになります。まず、改正によって、自由に一票

●ウェストミンスター宮殿（英国会議事堂）。右端の時計塔が「ビッグ・ベン」

を投じる有権者が生まれて、国王や政府が、選挙を操作することができなくなり、内閣は国王から独立し、首相の地位が非常に強化されます。そしてこれ以降、国王は、下院選挙で勝利を得た多数党の指導者が内閣を組織するのを承認しなければならなくなります。このルールは、権力者が遵守《じゅんしゅ》すべき「憲法習律《しゅうりつ》」となって議院内閣制が確立するのです（K・レーヴェンシュタイン『イギリスの政治』）。

また次第に、産業資本家らが望んでいた自由貿易政策も実現されます。四六年、安い穀物の輸入を禁止した穀物法の保護関税制度が撤廃され、四九年には、「輸入品は英国船または産出国の船に限る」としていた航海法が廃止されました。

日本の「憲政の手本」

しかし、第一次選挙法改正では、労働者たちに選挙権は与えられませんでした。当時、労働者は極めて劣悪な労働環境に置かれていました。悲惨な境遇の年少者の労働時間を制限する工場法が制定されるのは一八三三年のことです。

◉普通選挙

イギリスでは第一次大戦中の一九一八年、二一歳以上の男性のすべてに選挙権が認められた。この時に女性については、三〇歳以上で種々の制限付きながら選挙権が認められた。成人のすべてに選挙権を与える普通選挙が実現するのは二八年になってからだ。日本では二五年、二五歳以上の男性に選挙権を与える普通選挙法が成立した。女性については認めず、女性の参政権は第二次大戦後の四五年まで待たなければならなかった。

こうした中、労働者たちは「チャーチスト運動」という名の政治運動に立ち上がります。三八年五月、男子普通選挙権や秘密投票制、議員の財産資格廃止などを盛り込んだ「人民憲章」を起草し、その実現を政府に要求する大規模な請願運動を繰り広げます。

六七年、第二次選挙法改正が紆余《うよ》曲折の末、保守党内閣の手で実現し、都市の賃労働者や手工業者らに選挙権が与えられました。有権者総数は二四七万人(全人口の一割)へと倍増します。この選挙権の拡大により、自由党のグラッドストン(一八〇九―一八九八年)や、保守党のディズレーリ(一八〇四―一八八一年)のような市民階級出身の党首が誕生し、政党内閣も発足して、政党の組織活動や選挙運動が活発化しました。

イギリスの選挙では、以前から有権者に対する買収と脅迫が横行していました。六七年の国会審議で、ある自由党議員は「選挙費用申告のウソと買収を調べれば、議員の半分は当選無効になるはず」と発言したといわれます。このため、選挙違反根絶に向けて、七二年に秘密投票法、八三年に腐敗・不正行為防止法が制定されました。誰に投票するかを係官に口頭で伝える投票方法は廃止され、買収などを行った候補者は、罰則としてその選挙区から永久に出馬できないことになりました。

第三次グラッドストン内閣は八四年、第三次選挙法改正を行い、これまで取り残されてきた農民や鉱山労働者に選挙権を与え、有権者は約四四〇万人に増加します。議院内閣制、二大政党制、普通選挙権、選挙の腐敗防止などは、いずれも日本政治が憲政の基本として、今日まで取り入れてきたものにほかなりません。

グラッドストンとディズレーリ

グラッドストンは、リバプール生まれ。スコットランドにおいて貿易商として成功した父親の勧めにより、政界入りしました。ディズレーリは、ユダヤ人家系の出身で、小説家でした。いずれも、従来の指導者のように大地主・貴族の出身ではありませんでした。二人は、ライバルとしてしのぎを削り、典型的な二大政党政治を確立します。

六八年の総選挙では、自由党が労働者階級の支持を背景に、三八二議席（保守党は二七六議席）を獲得して勝利しました。敗退したディズレーリは、女王に辞表を提出し、後任にグラッドストンを推挙し、第一次グラッドストン内閣（六八―七四年）が発足します。

自由主義者のグラッドストンは七〇年、アイルランドの小作人の権利を保護する土地法を成立させただけでなく、教育法を制定して公立学校を増設します。七一年には労働組合法で組合の法的地位を認めるなど、矢つぎばやに改革を断行しました。グラッドストンはこれ以降、計四次にわたって内閣を組織し、首相在任期間は一五年近くに及びました。九二年に第四次内閣を発足させた時は八三歳になっていました。

これに対して、ディズレーリは、近代イギリス史上、「もっとも偉大な野党指導者」と言われるように、野党党首の時代が長いリーダーでした。それでも二度、政権を担当し、第二次内閣の七五年には、スエズ運河（六九年開通）の株を、ユダヤ系金融資本のロスチャイルド家から緊急融資をあおいで買収し、アジア航路を大幅に短縮しまし

●グラッドストン（大英図書館蔵）

●ディズレーリ（大英図書館蔵）

た。八〇年代、スエズ運河を通過する船舶の五分の四は、イギリスの船だったといわれます。七七年には、ヴィクトリア女王が「インド皇帝」に即位するなど、大英帝国外交を進めたのもディズレーリです。

パリ・コミューン

一八七二（明治五）年八月、ロンドン滞在中の木戸孝允は、普仏戦争後、帝位を追われてイギリスに亡命したナポレオン三世を列車内でみかけています。

ルーヴル宮殿などを整備し、道路・上下水道工事など大規模な都市改造によって美しいパリを造り出したのは、ナポレオン三世でした。岩倉使節団の一行が、街路のガス燈の光がゆらめくパリに到着したのは同年一二月一六日の日没後。久米邦武は、パリの第一印象をこう記しています。

> 月輪《げつりん》正ニ上リ、各都ノ風景、自ラ人目ヲ麗《うるわ》シ、店店ニ綺羅《きら》（美しい衣服など）陳《つら》ネ、旗亭《きてい》（レストラン）ニ遊客《ゆうかく》ノ群《むらが》ル、府人（都の人々）ノ気風マタ、英京（ロンドン）ト趣キヲ異ニス。
>
> （『米欧回覧実記』）

「煤煙黒霧《ばいえんこくむ》」のイギリスから、大気爽快《そうかい》な「文明の中枢」フランスに到着し、使節団一行は、なんとも人心地がついたようです。使節団は、一九世紀初頭、ナポレオン一世が戦勝記念に建設を命じた凱旋門《がいせんもん》近くに宿をとりますが、やがてこの門にも、約

●一八八一年頃のパリ。コンコルド広場からシャンゼリゼ通りを望む。中央奥が凱旋門（大英図書館蔵）

一年半前のパリ・コミューン時の生々しい弾痕を認めることになります。

ナポレオン三世の第二帝政は、普仏（ドイツ＝フランス）戦争に敗れて、七〇年九月に崩壊し、ティエール★（一七九七―一八七七年）率いる臨時政府が成立しました。ティエールは、ドイツと仮の講和条約を結びますが、屈辱的な条約に抗議してパリの民衆（職人、小店主や労働者）が蜂起し、民兵組織の国民衛兵とともに各所にバリケードを構築、七一年三月一八日、パリを支配下に置きます。

一週間後には選挙が行われ、知識人や社会主義者らを中心とするパリ・コミューン議会が成立。同二八日、史上初の労働者による革命的自治政府である「パリ・コミューン」が宣言されました。

ティエールらはパリから脱出し、ヴェルサイユに移り、フランスに政府が二つ生まれます。ティエールの政府は、ドイツの捕虜になっていたフランス兵士を釈放してもらい、一三万人の政府軍をもって五月、パリに突入して市街戦になります。「血の一週間」といわれる激烈な戦いでコミューン側は三万人が死亡し、コミューン政府は五月二八日、消滅しました。ティエール政府側の死者は一〇〇〇人足らずとされていま

●ティエール（大英図書館蔵）

◉ルイ・アドルフ・ティエール

新聞記者、歴史家として活躍し、『フランス革命史』を著した。一八三〇年の七月革命でルイ・フィリップが王位に就くと、財務相、内相、首相に就任。ナポレオン三世によるクーデター後、国外追放になったが、五二年に帰国した。普仏戦争の敗戦処理にあたるとともに、七一年のパリ・コミューンでは軍事力を使ってこれを打倒し、大統領に就任したが、王党派と共和派の対立が続く中、王党派の攻撃を受けて失脚した。

す。

パリ・コミューンを直接、目撃した日本人がいました。のちに首相になる西園寺公《さいおんじきん》望《もち》★（一八四九—一九四〇年）です。西園寺は七一年一月、留学のため米英経由でフランスに向かい、三月二七日にパリに着きました。パリ・コミューンの成立宣言の前日のことでした。西園寺は、政府軍の五月総攻撃で「余の寓居《ぐうきょ》も戦場に係る」中、政府軍と「暴徒」（コミューン側）との血なまぐさい市街戦を日記に活写しています。

また、もう一人、お雇い外国人として七三年末に来日するフランスの法学者ボアソナードも、このパリの騒乱を実見していました★。

コミューンは「賊徒」

ティエールは七一年八月に大統領になりますが、七三年にはルイ王朝の復活をめざす王党派から不信任を受けて退陣に追い込まれます。王党派と共和派の対立は、その後も続き、共和政の憲法制定とともに第三共和政が発足するのは七五年のことです。

米欧使節団の岩倉らが、エリゼ宮でティエール大統領と会見したのは、七二年一二月二六日でした。『回覧実記』は、パリ・コミューンを弾圧したティエールについて、「老練熟達の政治家」「ごく背の低い老人で、言葉遣いも容貌も温和なところがなかなか魅力的」と、好印象を伝えています。これは、マルクスがコミューン崩壊直後に公表した『フランスの内乱』で、ティエールについて、「公生活は忌まわしく、私生活は破廉恥《はれんち》」などと非難しているのとは対照的です。

●パリ・コミューン側と政府軍との戦闘（大英図書館蔵）

●パリ留学時代の西園寺公望

マルクスは、国際労働者協会（第一インターナショナル）の宣言の中で、「労働者のパリは、そのコミューンとともに、新社会の光栄ある先駆者として、永久に讃《たた》えられるであろう」と、その歴史的意義を高く評価していました。これに対して、西園寺や岩倉使節団のメンバーは、コミューンは、政府に反旗を翻している「賊軍」「賊徒」とみていて、そこには当然ながら大きな落差がありました。

イギリスやフランスでは、すでに社会主義思想が生まれていました。イギリスの工場経営者・ロバート・オーウェン（一七七一―一八五八年）は、自ら工場法の制定に尽力し、フランスのサン・シモン（一七六〇―一八二五年）やフーリエ（一七七二―一八三七年）も、労働者の待遇改善や団結を訴えていました。パリ・コミューン以前のフランス労働者に大きな影響を与えたのが、無政府主義を唱えたプルードン★（一八〇九―六五年）でした。

●ボアソナード

◉西園寺公望

公卿の筆頭「五摂家《せっけ》」の次に位する「九清華《せいが》」の出身。戊辰戦争の会津攻防戦などに従軍した。西園寺は後年、留学先としてドイツよりフランスを選んだことは良かったと回想し、その理由として、普仏戦争に敗れたフランスは、復興のため国民が緊張感をもって生活していたからと語っていた（伊藤之雄『元老西園寺公望』）。

◉「法の崩壊寸前」

ボアソナードは、教えていたパリ大学近くのカルチエ・ラタンで、コミューンを実際に見た。彼は、この時期に書いた本の序文に、「最後の戦いのさなかにおいては、法それ自体が、正に崩壊する寸前と思われたのであり、絶望してペンを取り落とさぬためには、法の不滅の支配への揺ぎない信仰が必要であった」と述べている。

このあとに登場するのがドイツ出身のマルクスとエンゲルス（一八二〇—九五年）です。二人は、オーウェンやサン・シモン、フーリエの思想を空想的社会主義と呼び、労働者階級の革命運動によって社会主義を実現する科学的社会主義の理論を打ちたてました。

史的唯物論に基づいて資本主義を考究した『資本論』は、六七年にマルクスによって第一巻が世に問われたあと、マルクスの死後は、盟友エンゲルスによって、八五年に第二巻、九四年に第三巻が出版されました。★

帝政ロシアの「脅威」

岩倉使節団は、フランスのあとベルギー、オランダを訪問し、成立したばかりのドイツ帝国の首都・ベルリンに到着します。使節団の首脳陣が、当地で「鉄血宰相」のビスマルクや戦略家のモルトケらと会見し、彼らの「万国公法より力」という国際政治のリアリズムに感じ入ったことは、第3章の〈ビスマルクとガリバルディ〉のところで述べました。

大久保や木戸は、アメリカ、イギリス、フランス三か国の訪問を通じて、日本と三か国との文明の落差を痛感していました。それだけに、使節団にとっては、後進国から急に勢いを増した新興国・ドイツは、日本にとって格好の近代化モデルと映ったようです。

一行はこのあと、帝政ロシアのサンクトペテルブルクに向かいます。

●オーウェン

●サン・シモン

●フーリエ

●プルードン

ロシアの皇帝アレクサンドル二世（一八一八―八一年）は、クリミア戦争で、近代化した英・仏軍に敗れたことから改革路線を宣言します。六一年、農奴解放令を発布し、行政、裁判、教育、軍隊、財政など大改革を進めました。人口の大部分を占める農奴の法的な自由と土地所有を認めました。

しかし、与えられた土地には地代が課せられ、その返済のために長期の負債を抱えたため、生活は一向に改善されませんでした。当時、ロシア都市部の若い青年・学生たちが「ヴ・ナロード（人民の中へ）」のスローガンを掲げ、農村に入って、農民を啓《けい》蒙《もう》しながら社会主義的改革をめざしました。だが、農民の同調は得られず、テロリズムやニヒリズムに走る活動家も現れます。

アレクサンドル二世は、オスマン帝国下のボスニア・ヘルツェゴビナにおける農民

●アレクサンドル二世（米国議会図書館）

◉ピエール・ジョゼフ・プルードン

フランスのブザンソンに生まれた。同郷の社会主義者・フーリエの作品を勧め先の印刷所で読んで影響を受けた。無政府主義者として一八四〇年、著書『財産とは何か』を著し、「財産とは盗みである」との表現で私有財産を批判、反響をよんだ。マルクスは四七年、『哲学の貧困』を発表し、プルードンの『経済的諸矛盾の体系、あるいは貧困の哲学』に論難を浴びせた。

◉『マルクス・エンゲルス全集』

日本で『マルクス・エンゲルス全集』（全二七巻、改造社版）が刊行されるのは一九二八―三五年である。日本に資本主義が本格的に成立し、労働者たちのストライキが発生し、労働組合が組織され始めるのは一八九〇年代末。マルクス主義の影響を受けた社会運動の最盛期は、同全集の刊行時期とほぼ重なっていた。二八年は、日本共産党初の弾圧事件が起きており、特高警察が設置された。

反乱を機に、七七年にオスマン帝国（トルコ）に宣戦して勝利します。サン・ステファノ講和条約で、ブルガリア国の成立をオスマン帝国に認めさせますが、オーストリア、イギリスが強く反発、ドイツのビスマルクの調停により、断念させられます。南下政策の挫折で世論の憤激を買ったアレクサンドル二世は八一年、ナロードニキの爆弾によって暗殺されてしまいます。

さて、岩倉使節団がアレクサンドル二世に謁見したのは七三年四月。ロシアでは、ナロードニキ運動が出現し、革命工作が始まる頃のことでした。『回覧実記』は、ロシア国総説の中で、「其《その》政ハ専制ノ下ニ圧セラレ、其化（教育や文化）ハ古教（古い宗教）ノ内ニ迷ヒ、其富ハ豪族ノ手ニ収メラレ、人民ノ一般ノ開化ハ、猶《なお》半開ノ地位ヲ免レズ」と述べ、日本と同じように「半開の国」としています。

当時、日本は英仏よりもロシアを恐れていました。北から南下をうかがい、帰属問題でもめる樺太ではトラブルが絶えず、日本政府にとって帝政ロシアは脅威の存在でした。しかし、『回覧実記』は、ロシアに恐怖心を抱くのは、一八〇四年に来日した、ロシア使節・レザノフによって「鎖国ノ夢ヲ驚破《きょうは》（びっくりさせること）」され、日本国民に「露国ヲ憚《はばか》ルノ妄想《もうそう》」が生まれたためだと指摘。この際、そのような「妄想虚影《もうそうきょえい》」の論は排斥《はいせき》し、精神を澄ませて国の外交上の進路を考えるよう求めていました。

8　日本、近隣諸国ときしみ

副島種臣の「国権外交」

岩倉使節団の特命全権大使になった岩倉具視外務卿（外務大臣）の後任は、副島種臣でした。使節団が出発直前の一八七一年一二月に就任し、七三年一〇月の「明治六年政変」を機に辞めましたので、まさに留守政府の外相をつとめたことになります。

副島は旧肥前佐賀藩士。佐賀藩は、武士道を論じた『葉隠《はがくれ》』で知られますが、幕末から明治にかけて政治を主導した「薩長土肥（薩摩、長州、土佐、肥前）」四藩の中では、いささか影の薄い存在です。

それは、三二年に藩主に就いた鍋島直正《なべしまなおまさ》（閑叟《かんそう》、一八一四―七一年）が、佐幕か勤皇かの旗幟《きし》を鮮明にせず、日和見《ひよりみ》主義者とみられたことが一因とされます。薩長軍が徳川軍と戦った鳥羽・伏見の戦いでも直正らは参加せず、出遅れました。しかし、続く上野戦争や会津の攻防戦では、佐賀藩が保有していた近代兵器が威力を発揮し、その軍事的貢献によって、薩長土肥の一角に食い込むことができました。

佐賀藩は鎖国期、世界への窓口だった長崎港の警備を担当していました。直正は、

●副島種臣（国立国会図書館ウェブサイトから）

イギリス軍艦「フェートン」号による長崎港乱入事件（一八〇八年）を教訓に、国防強化につとめ、高島秋帆《たかしましゅうはん》を祖とする砲術を採用し、鉄製の洋式大砲の製造や反射炉の建設を推進しました。やがて同藩は、「天下の兵器廠《へいきしょう》」と呼ばれるようになり、近代科学・軍事技術では抜きん出た藩として存在感を示します。

同時に、直正は、人材育成にも目を配り、同藩からは、副島をはじめ、大隈重信、大木喬任、江藤新平、さらに岩倉使節団の副使だった山口尚芳、『米欧回覧実記』を著した久米邦武らを輩出します。久米は『鍋島直正公伝』（全七巻）という著作を残しました。

副島は、漢学、国学、洋学の素養があり、能筆としても知られていました。「王政復古の大号令」の直後、岩倉具視、西郷隆盛らとともに新政府の参与に命じられ、政府組織を定めた「政体書」などを起草し、六九年には要職の参議に就任します。そして二年後、外務卿として揺籃《ようらん》期の日本外交を担い、国威を海外に輝かすという、いわゆる「国権外交」を展開することになります。

揺籃期の明治外交

岩倉使節団が訪れる前の欧米情勢は、目まぐるしく動いていました。戦争だけみても、五三年からのクリミア戦争に始まり、アメリカの南北戦争、プロイセン＝オーストリア戦争、プロイセン＝フランス戦争などが続き、七七―七八年にはロシア＝トルコ戦争が起きます。この間、イタリア王国（六一年）、ドイツ帝国（七一年）がそれぞ

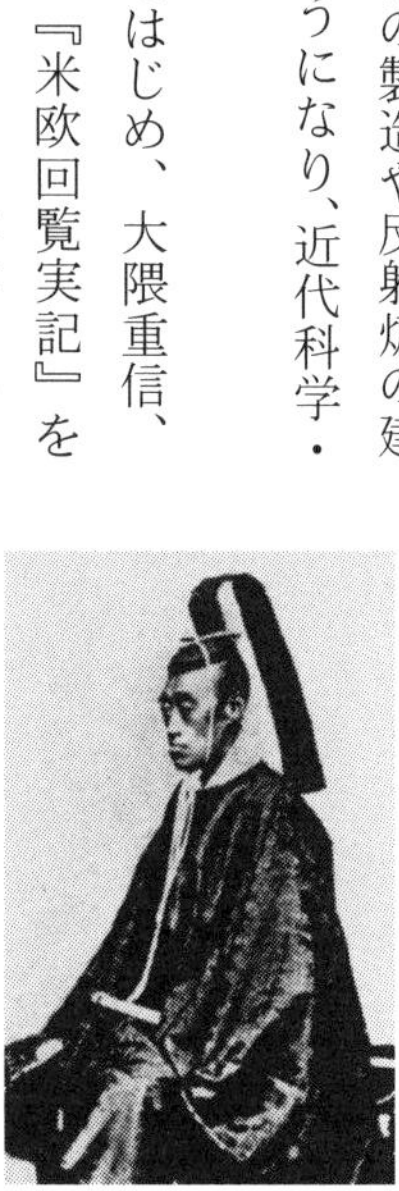
●鍋島直正（国立国会図書館ウェブサイトから）

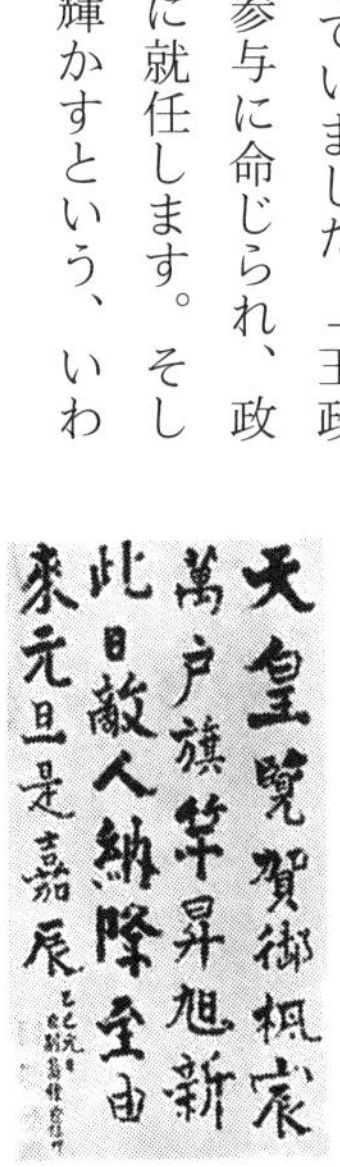
●副島種臣の書（国立国会図書館ウェブサイトから）

れ誕生しました。

日本史を重ね合わせてみますと、ペリーが来航したのは五三年、日米修好通商条約の締結が五八年、明治改元は六八年のことです。日本列島には、南からイギリス、フランスが北上し、北からはロシアが南下し、東からはアメリカの波が押し寄せ、西には強国の清《しん》が座したまま、対外関係は絶えざる緊張の中にありました。日本政府は、この東西南北の圧力から我が国領土の防御を固めなければなりませんでした。

もちろん、最大の外交テーマは、多数の欧米諸国と結ばされた不平等条約の改正でした。岩倉使節団はアメリカ・ヨーロッパに、そのための環境整備に出かけていったのです。これに対して、留守政府は、江戸時代に貴重な対外窓口として機能していた琉球《りゅうきゅう》（沖縄）の日清両属関係をどう再編・整理するか、対馬藩が担当していた対朝鮮外交を、維新政府にいかに移行するかの難題を抱えていました。

ロシアとの間では樺太（サハリン）の帰属問題でもめていました。樺太は、日露和親条約（一八五五年）で国境を画定できず、その後も日露両属のまま、南下を続けるロシア人による、日本人漁民への暴行や殺人、放火事件などが絶えませんでした。これを懸念した日本政府は、参議だった副島をロシア沿海州のポシエットに派遣して事態打開を図ろうとしますが、訪露は実現せず、結局、七二年五月に着任したロシア初の駐日代理公使・ビュッオフと、外務卿に就いた副島との間で交渉が始まりました。

このころ、副島は、布教の本拠地を函館から東京・神田駿河台に移し、やがて同地に「ニコライ堂」を建設する、ロシアの宣教師・ニコライ（一八三六—一九一二年）とも交流を深めるなど、別ルートからも解決につとめていたようです。しかし、日本側

●ニコライ（国立国会図書館ウェブサイトから）

が提起した樺太買収案は、ロシア側の受け入れるところとならず、決着しませんでした。

人道性アピール——マリア・ルス号事件

七二年七月九日、日本を舞台に国際的な事件が発生しました。

悪天のため横浜に寄港したペルーの帆船「マリア・ルス」号から、清国人苦力《クーリー》（奴隷状態の下層労働者）が逃亡し、イギリス軍艦に保護されたのです。イギリスの駐日代理公使・ワトソンは、副島に対し、苦力虐待事件を究明するよう求め、イギリスとして全面協力を約束しました。八月四日、神奈川県権令《ごんれい》の大江卓《たく》★（一八四七―一九二一年）を裁判長とする臨時法廷が県庁に設置されます。

各国領事立ち会いの下、審理は速やかに進められ、大江裁判長は八月三〇日、船長については、「罰は杖《じょう》（むち打ち）百に相当」するが、「寛典《かんてん》」をもって「赦免（無罪）」の判決をくだしました。船長が苦力を相手取って起こした移民契約不履行の訴訟では、九月二七日、「契約は非人道的であり、無効である」との判断を示しました。二三一人の苦力たちは解放され、清国に引き渡されます。

副島は、裁判記録を英文の冊子にして、各国に日本の正当性をアピールしました。この事件の判決は、「日本の法権の独立を主張した点」や、「明治政府の人道的な立場を鮮明にした点」など、「日本の対外関係史上、画期的」だった（萩原延壽『遠い崖　アーネスト・サトウ日記抄一〇』）と高く評価されています。ペルーの全権公使は七三年三月

●荷物を運ぶクーリー（一八九五年に中国で撮影、米国議会図書館蔵）

三一日、日本政府に事件の損害賠償を要求します。日本側は拒否し、裁決をロシア皇帝のアレクサンドル二世に委ねることになりました。七五年五月、皇帝は、日本に賠償責任はない旨を裁定し、事件は落着します。

日本政府は、国内の裁判で、ペルー側の弁護士から、娼妓《しょうぎ》の「年季証文」などを例に、「日本にも人身売買があるではないか。日本政府に今回の事件を裁く資格はない」と反撃され、苦しい弁明を強いられました。このため、江藤新平が率いる司法省は七二年一一月、人身売買の禁止と娼妓の年季奉公禁止などを早々に命じました。

●大江卓（国立国会図書館ウェブサイトから）

清国「跪拝の礼」拒絶

副島は、近隣のアジア外交にも取り組みます。とくに台湾、琉球、朝鮮をめぐる問題は、いずれも、清国と深いかかわりがありました。政府は七三年二月二八日、特命全権大使として副島を清国に派遣することを決定します。その公式の任務は、日清修好条規批准書の交換と、清朝・同治帝《どうちてい》の親政、成婚をお祝いする天皇の親書を届ける

◉大江卓

高知県出身。一八六七年、陸援隊に入り、討幕運動に参加した。維新後、民部省、工部省に出仕し、七二年に神奈川県権令に就任。この間、部落解放令の実現に努めた。西南戦争に呼応して挙兵を企て、逮捕され禁獄一〇年に処せられた。仮出獄後は義父・後藤象二郎に従って大同団結運動に参加し、第一回衆院選に岩手五区から出馬し当選。その後、実業界に転身し、東京株式取引所頭取などを歴任した。

ことでした。

当時の清朝は、第二次アヘン戦争後に漢人官僚の曾国藩《そうこくはん》や李鴻章《りこうしょう》らが進めた「洋務運動」（近代化政策）が成功を収めていました。独裁体制を固めた西太后の息子の同治帝が七二年に結婚し、七三年二月に一八歳で親政を開始しました。日清修好条規は、西洋諸国との間で不平等条約を結ばざるをえなかった日清両国が、相互に開港して、領事裁判権を認め合う「対等」なものでした。副島は七三年四月三〇日、天津で李鴻章との間で批准書★を交換しました。

同年五月に北京入りした副島一行は、同治帝との謁見にあたっては、清朝の慣習に従い、跪拝《きはい》の礼（ひざまずき身をかがめて拝礼すること）をとるよう求められました。副島は、国際慣例に反するとして拒絶し、立礼を主張します。総理衙門《そうりがもん》（清朝外務省）を訪ねた副島は、「人に五倫《ごりん》（人として守るべき五つの道）あり」と前置きして、皇帝と外国使節との謁見は「朋友《ほうゆう》の交わり」であって、跪拝の礼を強制することは、孔子《こうし》を祖とする儒教の教えに反するなどと大弁舌をふるいました。

さらに、特命全権大使である自分は、在清国外交団よりも高い立場にあるとして、同じく謁見を申し入れていたロシア、アメリカ、イギリス、フランス、オランダ各国とは別扱いを求めました。清朝側と何度も折衝が重ねられた末、六月二九日、副島は、同治帝と「単独」で会見します。跪拝はせずに、三回立ち止まって敬礼（おじぎ）をして中央に進み、台上に国書を提出。一礼してお祝いを述べ、同治帝の言葉を聞いてから退出する際も、三回敬礼をしました。

これは中国では、まったく新しい謁見の方式でした。五か国の公使は、このあと同

●同治帝

●清の乾隆帝に謁見する英外交官マカートニー。三跪九叩頭の礼を求められるが、拒んだ

様に謁見します。跪拝の礼は受け入れられないとして謁見を先延ばししてきた各国とも、〝副島方式〟を歓迎し、公使らは副島を称賛しました。

琉球漂流民殺害事件――台湾出兵論

副島の清国訪問の真の目的は、台湾で発生した琉球漂流民殺害事件について、清朝の加害責任を追及し、犯人の処罰や補償金などを要求することでした。もう一つは、日本との国交正常化を拒み続けている朝鮮をめぐり、清朝の意図を確かめることでした。

琉球漂流民殺害事件とは、七一年一一月末、琉球（沖縄）の那覇《なは》を出帆した宮古《みやこ》島の船が台風に遭《あ》い、一二月一七日、台湾南端に漂着。上陸した六六人のうち五四人が、台湾の先住部族（生蕃人《せいばんじん》）によって殺された事件です。辛うじて逃れた一二人は、清国に保護され、翌七二年七月に那覇に帰還しました。

この事件が、日本外務省に報告されたのは、同年五月末―六月初めの頃。九月、鹿児島県参事・大山綱良《つなよし》★（一八二五―七七年）は、「琉球は昔から日本に服属している以上、

◉日清修好条規批准

日清修好条規は七一年九月、大蔵卿の伊達宗城《むねなり》と清朝の李鴻章との間で調印された。李は七〇年に清朝政権の中枢を握る直隷総督になり、軍事も外交も内政も担当する実力者になった。李の外交の初仕事がこの日清修好条規の締結だった。同条規は、両国の領土保全、相互援助などを明記し、日清戦争まで適用された。

この『残虐の罪』を容認するわけにはいかない」と強調。台湾に「問罪」（罪を問いただす）の軍隊を派遣したいので政府の軍艦を借用したい、と副島に申し入れます。これが「台湾出兵論」の初発です。鹿児島の鎮西鎮題《ちんぜいちんだい》に赴任していた陸軍少佐・樺山資《かばやますけ》紀《のり》（薩摩出身、初代台湾総督）も上京し、西郷隆盛・従道らに事件を報告、出兵に向けての動きが強まります。

　その頃の台湾は、清朝の統治下にありました。日本人女性を母に持つ鄭成功《ていせいこう》が一六六二年、オランダから台湾の地を奪ったのち、一六八三年、清の康熙帝《こうきてい》が鄭氏政権を打倒。翌年、福建省台湾府を設置して以来、台湾を支配下に置いてきたのです。その間、台湾への漢人移民の増加により、先住民は未開地に追いやられ、治安も乱れるようになりました。清朝は、一九世紀半ば、アメリカ、イギリス、フランスなど欧米列強の圧力を受けて、台湾の四つの港を開港しました。

　副島外務卿は、アメリカ公使・デロングや厦門《アモイ》駐在アメリカ領事・リジェンドルらの助言を得て、台湾問題について対応策を練りました。七二年一一月に作成された外務省案は、「問罪」出兵にとどまらず、台湾南東部（先住民地域）の領有を清朝に要求し、これが拒否された時は、清国南岸と台湾近海に軍艦を派遣して台湾を占領するというところまでエスカレートします（勝田政治『明治国家と万国対峙』）。

　しかし、こうした出兵論に対しては、大蔵大輔《たいふ》・井上馨が「国威を揚《あげ》んとせば、まず、内務（内政）を調《ととの》えよ」などとして強く反対したことから、事実上撤回され、清との外交交渉が優先されることになります。

日清両属の琉球――日本帰属化

明治天皇は七二年一〇月一六日、琉球国王・尚泰《しょうたい》（一八四三―一九〇一年）を「琉球藩王となし、叙して華族に列す」との詔書を出しました。副島外務卿が宮中でこれを読み上げ、尚泰の名代として参内した正使の伊江《いえ》王子に伝えました。

尚泰は、六六年には清朝の使節を迎えて冊封《さくほう》★の儀式を既に済ませていました。琉球王国は、中国の明・清と朝貢関係を長く続けてきたのです。その一方で、琉球は、江戸時代からずっと薩摩藩の統治下にありました。一六〇九年、薩摩藩主の島津《しまづ》家久《いえひさ》が、徳川家康に漂流船援助の謝恩使を送らなかったことなど「琉球の無礼」を口実に、三〇〇〇人余の軍勢を送って琉球を侵略して以来のことです。

薩摩藩は、琉球を独立王国のまま存置し、中国との貿易を継続させます。同藩が侵

●尚泰（国立国会図書館ウェブサイトから）

◉大山綱良

薩摩藩独特の剣術・示現流の名手。一八六二年の寺田屋騒動では、同志を上意討ちした。戊辰戦争では奥羽征討総督の参謀となり、各地に転戦して軍功をあげた。七一年、鹿児島県大参事、七四年同県令に就任した。征韓論に敗北して帰郷した西郷隆盛らの私学校を援助し、西南戦争が起こると、西郷軍を積極的に支援した。このため、戦後、政府によって捕縛され、斬罪となった。

◉冊封

中国の皇帝が朝貢国の君主に王号を授与し、宗主国と藩属国という君臣関係になること。中国の歴代王朝は、これにより、東アジア諸国の国際秩序を維持しようとした。

攻した主たる狙いは、朝貢貿易の利益を奪うことにありました。薩摩藩は、那覇に在《ざい》番《ばん》奉行を置いて貿易を徹底的に管理し、日本産品を琉球経由で清に売り、清からは中国や西洋の品々を、琉球を介して日本に持ち込み、多大な利益を上げます★。また、奄美大島をはじめ喜界《きかい》島、徳之島、沖永良部《おきのえらぶ》島、与論島を薩摩直轄としました。奄美諸島産の黒砂糖は、大坂市場などで転売され、薩摩藩の大きな財源となります。

幕藩体制が崩壊した結果、新政府は、こうした日本―琉球―清朝の関係見直しを迫られました。廃藩置県翌年の「琉球藩」の設置は、まずは鹿児島県と切り離して日本への属国化を明確にしようとしたのです。これが「琉球処分」の第一段階になりました。

日本政府は、琉球王国が幕末にアメリカ、フランス、オランダと結んだ条約の正文を出すよう琉球藩に命じ、外交権も掌握しました。ただし、これらによって日清両属の状態が解消されたわけではありませんでした。

清朝「台湾は『化外』」

副島は清国訪問に出発する前、同郷の参議・大隈重信にあてた手紙で、こんな趣旨のことを書いていました。「台湾全島の半分だけなら『舌上（外交交渉）』で獲得でき、半分を得れば、四、五年で全島も舌上で手に入れ得るので、このたびの機会失うべからず」。副島の胸の内には、台湾領有論が膨らんでいました。政府内には積極派の副島の派遣を危ぶむ声も出ていました。

副島は北京滞在中の七三年六月下旬、外務大丞《だいじょう》（大輔、少輔の下のクラス）の柳原前《やなぎわらさき》光《みつ》★（一八五〇―九四年）らを総理衙門（清朝外務省）に遣《つか》わしました。柳原が朝鮮と清朝の関係について質問すると、清朝側は、「朝鮮は属国だけれども、その内政・外交問題については関与しない」と回答しました。これによって副島は、仮に日本が朝鮮を攻撃しても、中国は介入しないだろうとの感触を得た模様です。

琉球漂流民殺害事件の責任追及はどうなったのでしょうか。清朝側は、「殺されたのは琉球人であって日本人ではない。琉球は我が藩属だ」と突っぱねました。これに対して柳原は、「琉球は薩摩の属国だった。日本臣民たる琉球人は日本政府の保護下にある」と反論しました。

●柳原前光

◉薩摩と琉球

芥川賞作家の大城立裕《おおしろたつひろ》・元沖縄県立博物館長は、『小説琉球処分』の中で、「貿易益の横領をたくらんだ」島津氏は、「狡猾《こうかつ》な手段をもって琉球にたいし、鵜飼《うかい》の暴をつくした。……後年倒幕に貢献した薩摩の財力は、琉球からの搾取《さくしゅ》によって蓄えられたものとされているが、琉球は二世紀半ものあいだ、その圧制に苦しまなければならなかった」と書いている。

◉柳原前光

従一位柳原光愛の子として京都に生まれた。一八六八年、東海道先鋒副総督となり、江戸城に入り勅旨を伝えた。外務省入りし、外務大丞として日清修好条規の締結を成功に導き、七三年は副島外務卿に随行して台湾の主権問題などで清国側と折衝した。七四年、駐清国公使に任命され、大久保利通を補佐して台湾出兵問題の和平交渉にあたった。妹の柳原愛子《なるこ》は大正天皇の生母。歌人の柳原白蓮は娘。

さらに柳原は、台湾の「生蕃（先住民）」を処罰したのかと質《ただ》しました。清朝側は、『生蕃』は王化《おうか》（君主の徳に民が従い、世の中がよくなること）に服さない化外《けがい》なので、統治の対象とはしていない」と、清朝の支配は、台湾全土に及んでいないと明言しました。日本側は、これで「生蕃」討伐軍の派遣が正当化できると判断したようです。

しかし、これらは、すべて口頭のやりとりにとどまり、確認文書もありませんでした。これには「疎漏《そろう》（大ざっぱで手ぬかりがあること）至極《しごく》」との批判が出ましたが、副島は後年、「口頭だけで足りる。台湾を討ちさえすればよろしい」と語ったとされます。このあやふやな〝言質外交《げんち》〟が、七四年の台湾出兵を後押しするかたちになります。

七月二七日、副島は帰国しました。すでに西郷隆盛が台湾出兵に言及するなど、出兵への気運が高まっていました。副島は八月七日、イギリス公使のパークスに対し、「一か月後、台湾南端に一隻ないし数隻の軍艦を派遣する予定である」と説明します。ところが、その直後、朝鮮をめぐる「征韓論争」が政府内で噴きあげたことから、台湾出兵は、いったん棚上げされます。

琉球はどうなるのか

柳原外務大丞と清国外務省のやりとりでも、琉球の地位については、まったく意見が一致しませんでした。八月一一日、琉球藩の与那原親方《よなばるうえーかた》らが副島の私邸を訪問しました。与那原は、日清両属の「やむなき由来」を説明したうえで、琉球は小国であり、制度の変革は民心を動揺させるので、「従来の情態を維持したい」と述べました。

●琉球王国の王城、首里城

これに対して、副島は「外国との和約・交戦等のほか、国内の政治はすべて藩王に一任し、国体制度等は従来の通りたるべき事」と語りました（『尚泰侯実録』）。

琉球側の求めに応じて、副島は覚書を交付しました。そこには、朝廷への「抗衡《こうこう》（抵抗して譲らないこと）」などによって庶民離散等がなければ、「廃藩の御処置はもとよりこれ有るまじく候」と書かれていました。これを琉球側が藩の安泰を「保証」するものと受け止めたとしても無理はありません。しかし、副島は間もなく「征韓論政変」で外務卿を辞任し、この「保証」も日本政府によって覆されることになります。

9　高まる征韓論、波乱の政局

混迷する留守政府

一八七三（明治六）年の初頭、留守政府トップの太政大臣《だじょうだいじん》・三条実美《さねとみ》は、懸案を四つ挙げて外遊中の右大臣・岩倉具視《ともみ》に報告しています。

第一は、留守政府の最高実力者で筆頭参議の西郷隆盛と、旧薩摩藩主の父・島津久光との険悪な関係です。第二は、七三年度政府予算編成をめぐる大蔵省と各省との対立、第三は、台湾問題、第四は、朝鮮問題でした。

廃藩置県以来、島津久光は、西郷を目の敵にして非難し、新政府の開化政策に執拗《しつよう》な抵抗を続けていました。西郷はこれに手を焼き、ストレスに苦しみます。西郷は七二年の暮れ、久光をなだめるため、鹿児島に帰県して謝罪しますが、怒りは解けず、当地に止《とど》まることになります。

政府は、勝海舟を勅使として鹿児島に派遣して、隆盛と久光の上京を促し、西郷は七三年四月、東京に戻りました。政府は、新政に不満を抱く士族らと久光が連携することを警戒していました。

●西郷隆盛（国立国会図書館ウェブサイトから）

第二の予算編成をめぐる衝突は、七二年半ば、大蔵大輔《たいふ》の井上馨《かおる》と三等出仕（少輔《しょうゆう》相当）の渋沢栄一が、財政健全化のため、各省の予算に大ナタをふるったことに始まります。学制改革をはかる文部省や、司法改革を進める司法省の予算は半分に削られました。これに対し、徴兵制導入にあたる陸軍省の予算要求は、ほぼ全額認められました。同省は、陸軍大輔・山県有朋ら長州閥が幅をきかせていました。これでは文部卿《きょう》・大木喬任《たかとう》や司法卿・江藤新平らはおさまりません。「不公平」だと猛烈に抗議し、井上は職務放棄して登庁を拒み、政府内は大混乱に陥ります。

あわてた三条は七三年一月、岩倉使節団の大久保と木戸に即刻帰国するよう求めました。これは、太政大臣の三条と参議の西郷、板垣退助、大隈重信からなる正院《せいいん》（政府の最高機関）が、もはや各省を束ねられなくなったことを示していました。

ラジカルな司法卿

司法卿の江藤新平は、七三年一月二四日、予算削減に抗議して辞表を提出しました。佐賀肥前藩の江藤は、制度局取調掛として、文部大輔に転じるまで多くの官制改革案を作成する一方、司法卿就任前から、民法・国法会議の開催を提案し、民法典の編《へん》纂《さん》作業にもかかわっていました。七二年五月末、司法卿になると、人身売買や私的復讐（敵討《かたきうち》）を禁止するとともに、司法権独立のため、大蔵省から裁判権を分離し、司法省統括の府県裁判所を設置します。就任一か月後、江藤は「司法省誓約」を示して、「民の司直《しちょく》たるべき事」、「人民の権利を保護すべき事」など、同省のあるべき姿を明

●島津久光

●渋沢栄一

らかにし、続く「司法省の方針を示すの書」でも、公正・迅速な裁判と、冤罪《えんざい》を出さないことを改めて強調しました。

江藤は、長文にわたる抗議の辞表の中で、法治主義の理念をこう説いています。「国の富強の元は、国民の安堵《あんど》にあり。安堵の元は、国民の位置を正すにあり」。その意味するところは、国民の権利義務を法的に確定する（位置を正す）ことによって、初めて国民は安心（安堵）して政府を信頼し、実業に励むので、結果として税収は増え、国の富強につながるというわけです（毛利敏彦『江藤新平』）。

結局、正院は二月、江藤の辞表を却下し、予算を見直しました。著作家の徳富蘇峰《とくとみそほう》（一八六三―一九五七年）は、江藤は「本来のラジカルである」としたうえで、その「論理的頭脳」と「峻烈《しゅんれつ》なる気象」と「鋭利なる手腕」を高く評価しています。

政治スキャンダル

弱体化した正院の立て直しを図るため、留守政府は四月、参議の増員に踏み切り、司法卿・江藤、文部卿・大木、左院議長・後藤象二郎の三人を新たに任命しました。それだけでなく、五月には、正院を拡充強化する太政官制「潤飾《じゅんしょく》（改定）」を実施します。左院（立法諮問機関）を棚上げし、右院（各省の卿・輔で構成）も常設の機関から外して、正院に太政官の権限を集中させました。

「内閣」が設置され、参議たちが内閣議官となり、各省への命令権を与えられて、国家統治の実権を掌握しました。これは、新規改革は凍結するとした、使節団と留守

●徳富蘇峰

政府との「約定《やくじょう》」に違反していました。

大蔵省の予算編成権も正院に引き上げられたため、井上大蔵大輔は五月三日、辞表を提出します。こうして長州閥の井上が辞職し、土佐の後藤、肥前の江藤・大木が新参議として登場したことは、土肥派の台頭を印象づけ、太政官制潤飾と同様、政局の波乱要因になります。

井上馨（一八三五—一九一五年）は、倒幕運動を経て新政府に参画、大蔵省で役職を重ね、廃藩置県後は、巨大官庁化した同省の大蔵大輔として権勢をふるいました。西郷から「三井の番頭さん」と揶揄《やゆ》されるほど、政商三井組と近かった井上は、大蔵大輔辞任後、尾去沢《おさりざわ》銅山（鉱山）事件★の直撃を受けます。政府が盛岡の豪商から接収した「尾去沢銅山」（秋田県北東部）を同郷の商人に破格の安値で払い下げたという疑惑で、井上はピンチに立たされます。

これと前後して、政府内では、長州藩出身の陸軍卿・山県有朋絡みの山城屋和助《やましろやわすけ》事件や、豪商・三谷三九郎《みたにさんくろう》の倒産事件など、陸軍省官金の流用スキャンダルが相次ぎます。

●尾去沢鉱山（明治二〇年頃、史跡尾去沢鉱山提供）

◉尾去沢銅山事件

大蔵省は、旧盛岡藩の資産を調査中、御用達の豪商から藩庁に宛てた証文を発見。これをもとに、豪商に対し、借財の即時返還を求めた。豪商は、その証文は借財を意味していない、と釈明したものの受け入れられず、やむをえず年賦返済に応じると回答した。しかし、大蔵省はこれも拒否して、豪商経営の尾去沢銅山を没収した。井上大蔵大輔は、このあと、銅山の経営権を井上家出入りの政商に払い下げさせた。このため、井上は大蔵大輔の職権を乱用して、銅山を私物化したという疑惑を生んだ（毛利敏彦『明治六年政変』）。

豪商・小野組が京都から東京へ戸籍を移すにあたって、長州閥の京都府参事らが職権を乱用して、同組の東京進出を妨害する事件も起きました。

司法卿の江藤が、これらの不正摘発に動いたのは、職務上、当然のことでした。もっとも、江藤には、悪事をあばくことによって長州閥の権力を弱める政治的な思惑があったようです。

しかし、江藤が標的とした井上は、大蔵卿（大臣）の大久保が、岩倉使節団で外遊中の留守を任せた大蔵大輔（次官）でした。また、使節団副使の伊藤博文とは同じ長州閥で、幕末にはともにヨーロッパに密航した親しい仲間でした。さらに長州閥の領袖・木戸孝允にとって、井上は大事な子分であり、木戸は米欧訪問から帰国早々、尾去沢銅山事件の鎮静化のために奔走しています。司法卿・江藤の驀進《ばくしん》は、薩長閥との全面対決の危うさをはらんでいました。

朝鮮との国交断絶

第三の台湾問題は、前節の〈副島種臣の「国権外交」〉の中で述べたとおりですが、台湾問題をいったん脇に置く形で、一気に浮上したのが、第四の朝鮮問題でした。

江戸時代の日朝両国は、朝鮮通信使に象徴されるように、比較的、安定した関係を維持してきました。明治政府は一八六九年一月、対馬藩主を通じて朝鮮政府に対し、明治維新で王政復古した旨を知らせる国書を送ります。ところが、朝鮮側は、その外交文書の中に、先例に反して「皇」や「勅」などの文字★があり、非礼だとして国書を受け取りませんでした。ここに国交が事実上、断絶してしまいます。

当時、朝鮮は、「攘夷」を唱え続けてきた大院君《たいいんくん》（国王・高宗《こうそう》の実父）が摂政をしており、開国に転換して欧化政策をとった日本に対し、不信と警戒感を抱いていたようです。日本政府は七一年に日清修好条規に調印しましたが、これは、朝鮮が朝貢していることが示すように、朝鮮の「上位」にあたる清国との間で対等条約を締結することで、日朝交渉を打開する狙いがありました。しかし、朝鮮側は一向に態度を変えませんでした。

政府は七二年九月二〇日、外務大丞《だいじょう》の花房義質《はなぶさよしもと》を朝鮮に派遣しました。花房は一〇月一八日、釜山《プサン》の広大な敷地に建てられた「草梁倭館《そうりょうわかん》★」を接収し、外務省の管轄下に置きました。同館は、朝鮮外交を担った対馬藩の役人や商人らが滞在してきた、長

●大院君（国立国会図書館ウェブサイトから）

◉朝鮮の国書拒否

朝鮮にとって「皇」は、清の皇帝だけであり、朝鮮は王を名乗っていた。日本側が皇という呼称を使ったのは、明治天皇を朝鮮国王の上に位置づけるもの、というのが、日本の国書を受け取れないとした理由だった。

◉草梁倭館

倭館とは、日本の使節を応接するため、一五世紀はじめに設置された客館。建築、維持とも朝鮮側の負担で行われていた。多い時には、ソウルと富山浦など三か所の浦所に建てられていたが、文禄・慶長の役ですべて焼失。一六〇七年、関係修復交渉のため釜山の豆毛浦に改めて倭館が設けられたが、これを七八年に移転したものが、草梁倭館である。約一〇万坪の敷地を持ち、滞在者は対馬藩の者に限られたが、商館、在外公館の機能も併せ持ち、常に数百人が駐在し、日朝交易の中心を担った（国立公文書館アジア歴史資料センター・アジ歴グロッサリー）。

崎の出島にあたる場所です。接収は、廃藩置県で対馬藩がなくなったのに伴い、新政府に対朝鮮外交を一元化させる措置でした。

しかし、朝鮮当局は、これに強く反発し、大日本公館（旧倭館）への生活物資の供給を止めるとともに、公館前に「日本は無法の国」と非難する掲示を出しました。公館の日本係官が、この状況を報告書（七三年五月三一日付）にして外務省に提出したことで、日本国内の「征韓論」に火がつきます。ただ、日本で征韓論が唱えられたのは、これが初めてではありませんでした。★

朝鮮使節に西郷内定

七三年六月、釜山の公館から報告を受けた外務省は対応を協議します。この結果、現地の日本人が「凌虐《りょうぎゃく》」（はずかしめ、いじめること）を受けかねない事態なので、まずは居留民保護のため、「陸軍若干、軍艦幾隻」を派遣し、「公理公道をもって談判」する方針を固めます。

外務省の要請で開かれた閣議では、板垣退助が外務省の方針に賛成し、「兵士一大隊を急派せよ」と主張します。これに対して、西郷が反論し、まず「全権を委ねられた大官を派遣」するよう求め、自ら使節の任にあたりたいと述べました（毛利『明治六年政変』）。西郷は八月一三日の閣議で、訪朝の意向を正式に表明。一六日には三条を訪ね、「朝鮮は必ず使節を殺害するので、その節は、天下の人、皆あげて討つべき罪を知る」として派遣決行を迫りました。政府は一七日の閣議で、西郷を朝鮮使節とし

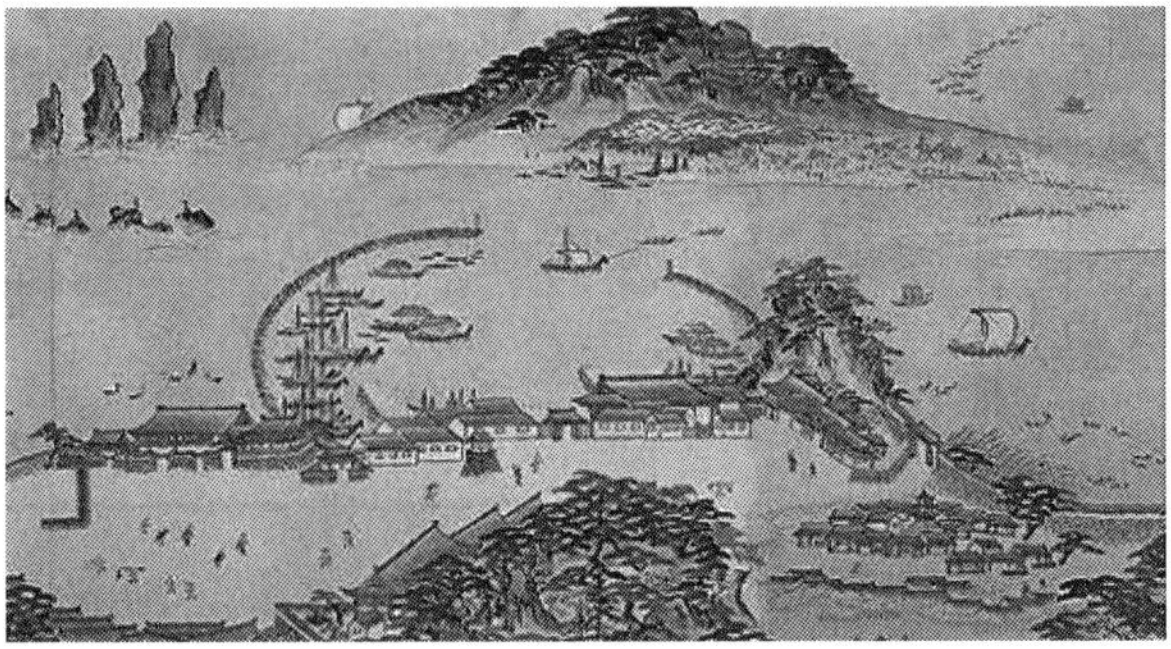

●釜山の草梁倭館（一八世紀）

て派遣することを内定します。

さて、特命全権大使・岩倉以下の使節団一行は、四月から七月にかけてデンマーク、スウェーデン、イタリア、オーストリア、スイスの各国を歴訪し、同月二〇日、フランスのマルセイユから帰国の途に就きました。地中海からスエズ運河を通って、アラビア海、セイロン島、ベンガル湾、マラッカ海峡、シンガポール、サイゴン、香港、上海を経由して九月一三日、横浜に着きました。

使節団副使の大久保は七三年五月二六日、同じく副使の木戸は同七月二三日、それぞれ個別に帰国していました。肥前・土佐派が目立つ政府の布陣を前に、すぐに動こうとしなかった二人は、岩倉が帰国すると、「西郷使節」に反対して巻き返しに転じます。

ここから、岩倉使節団の外遊組と、西郷隆盛ら留守政府の面々が、征韓論を直接のきっかけに正面から激突する「明治六年政変」（征韓論政変）が幕を開けます。

［以下第Ⅱ巻］

●船が行き交うスエズ運河の地中海側入り口ポートサイド（一八九〇年撮影、米国議会図書館蔵）

◉松陰らの「征韓論」

幕末の志士で教育者の吉田松陰は、「取り易き朝鮮・満州・支那を切り随え、交易にて魯国（ロシア）に失う所は、また土地にて鮮満にて償うべし」と書いていた。朝鮮などは武力でもって服従させ、ロシアとの交易で失う富は、朝鮮、満州を取って補塡《ほてん》すべしという意味だ。さらに朝鮮との窓口だった対馬藩からも、貿易拡大などを目的に、武力行使を伴う征韓論が出ていた。また、木戸孝允は戊辰戦争さなかの六九年一月、「使節を朝鮮に遣わし、彼の無礼を問い、彼もし服せざる時は罪をならして攻撃、大いに神州の威を伸長せんことを願う」と岩倉に説いていた。

第I巻参考文献一覧

会田倉吉『福沢諭吉』吉川弘文館、一九七四年
秋田茂『イギリス帝国の歴史――アジアから考える』中公新書、二〇一二年
朝倉治彦・三浦一郎編著『世界人物逸話大事典』角川書店、一九九六年
浅野典夫『「なぜ？」がわかる世界史』学研教育出版、二〇一二年
麻田雅文『日露近代史――戦争と平和の百年』講談社現代新書、二〇一八年
飛鳥井雅道『坂本龍馬』講談社学術文庫、二〇〇二年
安達正勝『物語　フランス革命』中公新書、二〇〇八年
阿部謹也『物語　ドイツの歴史――ドイツ的とは何か』中公新書、一九九八年
安部正人編述『鉄舟随感録』国書刊行会、二〇〇一年
飯田鼎『福沢諭吉――国民国家論の創始者』中公新書、一九八四年
飯田洋介『ビスマルク――ドイツ帝国を築いた政治外交術』中公新書、二〇一五年
家近良樹『江戸幕府崩壊――孝明天皇と「一会桑」』講談社学術文庫、二〇一四年
――『西郷隆盛――人を相手にせず、天を相手にせよ』ミネルヴァ書房、二〇一七年
――『その後の慶喜――大正まで生きた将軍』ちくま文庫、二〇一七年
五百旗頭真『占領期――首相たちの新日本』講談社学術文庫、二〇〇七年
生田美智子『高田屋嘉兵衛――只天下のためを存おり候』ミネルヴァ書房、二〇一二年
井黒弥太郎『黒田清隆』吉川弘文館、一九七七年
池田清『日本の海軍』朝日ソノラマ、一九八七年
池田敬正『坂本龍馬』中公新書、一九六五年
石井孝『勝海舟』吉川弘文館、一九七四年
――『増訂 明治維新の国際的環境』吉川弘文館、一九六六年
――『明治維新の舞台裏』岩波新書、一九六〇年
――『明治維新の舞台裏　第二版』岩波新書、一九七五年
石附実『近代日本の海外留学史』中公文庫、一九九二年
泉三郎『岩倉使節団――誇り高き男たちの物語』祥伝社黄金文庫、二〇一二年
磯田道史『龍馬史』文春文庫、二〇一三年
一坂太郎『幕末維新の城――権威の象徴か、実戦の要塞か』中公新書、二〇一四年
伊藤之雄『伊藤博文――近代日本を創った男』講談社学術文庫、二〇一五年
――『原敬――外交と政治の理想（上・下）』講談社選書メチエ、二〇一四年
――『元老西園寺公望――古希からの挑戦』文春新書、二〇

〇七年
絲屋寿雄『大村益次郎――幕末維新の兵制改革』中公新書、一九七一年
井上勝生『幕末・維新』岩波新書、二〇〇六年
井上清『日本の歴史20　明治維新』中公文庫、二〇〇六年
井上潤『渋沢栄一――近代日本社会の創造者』日本史リブレット 人、山川出版社、二〇一二年
井上亮『熱風の日本史』日本経済新聞出版社、二〇一四年
今泉淑夫編『日本仏教史辞典』吉川弘文館、一九九九年
色川大吉『日本の歴史21　近代国家の出発』中公文庫、二〇〇六年
岩井忠熊『西園寺公望――最後の元老』岩波新書、二〇〇三年
岩波書店編集部『近代日本総合年表』岩波書店、一九六八年
ウィロビー、チャールズ・アンドリュー『ウィロビー回顧録――知られざる日本占領』番町書房、一九七三年
梅渓昇『お雇い外国人――明治日本の脇役たち』講談社学術文庫、二〇〇七年
老川慶喜『日本鉄道史　幕末・明治篇――蒸気車模型から鉄道国有化まで』中公新書、二〇一四年
大江志乃夫『徴兵制』岩波新書、一九八一年
大久保泰甫『日本近代法の父　ボワソナアド』岩波新書、一九七七年
大城立裕『小説　琉球処分（上・下）』講談社文庫、二〇一〇年
大庭みな子『津田梅子』朝日文芸文庫、一九九三年
大淀昇一『技術官僚の政治参画――日本の科学技術行政の幕開き』中公新書、一九九七年
岡百合子『中・高校生のための　朝鮮・韓国の歴史』平凡社ライブラリー、二〇〇二年
岡義武『山県有朋――明治日本の象徴』岩波新書、一九五八年
奥田晴樹『維新と開化（日本近代の歴史 1）』吉川弘文館、二〇一六年
尾崎三良『尾崎三良自叙略伝　上』中公文庫、一九八〇年
尾佐竹猛『国際法より観たる幕末外交物語』文化生活研究会、一九二六年
――『幕末遣外使節物語――狄の国へ』岩波文庫、二〇一六年
落合弘樹『秩禄処分――明治維新と武家の解体』講談社学術文庫、二〇一五年
大日方純夫『「主権国家」成立の内と外（日本近代の歴史 2）』吉川弘文館、二〇一六年
笠原英彦『天皇親政――佐々木高行日記にみる明治政府と宮廷』中公新書、一九九五年
――『明治天皇――苦悩する「理想的君主」』中公新書、二〇〇六年
『勝海舟全集 1　幕末日記』講談社、一九七六年
勝田政治『〈政事家〉大久保利通――近代日本の設計者』講談社選書メチエ、二〇〇三年
――『廃藩置県――近代国家誕生の舞台裏』角川ソフィア文庫、二〇一四年
――『明治国家と万国対峙――近代日本の形成』角川選書、二〇一七年
加藤徹『西太后――大清帝国最後の光芒』中公新書、二〇〇五年

加藤祐三『幕末外交と開国』講談社学術文庫、二〇一二年
――『黒船異変――ペリーの挑戦』岩波新書、一九八八年
加藤祐三・川北稔『世界の歴史 25 アジアと欧米世界』中公文庫、二〇一〇年
加藤陽子『徴兵制と近代日本 1868-1945』吉川弘文館、一九九六年
角川書店編『日本史探訪 22』角川文庫、一九八五年
金子常規『図解詳説 幕末・戊辰戦争』中公文庫、二〇一七年
鹿野政直『近代日本思想案内』岩波文庫、一九九九年
鎌倉市市史編さん委員会『鎌倉市史 近代通史編』吉川弘文館、一九九四年
上垣外憲一『雨森芳洲――元禄亨保の国際人』中公新書、一九八九年
――『勝海舟と幕末外交――イギリス・ロシアの脅威に抗して』中公新書、二〇一四年
川北稔『イギリス近代史講義』講談社現代新書、二〇一〇年
川北稔・木畑洋一編『イギリスの歴史――帝国＝コモンウェルスのあゆみ』有斐閣アルマ、二〇〇〇年
姜在彦『増補新訂 朝鮮近代史』平凡社ライブラリー、一九九八年
姜範錫『征韓論政変――明治六年の権力闘争』サイマル出版会、一九九〇年
木下広居『英国議会』潮新書、一九六六年
木下康彦・木村靖二・吉田寅編『詳説 世界史研究』山川出版社、二〇〇八年
木畑洋一・秋田茂編著『近代イギリスの歴史――16世紀から現代まで』ミネルヴァ書房、二〇一一年
君塚直隆『物語 イギリスの歴史（下）――清教徒・名誉革命からエリザベス2世まで』中公新書、二〇一五年
金達寿『朝鮮――民族・歴史・文化』岩波新書、一九五八年
金重明『物語 朝鮮王朝の滅亡』岩波新書、二〇一三年
木村靖二ほか『詳説 世界史』山川出版社、二〇一五年
木村毅『西園寺公望』時事通信社、一九五八年
キーン、ドナルド『日本人の西洋発見』中公文庫、一九八二年
――『明治天皇（一）（二）』角地幸男訳、新潮文庫、二〇〇七年
宮内庁『明治天皇紀 第一』吉川弘文館、一九六八年
――『明治天皇紀 第二』吉川弘文館、一九六九年
――『明治天皇紀 第三』吉川弘文館、一九六九年
久野明子『鹿鳴館の貴婦人 大山捨松――日本初の女子留学生』中央公論社、一九八八年
久米邦武編『特命全権大使 米欧回覧実記（一）（二）（三）（四）』田中彰校注、岩波文庫、一九七八―八〇年
――編著『現代語訳 特命全権大使 米欧回覧実記 アメリカ編』『イギリス編』『ヨーロッパ大陸編』水澤周訳注、慶應義塾大学出版会、二〇〇八年
グリフィス、ウィリアム・エリオット『明治日本体験記』山下英一訳、東洋文庫、一九八四年
小泉信三『福沢諭吉』岩波新書、一九六六年
国史大辞典編集委員会『国史大辞典』吉川弘文館、一九七九―一九九七年
小島晋治・丸山松幸『中国近現代史』岩波新書、一九八六年

小島英記『幕末維新を動かした8人の外国人』東洋経済新報社、二〇一六年
児玉幸多・北島正元編『第二期　物語藩史　第七巻』人物往来社、一九六六年
ゴードン、アンドルー『日本の200年——徳川時代から現代まで（上・下）』森谷文昭訳、みすず書房、二〇〇六年
小長久子『滝廉太郎』吉川弘文館、一九六八年
小西四郎『日本の歴史19　開国と攘夷』中公文庫、一九七四年
小林章夫『イギリス名宰相物語』講談社現代新書、一九九九年
五味文彦・高埜利彦・鳥海靖編『詳説日本史研究』山川出版社、一九九八年
近藤和彦『イギリス史10講』岩波新書、二〇一三年
ゴンチャローフ、イワン・アレクサンドロヴィチ『ゴンチャローフ日本渡航記』高野明・島田陽訳、講談社学術文庫、二〇〇八年
ゴンブリッチ、エルンスト・ハンス『若い読者のための世界史——原始から現代まで（下）』中公文庫、二〇一二年
佐伯彰一『外から見た近代日本』講談社学術文庫、一九八四年
坂本多加雄『日本の近代　2　明治国家の建設』中公文庫、二〇一二年
佐々木克『幕末史』ちくま新書、二〇一四年
——『幕末の天皇・明治の天皇』講談社学術文庫、二〇〇五年
——『戊辰戦争——敗者の明治維新』中公新書、一九七七年
佐々木寛司『地租改正——近代日本への土地改革』中公新書、一九八九年
笹山晴生ほか『詳説　日本史』山川出版社、二〇一五年
サトウ、アーネスト『一外交官の見た明治維新』講談社学術文庫、二〇二一年
佐藤誠三郎『「死の跳躍」を越えて——西洋の衝撃と日本』千倉書房、二〇〇九年
佐藤正哲・中里成章・水島司『世界の歴史14　ムガル帝国から英領インドへ』中公文庫、二〇〇九年
猿谷要編『アメリカ大統領物語』新書館、二〇〇二年
サンソム、ジョージ・ベイリー『西欧世界と日本（下）』ちくま学芸文庫、一九九五年
重光葵『重光葵手記』中央公論社、一九八六年
司馬遼太郎『歳月（上・下）』講談社文庫、二〇〇五年
——『最後の将軍』文春文庫、一九七四年
——『菜の花の沖（全6巻）』文春文庫、二〇〇〇年
——『竜馬がゆく（全8巻）』文春文庫、一九九八年
『司馬遼太郎全集54　草原の記・「明治」という国家』文藝春秋、一九九九年
柴田三千雄『パリ・コミューン』中公新書、一九七三年
渋沢栄一『徳川慶喜公伝（全4巻）』東洋文庫、一九六七—六八年
島崎藤村『夜明け前　第一部』岩波文庫、一九六九年
清水克祐『アメリカ州別文化事典』名著普及会、一九八六年
清水博『世界の歴史17　アメリカ合衆国の発展』講談社、一九七八年
——編『世界各国史8　アメリカ史（新版）』山川出版社、一九六九年

ジャンセン、マリアス『坂本龍馬と明治維新』時事通信社、一九六五年
杉谷昭『鍋島閑叟――蘭癖・佐賀藩主の幕末』中公新書、一九九二年
杉山伸也『明治維新とイギリス商人――トマス・グラバーの生涯』岩波新書、一九九三年
鈴木透『性と暴力のアメリカ――理念先行国家の矛盾と苦悶』中公新書、二〇〇六年
スマイルズ、サミュエル『西国立志編』講談社学術文庫、一九八一年
「世界の歴史」編集委員会編『新もういちど読む山川世界史』山川出版社、二〇一七年
戴國煇『台湾――人間・歴史・心性』岩波新書、一九八八年
高崎通浩『歴代アメリカ大統領総覧』中公新書ラクレ、二〇〇二年
高梨健吉『文明開化の英語』中公文庫、一九八五年
高橋敏『清水次郎長――幕末維新と博徒の世界』岩波新書、二〇一〇年
高良倉吉『琉球王国』岩波新書、一九九三年
瀧井一博『伊藤博文――知の政治家』中公新書、二〇一〇年
竹内誠ほか『東京都の歴史』山川出版社、一九九七年
竹内理三ほか編『日本近現代史小辞典』角川書店、一九七八年
竹越与三郎『二千五百年史』講談社学術文庫、一九七七年
武田晴人『日本経済の事件簿――開国からバブル崩壊まで』日本経済評論社、二〇〇九年
田中彰『岩倉使節団　米欧回覧実記』岩波現代文庫、二〇〇二年
――『明治維新』岩波ジュニア新書、二〇〇〇年
――『明治維新』講談社学術文庫、二〇〇三年
――『明治維新と西洋文明――岩倉使節団は何を見たか』岩波新書、二〇〇三年
――『吉田松陰――変転する人物像』中公新書、二〇〇一年
――校注『日本近代思想大系 1　開国』岩波書店、一九九一年
谷川稔ほか『世界の歴史 22　近代ヨーロッパの情熱と苦悩』中公文庫、二〇〇九年
圭室諦成『西郷隆盛』岩波新書、一九六〇年
チェンバレン、バジル・ホール『日本事物誌　1』高梨健吉訳、東洋文庫、一九六九年
千葉功『桂太郎――外に帝国主義、内に立憲主義』中公新書、二〇一二年
趙景達『近代朝鮮と日本』岩波新書、二〇一二年
辻田真佐憲『文部省の研究――「理想の日本人像」を求めた百五十年』文春新書、二〇一七年
土屋喬雄『日本資本主義史上の指導者たち』岩波新書、一九三九年
ディキンズ、フレデリック・ヴィクター『パークス伝――日本駐在の日々』高梨健吉訳、東洋文庫、一九八四年
出口治明『「全世界史」講義』新潮社、二〇一六年
――『「全世界史」講義 II』新潮社、二〇一六年
土井晩翠ほか『日本現代文学全集 22』講談社、一九六八年
『東京百年史』第二巻、東京都、一九七二年

所功『日本の年号――揺れ動く〈元号〉問題の原点』雄山閣出版、一九七七年
トレモリエール、フランソワほか編『ラルース図説世界史人物百科Ⅲ』原書房、二〇〇五年
長崎暢子『インド大反乱　一八五七年』中公新書、一九八一年
永田雄三・羽田正『世界の歴史15　成熟のイスラーム社会』中公文庫、二〇〇八年
中村彰彦『幕末入門』中公文庫、二〇〇三年
中村隆英『明治大正史（上）』東京大学出版会、二〇一五年
奈良本辰也『高杉晋作』中公新書、一九六五年
西川武臣『ペリー来航――日本・琉球をゆるがした412日間』中公新書、二〇一六年
西沢爽『日本近代歌謡史（上）』桜楓社、一九九〇年
日本史広辞典編集委員会『日本史広辞典』山川出版社、一九九七年
『日本の名著30　佐久間象山・横井小楠』中央公論社、一九七〇年
『日本の名著33　福沢諭吉』中央公論社、一九六九年
『日本の名著37　陸羯南・三宅雪嶺』中央公論社、一九八二年
『日本の名著48　吉野作造』中央公論社、一九七二年
ニムラ、ジャニス・P『少女たちの明治維新――ふたつの文化を生きた30年』志村昌子・藪本多恵子訳、原書房、二〇一六年
野口武彦『鳥羽伏見の戦い――幕府の命運を決した四日間』中公新書、二〇一〇年
――『幕末気分』講談社、二〇〇二年
芳賀徹『大君の使節――幕末日本人の西欧体験』中公新書、一九六八年
萩原延壽『明治維新と日本人』講談社学術文庫、一九八〇年
――『江戸開城　遠い崖――アーネスト・サトウ日記抄7』朝日文庫、二〇〇〇年
――『岩倉使節団　遠い崖――アーネスト・サトウ日記抄9』朝日文庫、二〇〇〇年
――『大分裂　遠い崖――アーネスト・サトウ日記抄10』朝日文庫、二〇〇〇年
秦郁彦『靖国神社の祭神たち』新潮選書、二〇一〇年
――編『日本陸海軍総合事典』東京大学出版会、一九九一年
波多野善大編『中国文明の歴史10　東アジアの開国』中公文庫、二〇〇〇年
バーダマン、ジェームス・M『アメリカ黒人の歴史』森本豊富訳、NHKブックス、二〇一一年
羽田正『新しい世界史へ――地球市民のための構想』岩波新書、二〇一一年
浜林正夫『世界史再入門――歴史のながれと日本の位置を見直す』講談社学術文庫、二〇〇八年
半藤一利『幕末史』新潮文庫、二〇一二年
坂野潤治『日本近代史』ちくま新書、二〇一二年
ビーアド、チャールズ・オースティン『新版アメリカ合衆国史』松本重治・岸村金次郎・本間長世訳、岩波書店、一九六四年
東恩納寛惇『尚泰侯実録』国会図書館デジタルコレクション、

一九二四年
平岩弓枝『私の履歴書』日本経済新聞出版社、二〇〇八年
平川祐弘『西欧の衝撃と日本』講談社学術文庫、一九八五年
福沢諭吉『福翁自伝』講談社学術文庫、二〇一〇年
福地惇『明治新政権の権力構造』吉川弘文館、一九九六年
藤澤房俊『ガリバルディ――イタリア建国の英雄』中公新書、二〇一六年
藤野順『日ソ外交事始――交流の原点はここにあった』山手書房新社、一九九〇年
『ブリタニカ国際大百科事典』ブリタニカ・ジャパン、電子書籍版
古川薫『松下村塾』新潮選書、一九九五年
――『幕末長州藩の攘夷戦争――欧米連合艦隊の来襲』中公新書、一九九六年
古田紹欽ほか監修『佛教大事典』小学館、一九八八年
ペリー、マシュー・カルブレイス『ペリー提督日本遠征記（上・下）』角川ソフィア文庫、二〇一四年
――『ペルリ提督　日本遠征記（全四冊）』土屋喬雄・玉城肇訳、岩波文庫、一九四八―五五年
ベルツ、トク（編）『ベルツの日記（上・下）』菅沼竜太郎訳、岩波文庫、一九七九年
保谷徹『戦争の日本史18　戊辰戦争』吉川弘文館、二〇〇七年
星亮一『会津落城――戊辰戦争最大の悲劇』中公新書、二〇〇三年
――『奥羽越列藩同盟――東日本政府樹立の夢』中公新書、一九九五年
細谷雄一『国際秩序――18世紀ヨーロッパから21世紀アジアへ』中公新書、二〇一二年
本田創造『アメリカ黒人の歴史　新版』岩波新書、一九九一年
牧野伸顕『回顧録（上・下）』中公文庫、一九七七―七八年
升味準之輔『日本政党史論　第一巻』東京大学出版会、一九六五年
――『比較政治　西欧と日本』東京大学出版会、一九九〇年
松浦玲『徳川慶喜――将軍家の明治維新』中公新書、一九七五年
――『勝海舟』中公新書、一九六八年
――『横井小楠　増補版――儒学的正義とは何か』朝日選書、二〇〇〇年
松尾正人『廃藩置県――近代統一国家への苦悶』中公新書、一九八六年
松本健一『日本の近代1　開国・維新』中公文庫、二〇一二年
松本三之介編・解説『現代日本思想体系1――近代思想の萌芽』筑摩書房、一九六六年
マルクス、カール『フランスの内乱』岩波文庫、一九五二年
圓山牧田・平井正修編『最後のサムライ　山岡鐵舟』教育評論社、二〇〇七年
三谷太一郎『日本の近代とは何であったか――問題史的考察』岩波新書、二〇一七年
三谷博『ペリー来航』吉川弘文館、二〇〇三年
――『明治維新を考える』岩波現代文庫、二〇一二年
三谷博・並木頼寿・月脚達彦編『大人のための近現代史　19世

紀編』東京大学出版会、二〇〇九年
南塚信吾・秋田茂・高澤紀恵『新しく学ぶ西洋の歴史』ミネルヴァ書房、二〇一六年
宮城栄昌『沖縄の歴史』琉球新報社、一九七五年
宮地佐一郎『龍馬の手紙——坂本龍馬全書簡集・関係文書・詠草』講談社学術文庫、二〇〇三年
宮永孝『幕末遣欧使節団』講談社学術文庫、二〇〇六年
——『万延元年の遣米使節団』講談社学術文庫、二〇〇五年
村上重良『天皇制国家と宗教』講談社学術文庫、二〇〇七年
村松貞次郎『お雇い外国人(15)建築・土木』鹿島出版会、一九七六年
毛利敏彦『江藤新平——急進的改革者の悲劇』中公新書、一九八七年
——『台湾出兵——大日本帝国の開幕劇』中公新書、一九九六年
——『幕末維新と佐賀藩——日本西洋化の原点』中公新書、二〇〇八年
——『明治六年政変』中公新書、一九七九年
森田朋子・齋藤洋子『佐賀偉人伝12 副島種臣——1828-1905』佐賀県立佐賀城本丸歴史館、二〇一四年
森山英一『明治維新・廃城一覧』新人物往来社、一九八九年
八木一文『新世界と日本人——幕末・明治の日米交流秘話』現代教養文庫、一九九六年
安岡昭男『副島種臣』吉川弘文館、二〇一二年
安丸良夫『神々の明治維新——神仏分離と廃仏毀釈』岩波新書、一九七九年
山住正己『日本教育小史——近・現代』岩波新書、一九八七年
——校注『日本近代思想体系6 教育の体系』岩波書店、一九九〇年
山本博文ほか『こんなに変わった歴史教科書』新潮文庫、二〇一一年
山本正身『日本教育史——教育の「今」を歴史から考える』慶應義塾大学出版会、二〇一四年
横山百合子『江戸東京の明治維新』岩波新書、二〇一八年
吉川利一『津田梅子』中公文庫、一九九〇年
吉澤誠一郎『シリーズ中国近現代史① 清朝と近代世界——19世紀』岩波新書、二〇一〇年
吉田常吉『唐人お吉——幕末外交秘史』中公新書、一九六六年
吉田常吉・佐藤誠三郎校注『日本思想大系56 幕末政治論集』岩波書店、一九七六年
吉田光邦『お雇い外国人(2)産業』鹿島出版会、一九六八年
吉村昭『落日の宴——勘定奉行川路聖謨』講談社文庫、一九九九年
読売新聞昭和時代プロジェクト『昭和時代——敗戦・占領・独立』中央公論新社、二〇一五年
レーヴェンシュタイン、カール『イギリスの政治——議会制民主主義の歴史』阿部照哉訳、潮新書、一九六七年
和田春樹『北方領土問題を考える』岩波書店、一九九〇年

ま 行

や 行

ら 行

わ 行

な 行

は 行

た　行

さ行

事項索引

は　行

ま　行

た　行

な　行

さ　行

主要人名索引

あ 行

か 行

著者紹介

浅海伸夫（あさうみ・のぶお）

1951年生まれ。中央大学法学部卒。74年、読売新聞（東京本社）入社、横浜支局に配属。82年から18年間、政治部記者。その間、政治コラム『まつりごと考』連載。世論調査部長、解説部長を経て論説副委員長。読売新聞戦争責任検証委員会の責任者、長期連載『昭和時代』のプロジェクトリーダーを務めた。現在は同社調査研究本部主任研究員。

著書に『政治記者が描く平成の政治家』（丸善ライブラリー）、『政　まつりごと』（編著、読売新聞社）、『国会と外交』（共著、信山社）、『日本の世論』（編著、弘文堂）、『素顔の十代』（同）、『現代日本政党史録 4』（共著、第一法規）、『二大政党時代のあけぼの――平成の政治と選挙』（編著、木鐸社）、『検証　戦争責任（上・下）』（編著、中公文庫）、『昭和時代』全5巻（編著、中央公論新社）。

高校生《こうこうせい》のための「歴史総合《れきしそうごう》」入門《にゅうもん》

――世界《せかい》の中《なか》の日本《にほん》・近代史《きんだいし》（全3巻）

I　日本《にほん》に「近代《きんだい》」到来《とうらい》

2022年8月30日　初版第1刷発行

著　者　浅　海　伸　夫

発行者　藤　原　良　雄

発行所　株式会社　藤　原　書　店

〒162–0041　東京都新宿区早稲田鶴巻町523

電　話　03（5272）0301

FAX　03（5272）0450

振　替　00160 - 4 - 17013

info@fujiwara-shoten.co.jp

印刷・製本　中央精版印刷

Printed in Japan

ISBN978-4-86578-352-0

〈世界システム〉概念で社会科学の全領野を包括

イマニュエル・ウォーラーステイン

(1930–2019)

地球上のすべての地域を関係づける〈世界システム〉という概念で、20世紀社会科学の全領野を包括する新たな認識論を提示してきたウォーラーステイン。「資本主義世界経済」と「リベラリズム」のイデオロギーに支えられた「近代世界システム」が終焉を迎えつつある現在、19世紀以来の学問の専門分化は解体し、地球社会全体を見渡す新しい科学が求められている。

我々は世界システムの転換期に立ち会っている。来るべき新たな世界システムの姿を予言することはできない。ただ、一人一人の人間が、未来を変えうる歴史的存在として、現在のなかで行動することが求められるのみである。その行動に際して、ウォーラーステインの著作が指針を与えてくれる。

激動の現代世界を透視する

ポスト・アメリカ

（世界システムにおける地政学と地政文化）

I・ウォーラーステイン
丸山勝訳

「地政文化《ジェオカルチャー》」の視点から激動の世界＝史的システムとしての資本主義を透視。八九年はパックス・アメリカーナの幕開けではなく終わりである、冷戦こそがパックス・アメリカーナであったと見る著者が、現代を世界史の文化的深層から抉る。

四六上製　三九二頁　三七〇〇円
（一九九一年九月刊）
品切◇978-4-938661-32-8

GEOPOLITICS AND GEOCULTURE
Immanuel WALLERSTEIN

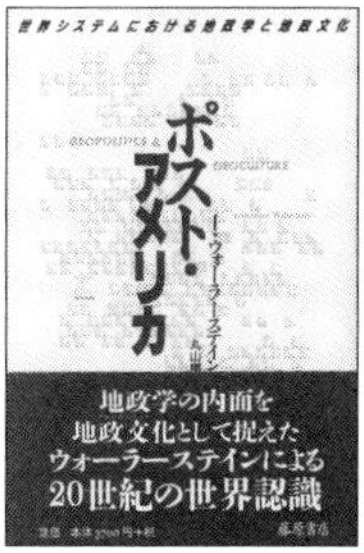

新しい総合科学を創造

脱＝社会科学

（一九世紀パラダイムの限界）

I・ウォーラーステイン
本多健吉・高橋章監訳

十九世紀社会科学の創造者マルクスと、二十世紀最高の歴史家ブローデルを総合。新しい、真の総合科学の再構築に向けて、ラディカルに問題提起する話題の野心作。〈来日セミナー〉収録（川勝平太・佐伯啓思他）。

A5上製　四四八頁　五七〇〇円
（一九九三年九月刊）
◇978-4-938661-78-6

UNTHINKING SOCIAL SCIENCE
Immanuel WALLERSTEIN

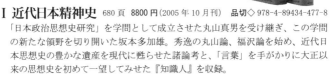

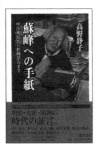